Otto Kaiser
Von der Gegenwartsbedeutung
des Alten Testaments

OTTO KAISER

Von der Gegenwartsbedeutung des Alten Testaments

Gesammelte Studien zur Hermeneutik und zur Redaktionsgeschichte

Zu seinem 60. Geburtstag am 30. November 1984
herausgegeben von
Volkmar Fritz, Karl-Friedrich Pohlmann und
Hans-Christoph Schmitt

VANDENHOECK & RUPRECHT
IN GÖTTINGEN

CIP-Kurztitelaufnahme der Deutschen Biblothek

Kaiser, Otto:
Von der Gegenwartsbedeutung des Alten Testaments:
ges. Studien zur Hermeneutik u. zur Redaktionsgeschichte; zu seinem 60. Geburtstag am 30. November
1984 / Otto Kaiser. Hrsg. von Volkmar Fritz . . . –
Göttingen: Vandenhoeck & Ruprecht, 1984.

ISBN 3-525-58144-0

Umschlag: Karlgeorg Hoefer
© Vandenhoeck & Ruprecht, Göttingen 1984 –
Printed in Germany. – Ohne ausdrückliche Genehmigung des Verlages
ist es nicht gestattet, das Buch oder Teile daraus auf foto- oder akusto-
mechanischem Wege zu vervielfältigen.
Satz und Druck: Gulde-Druck GmbH, Tübingen.
Bindearbeit: Hubert & Co., Göttingen.

Vorwort

Der 60. Geburtstag von Otto Kaiser am 30. November 1984 bietet die willkommene Gelegenheit, einen Band gesammelter Studien des Jubilars vorzulegen. Wir möchten unseren verehrten Lehrer mit dieser Festgabe herzlich grüßen und ihm unsere besten Wünsche für seine weitere theologische Arbeit übermitteln.

Die vorliegende Sammlung von unverändert abgedruckten Studien Otto Kaisers will keinen repräsentativen Querschnitt durch das exegetische Werk geben, sondern sich bewußt auf zwei der Forschungsschwerpunkte beschränken, zu denen ein wesentlicher Teil seiner Arbeiten in weit verstreuten Festschriften erschienen ist.

Der erste Teil der Sammlung bietet eine Reihe von Studien zur Hermeneutik des Alten Testaments, in denen Otto Kaiser einen sehr eigenständigen Zugang zur Gegenwartsbedeutung des Alten Testaments vertritt, der bisher – wohl auch aufgrund der Disparatheit der Publikationsstellen – in der Forschung noch nicht in dem ihm gebührenden Maße rezipiert worden ist. Den chronologisch angeordneten Aufsätzen ist die programmatische Studie „Von der Gegenwartsbedeutung des Alten Testaments" vorangestellt worden. Daß sie in ihrer ersten Fassung im Prediger- und Studienseminar der Vereinigten Evangelisch-Lutherischen Kirche Deutschlands in Pullach vorgetragen wurde, zeigt, wie sehr sich Otto Kaiser in seiner wissenschaftlichen Arbeit der kirchlichen Praxis verpflichtet weiß. In welchem Maße sich die hermeneutische Position Kaisers dabei der Aufarbeitung der spezifischen Welterfahrung des neuzeitlichen Denkens verdankt, wird vor allem an den drei stärker theologiegeschichtlich argumentierenden Aufsätzen zu Kant, Eichhorn und Semler deutlich. Abgeschlossen wird dieser erste Teil des Bandes durch einen noch unpublizierten Aufsatz, der in einer für Kaisers Hermeneutik besonders charakteristischen Weise am Phänomen des Gebets und im Gegenüber zur heutigen Welterfahrung die Bedeutung des biblischen Gottesverständnisses expliziert.

Von der Grundeinsicht ausgehend, daß auch innerhalb des Alten Testaments die Gotteserfahrung der Väter in großer Freiheit gegenüber traditionellen Formulierungen neu zur Sprache gebracht wird, und zwar gerade in exilisch-nachexilischer Zeit, ist Otto Kaiser einer der Bahnbrecher redaktionsgeschichtlicher Fragestellungen in der deutschen alttestamentlichen Wissenschaft geworden. Die einschneidendsten Konsequenzen hat dieser redaktionsgeschichtliche Ansatz in Kaisers Jesajaexegese gezeitigt. Deshalb steht der für Kaisers Verständnis des Jesajabuches so grundlegende Aufsatz „Geschichtliche Erfahrung und eschatologische Erwartung" im Mittelpunkt des zweiten, exegetischen Teils der Aufsatzsammlung. Zwei weitere Aufsätze zum nachexilischen Hintergrund von Texten des Jesajabuches schließen sich an. Vorangestellt sind drei Arbeiten zu Befunden vor allem des Pentateuchs, die u.E. (auch wenn sie wie die ersten beiden bereits vor 25 Jahren konzipiert wurden) grundlegende Bedeutung für die weitere Forschung besitzen.

Wir danken dem Verlag Vandenhoeck & Ruprecht für das bereitwillige Entgegenkommen, mit dem er das Vorhaben realisieren half, den im Nachweis der Erstveröffentlichungen genannten Verlagen für die Genehmigung des Wiederabdrucks der einzelnen Studien, und vor allem auch den Evangelischen Kirchen in Kurhessen und Waldeck und in Hessen und Nassau und dem Marburger Universitätsbund für die Gewährung namhafter Druckkostenzuschüsse. Herzlichen Dank auch der Sekretärin an den Lehrstühlen für Evangelische Theologie an der Universität Augsburg Frau Hella Schuch für die Schreibarbeiten bei der Herstellung des Manuskripts!

Volkmar Fritz
Karl-Friedrich Pohlmann
Hans-Christoph Schmitt

Inhalt

Die Orte der Erstveröffentlichung sind aus der Bibliographie am Ende des Bandes zu entnehmen. Dort sind die hier gedruckten Titel mit einem * versehen.

I.
Studien zur Hermeneutik
des Alten Testaments im Horizont
neuzeitlicher Welterfahrung

Von der Gegenwartsbedeutung
des Alten Testaments[1]

I.

Das Selbstverständnis des Abendlandes befindet sich heute in einer
Krise. Blicken wir zurück, so erkennen wir deutlicher, was sich gewan-
delt hat. Für frühere Geschlechter lagen die Dinge relativ einfach: Aus
dem Dunkel der Vorzeit und ihrer Schatten leuchteten zwei Zentren
auf, Athen und Jerusalem. Von dem einen, das gleichzeitig für Hellas
steht, kamen Kultur, Kunst und Wissenschaft. Von dem anderen, das
für Israel, das Alte und das Neue Testament eintritt, kam die Offenbarung. Auf die im wesentlichen als Verheißung verstandene Zeit
Israels folgte die Erfüllung in Jesus Christus. Was in der Erwählung
Abrahams begann, enthüllte sich in David, gewann in den Gesichten
der Propheten Gestalt: die Erwartung von dem einen großen und
alles umfassenden Gottesreich, in dem der Eine herrscht, der Messias.
Auf die Reiche der Welt folgt das Reich des Uralten der Tage. In
Jesus Christus ist der Messias erschienen, vor dessen Thron sich eines
Tages beugen müssen alle Geschlechter der Erde. Ein Logos, ein Geist
durchwaltet die Geschichte der Völker. Und wo je Wahrheit erkannt
wurde, wie bei den Griechen, waltete dieser Logos; ja, ist es nicht Gottes
providentia specialissima, welche den griechischen Geist erwachen ließ,
damit sie der Theologie in der Zeit zwischen der ersten und der letzten
Ankunft Christi das Rüstzeug verliehe, die *eine* und ungeteilt ganze
Wahrheit von der Fleischwerdung des Logos gegenüber allen Häresien
zu verteidigen? Ohne Hellas keine Theologie, ohne Jerusalem keine
christliche Theologie. Dann kam das Reich Roms, das Reich des Pap-

1. Überarbeitete Fassung eines Vortrages, der am 19. 11. 1970 im Prediger-
und Studienseminar der Evangelisch-Lutherischen Kirche Deutschlands in
Pullach gehalten wurde. Seinem Direktor, Herrn Dr. Herbert Breit, sei auch
an dieser Stelle für die Einladung, den Seminarteilnehmern für ihre Anteil-
nahme und Gesprächsbereitschaft gedankt.

stes und der Kaiser, beide berufen, in der unbekannt lange währenden Zwischenzeit geistliche und weltliche Ordnung zu wahren. Als Rom versagte, traten Wittenberg, Zürich und Genf an ihre Stelle. Die Väter der Reformation ergriffen das Wort und zeigten neu, welches Heil allen Menschen in Christus widerfahren ist. Als sich im Zeitalter der Entdeckungen der Horizont der abendländischen Christenheit weitete, erkannte sie erst zögernd und schließlich gewiß, daß ihr damit die neue Aufgabe zugewiesen war, dem Evangelium vor dem Ende den Weg unter allen Völkern der Welt zu bereiten.

Wer genauer zusieht, erkennt freilich, wie sich schon auf der Grenze vom Mittelalter zur Neuzeit die Anfechtung mehrt, wie sich das vorbereitet, was seit der Aufklärung nicht mehr verstummt: die Herausforderung der Christenheit durch die Religionen, die alsbald durch den Streit der Konfessionen verstärkt worden ist. Das geschlossene christliche Weltbild bricht auf, nicht nur durch Kopernikus, der die Erde aus ihrer Mittelpunktstellung löste und damit dem Abendland einen kosmischen Schock (Wolfgang Philipp) versetzte, von dem es sich heute im Zeitalter der Raumfahrt erst recht nicht erholt hat. Während sich die gegenwärtige, durch Naturwissenschaft und Technik beherrschte Welt vorbereitet, zerfällt das Corpus christianum, versinken die Ordnungsmächte des Reiches und der Kronen. Der christliche Glaube erweist sich als unfähig, der Selbstzerfleischung der christlichen Völker zu steuern. Die Farbige Welt erwacht. Aus Sklaven und sklavengleichen Söldnern werden Revolutionäre und gleichberechtigte Partner. Vor den staunenden Augen des Bürgertums, das Besitz, Bildung und Tradition verwaltet, erhebt sich die neue technische Welt, teils vom Kapital, teils von ideologichen Gruppen gelenkt und gesteuert. An die Stelle der uralten Frage: »Wie bekomme ich einen gnädigen Gott?« tritt die andere, dringliche: »Wie werde ich mit einem Leben fertig, das täglich stärkerem Leistungsdruck unterliegt? Wird es in dieser, ihre alten Kulturen auflösenden und sich beständig wandelnden Welt gelingen, eine menschliche Ordnung zu schaffen, eine Ordnung, in der eine immer weiter um sich greifende Organisation menschlicher Würde und Freiheit einen Raum läßt?«

Das geistige Erbe der Väter erscheint in diesem Prozeß als eine der eigenen Verantwortung aufgegebene Möglichkeit. Es besitzt keine äußere Sicherung, keinen Staat und kein Reich, das sich zu seiner Verteidigung berufen fühlt. Es tritt in die Konkurrenz mit den anderen Religionen und Weltanschauungen, mögen sie auf christlichem oder außerchristlichem Boden erwachsen sein. Erkennen wir die Zeichen der Zeit recht, so werden sie insgesamt durch die eine Frage nach dem nackten Überleben einer ständig sich mehrenden Menschheit in den Hintergrund gerückt. Wartet am Ende der mächtige Technokrat, der mit seinen Computern und Kybernetikern nicht nur die Maschinen, sondern auch die Menschen beherrscht und sie eiskalt wie Zahlen in seine Rechnung einsetzt? Oder wird es gelingen, den Menschen auch in der Zeit weltweiter Planung und Organisation Mensch mit seinem ganz persönlichen Schicksal und einem Höchstmaß persönlicher Freiheit bleiben zu lassen? Und wer ist eigentlich dieser Mensch? Ist er mehr und wesentlich anderes als ein Bündel von Trieben, die auf ihre optimale Erfüllung drängen? Liegt vor seinem Leben ein Ziel? Hat es einen Sinn, das den uns überschaubaren Raum zwischen Geburt und Tod überdauert? Ist der Mensch in dieser kurzen Spanne ganz seinem Belieben anheimgegeben oder steht er unter einer sein Wesen begründenden Forderung, so daß sich seine Freiheit in einem notwendigen Tun vollendet und erfüllt?

Was immer die Tradition an Antworten bereithält, ist in den Strudel der Fragwürdigkeit geraten. Was immer sich als absolut ausgab und ausgibt, ist durch geschichtliche Wissenschaft in seiner Bedingtheit, seiner Eingebundenheit in eine konkrete raumzeitliche Situation als das Relative, Standortgebundene erwiesen. An die Stelle des allwaltenden Gottes scheint allein das Gesetz, der Satz vom zureichenden Grunde zu treten: Alles, was geschieht, hat seine Ursache. Es gibt keinen Sprung, keinen Riß in dem Teppich, dessen Faden die Notwendigkeit schlägt. Technik als angewandte Wissenschaft zeigt, in welchem Umfang und Ausmaß der Mensch sein Schicksal selbst zu gestalten vermag. Krankheit und Seuchen, Kriege und Hungersnöte, in denen die Alten und noch die Vorväter die Schicksalsmacht des Todes, Gottes oder der Götter sinnenfällig erfuhren, sind in weitem Bereich menschlichem Vorsorgen, Abwehren und Verfügen anheimgestellt. Sittliche Durchschaubarkeit des Schicksals des einzelnen wie der Völker, die sich einem begrenzten Umblick in kleinräumiger und kleinzeitlicher Welt zu gewähren schien, hat sich in Undurchschaubarkeit verwandelt. Und die Grenzen zwischen dem, was verantwortlicher Tat des Menschen anvertraut ist, und zwischen dem, was wir als dunkles Schicksal zu erleiden haben, erscheinen als fließend. Was sich heute noch als zwingendes Schicksal ereignet, mag morgen schon unserem Tun anvertraut sein. Nur zwei Grenzen erweisen sich bei erster Überprüfung als unerschüttert und unverrückbar: das Schicksal der Geburt und das Schicksal des Alterns und Sterbens. Das erste weist uns in eine unverwechselbare individuelle Situation ein. Wir werden als die Kinder bestimmter Eltern mit einer bestimmten Anlage in eine ganz bestimmte und je einmalige geschichtliche Situation hineingeboren. Wir erhalten als die bestimmten und in ihrer Individualität einzigen unseren Platz in der Geschichte angewiesen. Und auch das zweite kommt mit eherner Notwendigkeit auf uns zu: altern und sterben zu müssen. Mag es heute und morgen gelingen, den Tod abzuwenden, einmal kommt er, ereilt er uns alle. Als die Bestimmten sind wir in eine bestimmte Situation eingewiesen, in der wir uns für eine ungewisse, aber überschaubare Spanne zu einem bald herrlichen, bald quälenden Leben gerufen wissen.

Damit erscheint der Gott in die Ferne gerückt, als blinde Macht des Zufalls, des dunklen Schicksals, um das sich zu sorgen oder zu kümmern nicht lohnt, es sei denn im ständigen Kampf, seine Macht einzugrenzen und abzuwenden. Abgesehen davon erscheint angemessen die Mahnung aus der Frühe griechischer Aufklärung, der sich die Stimme des Grüblers unter den Zeugen des Alten Testaments an die Seite stellen ließe, des Qohelet, Prediger Salomo:

> »Ihr Freunde, das Leben ist kurz; o so lebt
> Aus dem Tag in die Nacht und bekümmert euch nie:
> Keine Hoffnung auf morgen erfüllt uns die Zeit,
> Sie schenkt uns das Heute und flattert davon [2].«

Und wer nach einer Deutung der Geschichte als ganzer sucht, mag skeptisch versucht sein, auch hier noch einmal den Dichter, Euripides, aufzurufen:

> »Uns verliehen die Götter
> Ach, keine Zeichen, die Guten zu scheiden:

---

2. Euripides, Herakles, 503 ff. Übertragung E. Buschor, München 1952, S. 199.

Ewig dreht sich das Rad,
Bringt nur ewig das Gold nach oben [3].«

Zwar tritt jede Generation unter dem holden, schicksalsgewollten Wahn an, ihr werde das Große und Andere, das erfüllte und menschliche und gerechte Leben gelingen. Aber wer zurückblickt und einblickt, durchschaut die Täuschung und sagt:

»Das Gleiche, was war, das wird sein, und, was geschah, das geschieht, und so gibt es nichts Neues unter der Sonne.
Kommt einmal etwas, von dem einer sagt: ›Sieh hin, das ist neu!‹, längst war es in den Zeiten, die vor uns waren [4].«

Sicher gilt das nicht im Blick auf die Technik, aber es scheint doch entscheidender im Blick auf den sittlichen Fortschritt und die moralische Vollendung des Menschengeschlechts zu gelten. Erweckt hier nicht nur ein Mehr an erzwungener Sitte und Bürgerlichkeit den Schein eines moralischen Fortschritts in der Geschichte? Oder ist es nicht mindestens fraglich, ob wir überhaupt die Möglichkeit besitzen, eine solche Frage zureichend und leidenschaftslos zu beantworten? [5]
Von alledem ist die Zeit voll. Teils ist es bewußt, teils ist es uns unbewußt und erzeugt jene eigentümliche Ratlosigkeit und Gereiztheit, die immer fürchtet, um das Ihre zu kommen, um die ihr zustehende und die ihr mögliche Erfüllung der Lebenswünsche betrogen zu werden. Von alledem ist die Zeit voll, und zumal die Jüngeren und Jungen unter uns werden davon umgetrieben: Wohin läuft unsere Erde? Was wird aus dem Menschen? Was sind wir? Was werden wir gemeinsam erreichen? Und wo endet der eigenste Weg?
Wenn der Ausleger des Alten Testaments, des ersten Teiles der Heiligen Schrift der Kirche, der ganzen Heiligen Schrift der Juden, des Buches, das schließlich auch die Grundlagen für den Islam gelegt hat, das Wort

3. Herakles, 669 ff., Buschor, S. 206.
4. Qoh, 1,9 ff. in der Übersetzung von K. Galling, HAT I,18, Tübingen, 2. Aufl. 1969 z. St.
5. Vgl. dazu R. G. Collingwood, Philosophie der Geschichte. Stuttgart 1955, S. 335 ff.; ferner K. R. Popper, Das Elend des Historizismus. Tübingen, 2. Aufl. 1969.

ergreift, muß er zur Ehrlichkeit bereit sein und zusehen, daß man ihm nicht mit guten Gründen vorwerfen kann, er wolle eine neue Generation und eine neue Zeit aus mangelndem Mut zum Leben unter ein altes Gesetz und unter einen alten Mythos beugen, statt, wie es seine Aufgabe zu sein scheint, sich kritisch gegen Priesterherrschaft und Priesterbetrug zu wenden und gleichzeitig die den Trug der Religion übergreifende Wahrheit konkreter gesellschaftlicher Utopie zur Wirkung zu bringen [6]. Wo immer der Theologe heute das Wort ergreift, muß er sich vor dem Verdacht schützen, er schleiche sich als der Dunkelmann ein, der nach den Schwächen des Menschen Ausschau hält, um ihn so zu überreden und einem Gestern zu verpflichten, mit dem er selbst im Grunde nicht mehr zu leben weiß. Er muß damit rechnen, daß man die Schrift als die alte Feindin oder mindestens Gefährderin eines gesunden und freien Menschentums ansieht und ihn selbst als einen seelischen Krüppel, der vor den Nöten und Aufgaben der Zeit in ein altes Haus flüchtet, dessen Butzenscheiben das fahle Licht des ersten Frostes und das grelle Licht des Hochsommers gleichmäßig fernhalten, während der Lärm des Verkehrs seinen Traum entlarvt.

Für Luther gab es keinen Zweifel: Das Alte Testament trieb in seinen Propheten wie in Moses das eine Gesetz, das den Menschen zu Christus, der Mitte der Schrift und der Mitte der Zeiten, führen wollte. In seinen Verheißungen deutete es über die Jahrhunderte auf Christus hin. In seinen Erzählungen und seinen Gebeten gab es Beispiele des Glaubens und des Betens. Aber wenn es uns in seinen Gesetzen und in seinen prophetischen Forderungen zu treffen vermag, so ebendeshalb, weil Gott und die Natur dem Menschen ein einziges Gesetz in das Herz geschrieben haben, von dem letztlich auch die Gesetze des Mose zeugen [7]. Versinken die Horizonte christlich-heilsgeschichtlicher Weltanschauung in einer großräumig und langzeitlich gewordenen Welt, so bleibt eben abzuwarten, ob sich damit auch die Ansage des verheißenden und fordernden Gottes hinter dem Gott des Schicksals verbirgt

---

6. Vgl. dazu den engagierten, freilich m. E. den Horizont evangelischer Theologie nicht erreichenden Versuch von Chr. Gremmels und W. Herrmann, Vorurteil und Utopie. Zur Aufklärung der Theologie, Stuttgart 1971.

7. Vgl. dazu M. Luther, Unterrichtung, wie sich die Christen in Mosen sollen schicken. WA XVI, besonders S. 378 ff.

oder ob sich diese Ansage auch weiter gegen den Wandel von Weltbildern und Weltanschauungen im Menschen durchsetzt, weil das augustinische und eben zugleich auch lutherische »fecisti nos ad te, et inquietum est cor nostrum, donec requiescat in te« gültig ist und bleibt.

Aber um es auf diese Probe ankommen zu lassen, die Probe, daß sich Gott und Christus selbst verkündigen [8], müssen wir zuvor die gegenwärtigen Möglichkeiten, vom Handeln Gottes in der Geschichte zu zeugen, abgrenzend prüfen.

Der Mensch lebt im Strome der Zeit. Er lebt in der Geschichte. Aber er vermag sich nicht so über die Geschichte zu erheben, daß ihm das Ganze der Geschichte überschau- und verfügbar wird. Wendet er sich der Vergangenheit zu, aus der seine Gegenwart erwächst, so gewinnt er wohl Distanz zu seiner eigenen Zeit, schafft er eine Kluft, die ihm das Vergleichen und in Grenzen auch das Erkennen der Tendenzen seiner Gegenwart, gemessen an der Vergangenheit, ermöglicht. Aber er überschaut niemals das Ganze. Und da er das Ende nicht kennt, vermag er auch nicht zu sagen, welche Bedeutung schließlich den Epochen der Geschichte und mithin auch seiner eigenen Zeit in diesem Ganzen zukommt [9]. Allein die offensichtliche Schwäche des Menschen, seine Gegenwart planmäßiger Gestaltung zu unterwerfen [10], könnte ihn hier zur Zurückhaltung mahnen. Weiterhin bleibt es entscheidend, daß der Historiker wohl zu erkennen vermag, wie geographische Lage, politische und ökonomische Umstände und zugleich der Mensch mit seinen Idealen, Leidenschaften und Trieben Geschichte formen und bilden, ihm aber dabei niemals Gott unmittelbar begegnet. Vielmehr erscheint er ihm hier nur als geglaubter inmitten geglaubter Götter, so daß er

8. Ich knüpfe damit an eine Formulierung von H. Diem an, vgl. seine »Theologie als kirchliche Wissenschaft, II. Dogmatik. Ihr Weg zwischen Historizismus und Existentialismus«. München 1957, S. 102 ff.

9. Zum Problem vgl. R. Bultmann, Geschichte und Eschatologie. Tübingen 1958; derselbe, Das Verständnis der Geschichte im Griechentum und Christentum. In: Der Sinn der Geschichte, hg. L. Reinisch, München 1961, S. 50 ff. = Glauben und Verstehen IV, Tübingen 1965, S. 91 ff.; O. Kaiser, Transzendenz und Immanenz als Aufgabe des sich verstehenden Glaubens. In: Zeit und Geschichte. FS Rudolf Bultmann, hg. E. Dinkler. Tübingen 1964, S. 329 ff.

10. Vgl. dazu H. Brüning, Memoiren 1918–1934. Stuttgart (1970), S. 12.

nur zu sagen und oft auch nur zu ahnen vermag, inwieweit der Glaube an einen Gott oder der Glaube an Götter Geschichte wirkend gestalteten. Deutlich wird ihm bei solchem Betrachten nicht Gott selbst, sondern zunächst allein der Mensch in seinem Glauben, Hoffen, Wollen, Vollbringen und Leiden. Ob darin ein Gott verborgen ist oder nur ein allwaltendes Schicksal uninteressierten Zufalls, vermag der Historiker als Historiker nicht zu entscheiden. Wer nach der Geschichte fragt, fragt letztlich nach dem Menschen. Daß darin die Frage nach Gott beschlossen liegt, kommt dem Historiker nicht anders denn als die Frage, die sich aus der Fraglichkeit des Menschen ergibt, in das Blickfeld. Nur diese vermag er aufzuzeigen. Antwortet er auf diese Frage, so antwortet nicht mehr primär der Historiker, sondern der Mensch, der einen solchen oder einen anderen Glauben hat. Daß hier sein Glaube antwortet, hat einmal darin seinen Grund, daß seine Antwort über eine Erfahrung entscheidet, die ihrem Wesen nach unabgeschlossen ist und mithin keine letzte beweisbare Antwort kennt. Zum anderen wird der Theologe an dieser Stelle daran erinnern, daß eine andere Lösung des Problems, eine Lösung, die vom Glauben absieht, bereits den Zusammenhang mit jener Erfahrung verloren hätte, die sich in dem Satz des Katechismus niederschlägt, daß der Mensch nicht aus eigener Vernunft oder Kraft an Jesus Christus, seinen Herren, glauben oder zu ihm kommen kann.

Wer ungeduldig verlangt, daß der Alttestamentler endlich zu seinem Thema kommt, daß er entgegen allen Modernismen endlich seine Sache zum Vortrag bringe, wie er sie findet, muß sich zur Geduld rufen lassen und zu der Erinnerung, daß wir diese Sache eben nur als die Menschen dieser Zeit finden können. Und offensichtlich herrscht in unserer Zeit keine allgemeine Klarheit darüber, wie sich Glaube und Welt zueinander verhalten. Welt ist einmal Oberbegriff für die Summe möglicher Erfahrungen, wie sie sich dem distanzierten Sehakt in fortschreitender Zeit bei fortschreitendem Fragen zeigen. Welt verändert sich mit allem, was erforscht, erfragt, erlitten und so erkannt wird. Abgesehen davon ist Welt Symbol für den sich der Erfahrung erschließenden Erkenntnisgegenstand in seiner Totalität und in seinem An-und-für-sich-Sein. – Glaube weiß sich an das verwiesen, was sich mit dieser Erfahrung dem Menschen als Aufruf zur Verantwortung mitteilt. Dieser Aufruf begrenzt seine Beliebigkeit im Umgang mit erkannter Welt, entdeckt ihn als Person, weist ihn über bloße Zweckrationalität dem anderen Menschen verpflichtet zu und stellt ihn vor die Frage, ob sich hinter diesem Aufruf und damit zugleich hinter dieser Welt, in welcher er den Aufruf erfährt, ein mit sich einiger Wille und eine mit sich einige Macht verbergen, der Gott, dem er vertrauen darf, obwohl er sich ihm in drei sich scheinbar widersprechenden Weisen als Gott der Gewährung, der Forderung und des dunklen Schicksals ereignet. Glaube wurzelt in spezifischen Erfahrungen, geht aber niemals in ihnen auf; ja, es scheint eher so zu sein, daß er eben durch das Kontinuum menschlicher Erfahrung ebenso herausgefordert wie angefochten wird [11]. Glaube, der sich selbst unmittelbar zu Gott erfährt, wird nicht davon lassen, alle Menschen aller Zeiten unmittelbar zu Gott sein zu lassen. Glaube, der durch den bezeugten gekreuzigten und auferstandenen, nicht dem Tode als Ende verfallenen Christus ewige Hoffnung empfangen hat, wird nicht davon lassen, diese Hoffnung über alle Menschen aller Zeiten und aller Zonen zu setzen, sie in diese Hoffnung aufgenommen zu wissen. Aber damit ist ihm kein Schlüssel in die Hand gegeben, Weltgeschichte in ihren einzelnen Epochen als Heilsgeschichte aufeinander zu beziehen, jedes geschichtliche Ereignis mit jedem so unter dem Vorzeichen des Auferstandenen zu verbinden, daß sich vor ihm der göttliche Plan der Geschichte enthüllt. Überschau über das Ganze der Geschichte ist ihm verwehrt, solange Geschichte fortwährt.

Das Gesagte hat seine Konsequenzen auch für den Theologen, der Rechenschaft über die Gegenwartsbedeutung des Alten Testaments für den christlichen Glauben zu geben versucht. Er kann sehr wohl zeigen, inwiefern der im Neuen Testament bezeugte Glaube auf den Schultern des Alten steht. Und er wird dabei heute auch die Transformationen bedenken, welche die zwischentestamentliche Zeit an der alttestamentlichen Überlieferung vorgenommen hat [12]. Aber er kann nicht objektiv

11. Vgl. dazu C. H. Ratschow, Der angefochtene Glaube. Gütersloh, 2. Aufl. 1960 (3. Aufl. 1967), S. 233 ff.

12. Die Tatsache der Umformung und Weiterbildung des alttestamentlichen Denkens im zwischentestamentlichen Zeitalter hat gerade M. Hengel, Judentum und Hellenismus, WUNT 10, Tübingen 1969, wieder eindrucksvoll zum Bewußtsein gebracht.

nachweisen, daß unter den mannigfachen Gruppierungen des Judentums des ersten Jahrhunderts allein das Urchristentum das einzig mögliche Erbe des Alten Testaments angetreten hat. Gewiß erscheinen die Weissagungen von dem Messias, dem Herrscher der Heilszeit über Israel, für den, der dem Zeugnis des Neuen glaubt, in einer bestimmten Perspektive. Dennoch kann er nicht übersehen und verschweigen, daß es hier mehrere Ansätze, mehrere mögliche Fortsetzungen gibt [13]. Kein geringerer als Artur Weiser hat im Blick auf diese Tatsache einmal festgestellt, aus dem Alten Testament führe eine Linie zu dem *am* Kreuz, eine andere zu denen *unter* dem Kreuz, wobei der zweiten Gruppe nicht die Glaubenszeugen, sondern die richtenden Spötter zugerechnet werden [14]. So muß wohl an die Stelle eines heilsgeschichtlichen Schriftbeweises der Erweis des Glaubens und der Kraft treten, indem das Alte Testament mit seinem Zeugnis von Gott, Mensch und Welt zu Worte kommt.

Daß der christliche Theologe bei diesem Versuch weder als Agnostiker noch als Atheist noch als Jude oder Muslim spricht, sollte dabei keiner besonderen Betonung bedürftig sein, muß aber gesagt werden, weil es seine Konsequenzen hat. Wer glaubt, daß der Messias des Alten Testaments lediglich Chiffre dafür ist, daß sich der Mensch in seiner Geschichte selbst erlösen muß; wer überzeugt ist, daß der Messias aus Davids Geschlecht noch kommt; wer in Muhammad den letzten Propheten Gottes sieht, wird notwendig je anders vom Alten Testament zeugen als der Christ. Der Anruf der glaubenden Interpreten der Geschichte Israels, der Propheten, der Weisen und Beter wird von ihm vernommen, nachdem er das Zeugnis des Neuen Testaments von Jesus Christus gehört hat. Liegt in ihm die Freiheit von jedem formulierten Gesetz und gilt der Satz, daß die Liebe des Gesetzes Erfüllung ist, so hindert ihn nichts, die konkreten Gesetze Israels statt von ihrem konkreten Gehalt von ihrer Intention her neu zu befragen. Und ähnliches gilt wohl letztlich bei den meisten alttestamentlichen Aussagen. Damit nimmt er die Freiheit für sich in Anspruch, aus welcher der Apostel redet, wenn er davon spricht, daß über dem Alten Testament so lange

13. Vgl. dazu G. Fohrer, Messiasfrage und Bibelverständnis, SGV 213/14, Tübingen 1957.
14. Vgl. denselben in: Deutsche Theologie I, 1934, S. 50.

eine Decke liegt, als es nicht mit den Augen des Glaubens an Jesus Christus gelesen wird, 2 Kor 3,12 ff. Auslegung kommt nicht in verbaler Wiederholung unter heute selbstverständlicher Einbeziehung historischer Kritik zur Vollendung, sondern in einem dialektischen Prozeß, in welchem der Ausleger gegenüber gegenwärtigem Glauben und Unglauben als Anwalt eines zunächst der Vergangenheit angehörenden Textes, dann aber als Anwalt der Gegenwart gegenüber der Vergangenheit tätig wird. Nur in diesem im ursprünglichsten Sinne dialektischen Verhalten wird er seiner Aufgabe gerecht: Es könnte ja sein, daß die Menschen vor langer, vielleicht vermeintlich zu langer Zeit mehr vom Menschen und mehr von Gott wußten als seine Gegenwart. Und es könnte ja sein, daß die Menschen der Gegenwart mehr vom Menschen wissen und vielleicht auch von Gottes eigentümlicher Gegenwart als die Vergangenheit. Dabei muß er freilich voraussetzen, daß der Mensch nicht nur dem Gesetz heraklitischen Wandels unterworfen ist, sondern daß es, allen Verwandlungen zum Trotz, eben den Menschen gibt, der in gewissen grundsätzlichen Befindlichkeiten seines Existierens derselbe bleibt. Mit dieser Erwartung geht der christliche Exeget und Prediger an die Auslegung des Alten Testaments in der Absicht, Gott zu bezeugen. Er aber zeugt von sich. Das ist ein Unterschied, den auch diese Überlegungen nicht aufheben wollen oder können.

II.

Mit einer kritischen Zurückweisung der überkommenen Interpretationsschemata des Alten Testaments unter den Gesichtspunkten der Heilsgeschichte, dessen von Verheißung und Erfüllung oder dessen von Gesetz und Evangelium, dem Emanuel Hirsch vor vierzig Jahren noch einmal nachdrücklich Geltung zu verschaffen suchte [15], ist es allein nicht getan. Man tut gut daran, sich auf alle Fälle die positiven Anliegen der traditionellen Lösungsversuche gegenwärtig zu halten, weil christlicher Glaube und christliche Kirche eben keineswegs erst mit uns beginnen und wir mithin allen Grund haben, unsere notwendig von uns selbst zu verantwortenden Lösungen vor denen der Väter zu rechtfertigen. Heilsgeschichtliche Betrachtung erweist sich dabei, auf ihre

15. Das Alte Testament und die Predigt des Evangeliums, Tübingen 1936.

Intention befragt, als Ausdruck des Glaubens, daß Gott der letzte Herr der Geschichte ist und daß eben dieser Gott sowohl im Alten wie im Neuen Testament bezeugt wird. Wenn sich die gleiche Konzeption auf der anderen Seite mit der von Weissagung und Erfüllung verbindet, gibt sie zugleich zu erkennen, daß sie in der Kontinuität zugleich eine Diskontinuität erkennt, mit anderen Worten: daß sie um den Unterschied der Testamente und mithin um die Sonderstellung des christlichen Glaubens weiß.

Unter den neueren Versuchen, sowohl das hermeneutische Schema von Gesetz und Evangelium wie das von Verheißung und Erfüllung mit den inzwischen gewonnenen historisch-kritischen Einsichten zu verbinden, nimmt unseres Erachtens der von Rudolf Bultmann in den beiden Aufsätzen »Die Bedeutung des Alten Testaments für den christlichen Glauben« [16] und »Weissagung und Erfüllung« [17] eine besondere, exemplarische Stellung ein. Für den Denker, der auf der Höhe der philosophischen und damit auch erkenntnistheoretischen Bildung seiner Zeit steht, ist die Absage an jede spekulative, ungeschichtlich die Grenzen der eigenen Situation überspringende Lösung selbstverständlich. Ebenso selbstverständlich ist für ihn auch die seit dem ausgehenden achtzehnten Jahrhundert im Umlauf befindliche ganz und gar untheologische Lösung indiskutabel, die sich der sachlichen Schwierigkeit durch den bloßen Verweis auf die religionsgeschichtliche Kontinuität entzieht. Dabei entgeht ihm nicht, daß das reformatorische Kernproblem von Gesetz und Evangelium durchaus geeignet ist, auch unter veränderten Bedingungen einen Schlüssel für das christliche Verständnis des Alten Testaments zu bieten: Wenn das Evangelium von Jesus Christus das Vorverständnis menschlicher Existenz als einer unter dem Gesetz Gottes stehenden voraussetzt, dann kann eben das Alte Testament dem Menschen zu diesem Vorverständnis verhelfen, weil es in radikaler Weise dieses göttliche »Du sollst« als Zentrum seines Daseinsverständnisses besitzt. Bultmann schränkt allerdings sogleich wieder ein, indem er konstatiert, daß »dieses Gesetz, das sich im Alten Testament verkörpert«, für uns an und für sich »keineswegs das konkrete Alte Testa-

16. Glauben und Verstehen I, Tübingen, 2. Aufl. 1954, S. 313 ff.
17. Glauben und Verstehen II, Tübingen 1952, S. 162 ff. = StTh(L) 2, 1949, S. 21 ff. = ZThK 47, 1950, S. 360 ff.

ment zu sein« braucht [18]. Als Erben stehen wir in der Antithese von griechischer und biblischer Tradition. In diesem Erbe besitzt das Alte Testament eine unvergleichliche Bedeutung gegenüber allem anderen, was aus der Welt auf uns zukommt. Und eben als Erben sind wir zur Auseinandersetzung mit diesem doppelten Gut und mithin eben auch mit dem Alten Testament gezwungen. Ist das *eine* uns meinende Wort Gottes jedoch der verkündigte Christus, so kann jedes andere Wort Gottes und damit auch das Wort des Alten Testamentes für uns nur vermitteltes Wort Gottes sein, ohne daß damit die Möglichkeit ausgeschlossen werden soll, daß es auch andere vermittelte Worte Gottes für uns geben kann. So kann zum Beispiel die bei griechischen Dichtern und Denkern erhobene göttliche Forderung, Gerechtigkeit zu wahren und Hybris zu scheuen, für uns zum vermittelten Worte Gottes zum Hören der göttlichen Forderung in unserem Leben werden [19], von der aus wir verstehen, zu welcher Freiheit wir durch Christus befreit sind. – Bultmann hat sich nun aber auch dem Problem von Weissagung und Erfüllung gestellt und es so gelöst, daß er es von den weissagenden und erfüllenden Worten auf den Boden der Sache und damit der Geschichte stellte. Weissagung auf den in dem Heilshandeln Gottes durch Jesus Christus offenbar gewordenen zukünftigen Gott und den damit erschlossenen eschatologischen Glauben sind nicht die einzelnen, im Alten Testament enthaltenen messianischen Weissagungen, sondern vielmehr die Geschichte Israels selbst als gescheiterter Versuch der Verwirklichung der Theokratie oder des Reiches Gottes auf Erden. Eben in ihrem Scheitern verweist diese konkrete wie alle menschliche Geschichte aus dem Verfügbaren auf das Unverfügbare, aus der Sicherheit auf die Ungesichertheit und letzte Offenheit christlicher Existenz, in der Gott immerdar der zukünftige bleiben will. Zwar muß sich der Mensch in Gemeinschaft geschichtlich verwirklichen. Aber er findet sein Heil nur, indem er beständig aus seinen Verwirklichungen und damit aus seinen Werken heraustritt und trotz seinem und seiner Gemeinschaft Scheitern in der Hoffnung auf Gottes Zukunft neu zu beginnen wagt.

18. Glauben und Verstehen I, S. 321.
19. Vgl. dazu auch O. Kaiser, Dike und Sedaqa, NZS 7, 1965, S. 251 ff. und von demselben, Gerechtigkeit und Heil bei den israelitischen Propheten und griechischen Denkern des 8.–6. Jahrhunderts, NZS 11, 1969, S. 312 ff.

Man wird, wie immer man persönlich der von Bultmann entwickelten und befolgten Methode streng geschichtlicher Betrachtung und existentialer Interpretation in ihren Einzelheiten gegenübersteht, zugestehen müssen, daß er die ihm von der Tradition vorgegebenen klassischen Lösungsversuche der Frage nach dem Verhältnis der beiden Testamente zueinander und damit zugleich der nach der Gegenwartsbedeutung des Alten Testaments für den christlichen Glauben nicht einfach auf die Seite geschoben, sondern bei allen sich aus der veränderten geschichtlichen Stunde ergebenden Unterschiede erneuert hat, ohne ein sacrificium intellectus zu verlangen. Denn seine Deutungsversuche gehen von der Forderung aus, daß der von der historisch-kritischen Auslegung ermittelte Verbalsinn auch die Grundlage jeder christlichen Interpretation zu sein habe. Es sei an dieser Stelle nur nachgetragen, daß sich gerade von einer christlich belehrten existentialen Interpretation her auch die Möglichkeit aufschließt, messianische Weissagungen und eschatologische, eine radikale Wende der Welt erwartende Hoffnungen des Alten Testaments als zeitgebundene Äußerung eines Glaubens zu verstehen, der in seinen konkreten Hoffnungen verborgen eben letztlich das Reich Gottes selbst erwartet und erhofft, auch wenn er von irdischen Möglichkeiten spricht, die ihm Gott eröffnen soll. Auf dem Felde einer intentionalen Kritik des Alten Testaments stehen wir, in unserer Wissenschaft noch zu sehr mit historischen und literarkritischen Fragen beschäftigt, weithin noch am Anfang. Bei ihrer Anwendung ist es entscheidend, ob der Maßstab innerhalb oder außerhalb des Glaubens gewählt wird. Dies muß hinzugefügt werden, weil der Versuch, einen Schriftsteller besser zu verstehen, als er sich selbst verstand, damit enden kann, sein eigentliches Anliegen nicht nur besser, sondern ganz anders zu interpretieren. Kirche und Theologie haben daher alle Ursache, kritisch und wachsam zu verfolgen, ob und wieweit in solchen Versuchen Gottes Gottheit gewahrt bleibt.

Wir haben den Versuch Rudolf Bultmanns in solcher Ausführlichkeit vorgetragen, weil er Konzentration auf die Sache des christlichen Glaubens und ehrliche Weite des Blicks für die Möglichkeiten, die aus der Geschichte auf uns zukommen und, täuschen die Zeichen der Zeit nicht, alsbald in erweiterten Horizonten auf uns zukommen werden, miteinander verbindet. Und wir haben ihn deshalb vergegenwärtigt, weil die folgenden Darstellungen weit hinter dem zurückbleiben, was

Bultmann auf seine Weise geleistet hat. Wir konzentrieren uns hier auf
das, was im Alten Testament zentral als Zeugnis von Gott, vom Menschen und der Welt hervortritt, wobei vielleicht die zweite und dritte
Bestimmung erkennen läßt, was die heute so angefochtene und viel-
fach böswillig oder aus Unwissenheit mißverstandene Rede von Gott
meint. Ob wir damit ausschließlich von dem Gott zu handeln haben,
der uns Gesetzgeber ist, oder ob wir damit zugleich etwas von der ge-
heimen und zugleich notwendig dialektischen Identität von Gesetz und
Evangelium erkennen, bleibt abzuwarten. Jedenfalls erheben wir hier
nicht den Anspruch, eine ausdrückliche, entfaltete Antwort auf die
Frage zu geben, wie sich das Alte und das Neue Testament für uns
zueinander verhalten. Das wird am Ende anklingen, aber nicht von
vornherein im Zentrum stehen. In ihm stehe, man werte es nicht sogleich als theologische Ketzerei, der Gott des Alten Testaments, der uns
angeht.

III.

Die Ausführlichkeit der Vorbemerkungen mag es zweifelhaft erscheinen lassen, ob die immer noch gewaltige Aufgabe auf dem uns zur
Verfügung stehenden Raum mit nur einiger Aussicht auf Erfolg gelöst
werden kann. Es wird also keinesfalls ohne Straffungen und Reduk-
tionen, ohne eine Konzentration auf die Grundstrukturen der Glau-
bensweise oder gar Glaubensweisen dieses Buches abgehen, das seine
heutige Gestalt in rund anderthalb Jahrtausenden gefunden hat. Daher
stellen wir das Ergebnis der Reduktion an den Anfang. Der in sich
vielstimmige Chor der alttestamentlichen Zeugen wird, von wenigen
Ausnahmen abgesehen, durch das Selbstverständnis geeint, in dem sich
das Volk und der einzelne als Glied dieses Volkes in menschlicher Gemeinschaft und aufgehender Welt als geschenkte erfahren, die für sich
selbst, für diese Gemeinschaft und für diese Welt vor Gott verantwortlich sind. In den dem Menschen durch Geburt und Tod gesetzten Grenzen wird Gott als der Grund des Daseindürfens und Daseinmüssens
erfahren. Dabei stehen Daseindürfen und Daseinmüssen nicht gleich-
wertig nebeneinander. Wer dasein darf, hat volles Leben. Wer dasein
muß, befindet sich schon in der Gewalt des Todes.
Wir entfalten jetzt Schritt für Schritt die gebündelte Aussage, wobei
wir die Reduktionsformeln zur Verdeutlichung ihrer konkreten Bezüge

zum Zeugnis teilweise wieder mit alttestamentlicher Sprache anreichern und, wo es die Sache verlangt, auch die Glaubensgeschichte als solche miteinbeziehen. Wir sagten a), daß sich das Volk und der einzelne als Glied dieses Volkes in menschlicher Gemeinschaft als geschenkte verstehen. Das heißt alttestamentlich und mit den Worten beginnender Reflexion: Sie verstehen sich als Glieder des von Jahwe erwählten Volkes Israel, als Glieder des Volkes, das Jahwe in seinen Vätern erwählt, aus der Knechtschaft in Ägypten durch die Wüste in das verheißene Land geführt und dem er in Richtern, Königen und Propheten seine Retter, Mahner und Tröster gegeben hat. Von diesem Selbstverständnis her, das in der Erfahrung geschenkter Lebensmöglichkeit für die Urväter in der Steppe, für die Zeitgenossen der Landnahme in dieser selbst, für die Männer der frühen Königszeit in der Überwindung der Gefährdung durch die Nachbarvölker wurzelt, entfalten ein Jahwist im Zeitalter der salomonischen Aufklärung, ein Elohist in der sich verdunkelnden Königszeit, ein Deuteronomist und ein Priesterkreis nach dem Verlust der staatlichen Eigenständigkeit und schließlich der Chronist in einer Zeit, in der sich die Gemeinde mit ihrer kultischen Sonderexistenz weitgehend abgefunden hat, ihre heilsgeschichtlichen Entwürfe. Rückschauend erkennen wir deutlicher als frühere Generationen den Predigtcharakter dieser Geschichtserzählungen: Land und Reich als Geschenk Gottes, Gehorsam und Treue zu Gott in den Zeiten der Krise, Freude am Gottesdienst und welthafte Bezüge schon verleugnender Glaube an Gottes ausschließliches Handeln geben den Entwürfen je ihre besondere Botschaft, wobei der Anruf der Hoffnung in keinem Fall überhört werden darf. Aus anderer, wohl kanaanäisch-kultischer Wurzel erwächst daneben eine in ihrer Genese im einzelnen noch immer nicht ausreichend erforschten Weise die Überzeugung, daß der Gott, der so in der Geschichte dieses Volkes offenbar geworden ist und in Jerusalem angebetet und bekannt wird, von diesen Anfängen und diesen Seinsgewährungen für das Volk her die Mitte der Welt, den Zion, so verherrlichen wird, daß alle Völker darin seine Macht erkennen und zu dieser Gottesstadt wallfahren werden. Wir kommen auf diese Erwartungen noch einmal zurück. Zunächst stellen wir fest, daß sich alle, auch die über das Alte Testament hinaus und durch das Neue Testament in die Zeit der Kirche hinein weitergereichten Hoffnungen auf ein solches, die Geschichte vollendendes Ziel nicht verwirklicht

haben. Den spezifisch eschatologischen Charakter der apokalyptisie-
renden, protoapokalyptischen und eigentlich apokalyptischen Entwürfe
wiederum außer acht lassend, konstatieren wir, daß uns der Glaube an
geschichtliche Erwählung Ausdruck für das Verständnis des Daseins als
eines geschenkten ist. Was sich hinter scheinbarer Selbstverständlichkeit
unangefochtenen Daseins verbirgt, tritt da, wo es auf dem Spiele steht,
wieder hervor: Es ist nicht selbstverständlich, daß wir da sind. Und es
ist herrlich dazusein. Dasein ist ein Geschenk, das wir immer neu empfangen und über das wir nicht unbedingt verfügen. – Es sei angemerkt,
daß sich solcher Glaube an die führende, sich gnädig der Sippe oder
dem Stamm zuwendende Gottheit auch außerhalb des Alten Testaments
nachweisen läßt. Er ist den Griechen der Wanderzeit ebenso bekannt
wie innerasiatischen Nomadenverbänden unserer Tage. Und wer je
in schwerer Lebensgefahr war, wer sie bewußt auf sich zukommen sah
und dann erlebte, wie sie entgegen aller Erwartung überwunden wurde,
der kennt wohl auch persönlich dieses Gefühl der Dankbarkeit, dieses
Wissen um geschenktes Dasein, in dem die Welt trotz aller Nöte zu
neuem Glanz erblüht. Dasein kann also als Geschenk und als Bewah-
rung verstanden werden. Gott ist der, welcher Dasein schenkt und bewahrt, der nach allen Seiten voraus ist und mitzieht.
Wir sagten b), daß sich die Zeugen in dieser geschenkten Gemeinschaft
in aufgehender Welt als geschenkte erfahren. Alttestamentlich heißt
das: Welt wird als Schöpfung und alles, was die Welt füllt, von den
Gestirnen des Himmels bis zur Tiefe des Meeres, von seinem Gewim-
mel bis zum Menschen, als Geschöpf, als Kreatur erfahren. Darin ist,
wie Claus Westermann richtig betont hat [20], eine lange Tradition verborgen, die in grauer Vorzeit einsetzt, in der die Menschen erst die Erde
als Mutter, daneben wohl auch die Gestirne als Führer und schließlich
ackerbauend den Himmel als Vater neben der Muttererde erfuhren.
Als Satz einer Weltanschauung ist die Aussage nicht wiederholbar.
Weltbild ist für uns ein seinem Wesen nach unabgeschlossener, synthe-
tischer Entwurf, in dem die nach dem Gesetz von Ursache und Wirkung
verknüpften Erfahrungsdaten aneinandergereiht und wenn möglich
auf eine letzte, sie alle umfassende Formel reduziert werden. In ihm

20. Das Reden von Schöpfer und Schöpfung im Alten Testament, in: Das
ferne und nahe Wort. FS Leonhard Rost, BZAW 105, Berlin 1967, S. 238 ff.

kommt Gott nicht vor. – War die Ansage von Welt als Schöpfung ursprünglich immer auch mehr als bloße Welterklärung, nämlich Erfahrung, daß Welt hell und heil nur für den Menschen aufgeht, wo der anwesende Gott die chaotischen Bezüge auf sich versammelt und eben durch seine Anwesenheit Helle stiftet, Helle, die den ungeheuren und unergründbaren Bereich des von innen und außen chaotisch Andringenden ausgrenzt, so spricht sie für uns erst dann, wenn auch uns Gott aufgeht, dann aber nicht mehr als Satz der Welterklärung oder der Weltanschauung, sondern des Glaubens. Freilich ist uns heute die Einsicht selbstverständlicher als noch den Vätern, daß der »Tod« Gottes unsere Welt ins Stürzen bringt, daß er Nacht und immer mehr Nacht auf uns eindringen läßt, Nacht, in der es auf ungeheurem Ozean für unser Schiff weder Ankerplatz noch Hafen gibt[21]. Daß der leere Tempel, der blinde Fleck in der Seele uns dem Chaos aussetzt, ist uns bekannt. Ob die Nacht wächst oder weicht, ob das Chaos sich mehrt oder sinkt, scheint freilich nicht einfach in den Willen des Menschen gestellt zu sein. Menschen haben, so konstatiert es Hermann Grimm in seinem »Michelangelo«, niemals ein völlig klares Gefühl ihrer Lage. »Sie sehen nur das einzelne. Weder die, welche sinken, wissen, was sie tiefer und tiefer stößt, noch die Ansteigenden kennen die geheime Hilfe ganz, die sie von Stufe zu Stufe siegen läßt. Denn die Zukunft ist unenthüllt, und es scheint jeder Tag jede Möglichkeit in sich zu schließen. Nur eine dunkle Ahnung zeigt in Momenten, was als unabwendbares Schicksal hereinbricht[22].« – Zwar formen wir alle den Geist der Zeit. Aber gleichzeitig scheint er auch uns zu formen. Doch muß man wohl unterscheiden zwischen dem, was Epoche ist, und dem, was sich verborgen in der Seele und an der Seele des einzelnen vollzieht. Wir deuten hier nur an, daß es auch in der Glaubensgeschichte Prozesse gibt, die nicht vollständig erhellt, vielleicht auch nie vollständig erhellbar sind. Man kann Gründe für das Aufleuchten und das Sichverbergen der Götter angeben. Aber man vermag nicht zu erklären und nicht vorauszusagen, wann sie wo aufleuchten. Der Satz wird dem, um den dritten Artikel weiß, nicht seltsam erscheinen. – Anwesenheit Gottes verwandelt

---

21. Der Rückgriff auf Nietzsches »Tollen Menschen«, Stück 125 der »Fröhlichen Wissenschaft«, sei jedenfalls angemerkt.

22. Zitiert nach der Phaidon-Ausgabe 1953.

andringende Wirklichkeit zur heilen Welt, ermöglicht es, Dasein in aufgehender Welt als geschenktes zu erfahren[23].

Wir sagten c), daß sich die Zeugen in der Gemeinschaft in aufgehender Welt für sich selbst, für diese Gemeinschaft und für diese Welt verantwortlich wissen. Aber wir müssen, um genau zu sein und die Sache unseres Textes nicht zu verderben, immer hinzusetzen: vor Gott! Man kann die damit anvisierte Sache im Alten Testament mit verschiedenen Worten und unter verschiedenen Symbolen ansagen.

Am leichtesten haben wir es im technischen Zeitalter vielleicht mit der Rede von der Verantwortung für die Welt. Stellen wir sie also derart an den Anfang, wie das im Alten Testament selbst der Fall ist. Wird dort dem Menschen gesagt, er sei zur Gottebenbildlichkeit erschaffen, so ist damit eben gemeint, daß er als ein Stellvertreter Gottes und in der Stellvertretung Gottes sich die Erde untertan machen und alles Getier beherrschen darf und muß. Das beinhaltet im Blick auf die Tiere, wie Karl Budde einmal scharfsichtig und ironisch bemerkt hat, zunächst durchaus nicht das Auffressen[24], und es beinhaltet weiterhin, als dieses hinzukommt, mit dem Wissen um den göttlichen Herrn des Lebens zugleich die Ehrfurcht vor dem Leben. Stellvertretung Gottes schließt letzte Beliebigkeit aus, beharrt darauf, daß sich die Vergewaltigung der Natur rächt und mit der Ehrfurcht vor dem Leben im Tier auch die Ehrfurcht vor dem Leben im Menschen verliert. Welt als Schöpfung ist durch Gottes Anwesenheit aufgehende Welt. Stellvertretung des Schöpfers heißt offenbar, Aufgang zu ordnen und dienstbar zu machen, so daß das Aufgehende dabei es selbst und bei sich selbst bleiben kann. Das schließt die Vergewaltigung aus.

Und damit rückt wieder das Verhältnis des Menschen zu Gott in das Blickfeld, das eben das Verhalten des Menschen zu dem, was rund um ihn aufgeht, einspielt. Man kann es als 'ae mûnā, als Vertrauen, man kann es als jir'at jhwh oder 'ae lōhîm, als Furcht Jahwes oder Furcht Gottes bezeichnen. Eigentlich sind wohl beide notwendig, wenn sich das Hören auf den in der Wirklichkeit ergehenden Anruf Gottes ereignen

23. Vgl. dazu auch ausführlicher O. Kaiser, Alttestamentlicher Schöpfungsglaube, in: V. Benninghoff, Die Schöpfung. Kassel 1970, S. 5 ff.

24. Wortlaut und Werden der ersten Schöpfungsgeschichte. ZAW 35, 1915, S. 84.

soll: Vertrauen darauf, daß der, der uns aufgehen läßt und uns zugleich für uns selbst und füreinander und für die Welt verantwortlich macht, nicht im Stiche läßt, sondern mit uns zieht. Furcht vor ihm, weil wir Verantwortung, radikales füreinander Dasein, nur in konkreten Entscheidungen wahrnehmen können, wobei wir einmal an die Grenzen unseres Schicksals und unserer Macht stoßen und gleichzeitig versucht sind, uns gegen die Forderung, die der Nächste uns stellt, in Hochmut oder Verzagtheit zu verschließen. Liegt die Gegenwart Gottes im Glauben, durch die Welt zum Ort hellen und heilvollen Daseins wird, nicht in unserer Macht, so auch nicht der Ausgang unserer Tat. Natur kann uns überraschen und überwältigen. Wo es um Menschliches geht, gibt es keine Garantie für den Ausgang. Zudem betrügt sich der Mensch über sich selbst und verkennt er den anderen. Der Mensch bleibt unter dem Schicksal und unter Gott.

Aber vom Menschen ist ḥaesaed, Treue, und 'aemaet, beständiges Sicheinlassen auf den Schicksal lenkenden und uns in gemeinsamer Welt aneinanderweisenden Gott, gefordert. Er ist allein zu verehren, konkret, wie es in der alten Welt nicht anders sein kann, auch im Opfer und Gebet. Denn von ihm her erhalten Volk und Welt und in ihrer Bergung der einzelne allein ihre wirkliche Ständigkeit. Im Zurückgeben erweist sich das Wissen um das Empfangen. Im Anrufen und Preisen das Wissen um den, bei dem allein das Gelingen liegt. Bindet ḥaesaed wechselseitig, handelt es sich, wie man heute gern sagt, um einen Gemeinschaftsbegriff, so wird deutlich, daß er von seiten Gottes den Beistand einschließt. Und das ist nun freilich die konkrete Forderung, die dem einzelnen in der Existenz des Nächsten begegnet: Er ist aufgerufen, unbedingten Beistand zu leisten, Beistand allen denen, die mit ihm zusammen an Gott gebunden sind. Es konnte eigentlich nur eine Frage der Zeit sein, bis sich aus der Nachbarschaftsethik angesichts des Glaubens an den einen Gott und Schöpfer die Forderung löste, in jedem Menschen den Nächsten zu sehen, der auf unseren Beistand wartet. – Wieder kann der Historiker unschwer nachweisen, daß sich die Forderung unbedingten Beistands im nomadischen Leben von selbst ergab, weil anders unter härtesten Lebensbedingungen ein Fortbestand der Sippe und ihrer Glieder nicht möglich war. Aber daran hielten die Zeugen fest, auch im Kulturland, auch in den Ackerstädten, auch in wirtschaftlich entwickelteren und wenn nicht gar als frühkapitalistisch,

so jedenfalls als feudal zu bezeichnenden Zeiten. Die Pflicht zum Beistand besitzt allemal der Stärkere gegenüber dem Schwächeren und
Schwächsten. Aber jeder kann in eine Situation kommen, in der er der
Schwächere ist. In jeder Lage ist jedwedem soviel zu lassen oder zu
geben, daß er sein Leben als Geschenk in heilvoll aufgehender Welt zu
erfahren vermag und so die Gemeinschaft mehrt, die allein in ihrem
Zusammenwirken den Lebensraum für den einzelnen offenhalten kann.
– Was Priester und Propheten den einzelnen oder der Kultgemeinde
zunächst in bestimmter Situation wiesen, was in der Sippe als Lebensregel von Mund zu Mund geht, was bei der Rechtsprechung im Tor als
Beispiel oder Maxime der Rechtsfindung dient, wird schließlich zur
schriftlich fixierten Weisung, zum aufgezeichneten Gesetz, an dem der
einzelne messen kann, ob er Gott im Umgang mit dem Nächsten seinen
Gott sein läßt. Und er läßt eben Gott im Umgang mit seinem Nächsten
seinen Gott sein, indem er es ihm ermöglicht, sein Leben als Geschenk
in aufgehender Welt zu erfahren.

Steht über der Beachtung der Forderung die Verheißung des Lebens,
so über ihrer Übertretung die Androhung des Untergangs. Der Gott,
der Möglichkeiten heilvollen Daseins in einer durch seine Anwesenheit
heilvollen Welt schenkt, erweist sich in einer eifersüchtigen Wacht über
ihr als *der* Herr. Der eifernde und eifersüchtige Gott, der 'ēl qannā', ist
eben der 'ādôn, der Herr. Entsprechend werden, wenn dieser Gott
Welt und Geschick aufgehen läßt, Natur und Geschichte als Einheit erfahren, deren Beständigkeit und heilvolle Offenheit auf seiner Treue
und seinem Beistand beruhen. Wird das Band des ḥaesaed vom Menschen gelöst, indem er sein Herz von dem einen, ihm Leben und Lebensmöglichkeiten schenkenden Zentrum abwendet, so wird dem einzelnen zunächst und dann der ganzen Gemeinschaft, die im Dulden der
Auflehnung selbst die Herrschaft aufkündigt, der šālôm, die Unversehrtheit freier Ständigkeit in heilvoll aufgehender Welt gemindert. So
verfällt der einzelne der Krankheit, der Verfolgung und schließlich
dem Tod. So erfährt die Gemeinschaft Minderung ihrer gesunden
Kraft. Es mindert sich der um sie aufgehende Wuchs und der aus ihr
aufgehende Nachwuchs. Sie verliert ihren šālôm als Frieden mit den
Nachbarn und lockt selbst ferne Völker zum Überfall, die ihre freie
Ständigkeit bedrohen und schließlich vernichten. Umgekehrt bleibt
der šālôm, bleibt freie und unversehrte Ständigkeit in heilvoll auf

gehender Welt, wo haesaed als Treue zu Gott und als Treue und Beistand gegenüber den Gliedern der Gemeinschaft und gegenüber der Gemeinschaft als ganzer gewahrt werden.

Das läßt sich nun freilich im Alten Testament nicht voneinander lösen, so als wären haesaed gegenüber Gott und haesaed gegenüber Menschen zwei verschiedene Dinge! Sie sind vielmehr unabdingbar aneinander geknüpft. Wer den haesaed gegenüber Gott aufkündigt, verletzt als Folge den haesaed gegenüber dem Nächsten. Das überrascht, zumal wir uns die Forderung, nur diesen einen und einzigen Gott zu verehren, der Herr über alles ist, vielleicht nur zu mechanisch oder zu animistisch als Zuwendung zu einer bloßen numerischen Einheit vorstellen. Aber darin geschieht mehr: Einzelaspekte schicksalhafter Wirklichkeit werden bei dem Abfall von dem Einen in den Mittelpunkt gerückt, und damit wird der Aufgang der Welt als Schöpfung in Aspekte aufgelöst, so daß die Dinge dieser Welt den ihr zukommenden Platz verlieren und in verzerrten Perspektiven erscheinen. Und weil es bereits von verzerrter Perspektive zeugt, wenn sich ein Mensch gegenüber der Not eines anderen absolut setzt, wird im Versagen des geforderten Beistandes und in jedweder Ausnutzung des anderen die Gottheit des Gottes geleugnet, der Menschen nebeneinander stellt und aufeinander anweist. – Menschliches Schicksal will als ganzes und unverzerrt angenommen und ausgetragen werden. Dazu gehört eine im Vertrauen auf den Herrn des Aufgangs und des Untergangs gegründete Ständigkeit, die ihren Lebensbogen annimmt und weder die Vitalität noch die Sexualität, weder Fertigkeit noch Besitz, weder den Kosmos aufgehender Welt noch seine Teile und auch nicht die Vernunft isoliert und vergöttert. In der Isolierung und Vergötterung dessen, was nur im Gesamtzusammenhang des Lebens Bedeutung besitzt, ereignet sich die faktische Absage an Gott. An ihm scheitert der einzelne, scheitern die Generationen und die Völker.

Aber nun stellt sich uns die offene Frage, die wir schon zu Beginn unserer Überlegungen streiften, die Frage, wie es kommt, daß die Entsprechung zwischen heilsgemäßem Tun und heilvollem Stehen in dieser Welt nur bedingt nachweisbar und damit der Regel bar zu sein scheint. In der theologischen Schulsprache können wir es so formulieren: Wie kommt es, daß sich der Gott, der sich in der Forderung enthüllt, für uns hinter dem dunklen Schicksal verbirgt?

Wir haben den Glauben des Alten Testaments an den Zusammenhang zwischen menschlichem Tun und Ergehen, zwischen Tat und Tatfolge bisher nur sehr knapp skizziert. Ohne die Linien für die vorexilische Zeit differenzierter nachzuziehen, stellen wir nun fest, daß es jedenfalls in exilischer und erst recht in nachexilischer Zeit Risse in dieser Glaubenswelt gibt, Zweifel an der einsichtigen Verläßlichkeit göttlicher Treue und zugleich Zweifel an der Möglichkeit des Menschen, seinerseits die geforderte Treue in Offenheit für das Schicksalsganze und für den Nächsten zu leben. Verlust der freien und unversehrten Ständigkeit des Volkes Israel erschien trotz der Einsicht in eigene Verfehlungen verhältnislos, da andere Völker die Offenheit für das Schicksalsganze überhaupt vermissen ließen und in ihrem Verhältnis zu den Mitvölkern hochfahrend und grausam waren, vom Traume der Macht besessen. Doch das Vertrauen, aus der Rückwendung zu den Heilsgewährungen des Anfangs gespeist und durch die Erkenntnis eigener Fehlbarkeit zugleich gedemütigt und gekräftigt, hielt die Zeit der Verhältnislosigkeit glaubend durch und griff in eine Zukunft vor, in der das erwählte Volk durch seinen Gott vor aller Welt erhöht wird, alle Auflehnungen gegen den Herrn von Himmel und Erde gebrochen werden und heilvoller Friede alle umfangen wird, eine Wende, die Menschen nur glaubend und hoffend erwarten, aber nicht selbst bewirken können [25].

Daß es daneben die Phantasien der Geknechteten gab, die sich das Schicksal der Tyrannen und Abtrünnigen mit glühenden Farben des Hasses ausmalten, sei nicht verschwiegen. Hier vermischten sich Wis-

---

[25]. An dieser Stelle sei an die Erzählung vom Rabbi Schmelke von Nikolsburg bei M. Buber, Erzählungen der Chassidim, Zürich 1949, S. 306, erinnert: »Am ersten Tag des Neujahrsfestes kam einst Rabbi Schmelke vor dem Schofarblasen ins Bethaus und betete weinend: ›Wehe, Herr der Welt, alles Volk schreit zu dir; aber was soll uns all ihr Geschrei, sie haben ja nur ihr Bedürfen im Sinn und nicht das Exil deiner Schechina.‹ Am zweiten Tag des Festes kam er wieder vor dem Schofarblasen und sprach weinend: ›Es heißt im ersten Buch Samuel: Warum ist der Sohn Isais weder heute noch gestern zum Brote gekommen? Warum ist der König Messias nicht gekommen, nicht gestern, am ersten, und nicht heute, am zweiten Tage des neuen Jahrs? Ach, so heute wie gestern meint all ihr Gebet das leibliche Brot, die leibliche Not allein!‹ – Organisatorisch ist dem Reiche Gottes nicht beizukommen.

sen um die Absolutheit der Forderung und hybrider Anspruch eigensten Selbstseinwollens eigentümlich miteinander.

Und weiterhin überspringt die Einsicht der eigenen Unangemessenheit gegenüber dem Anspruch die Verzweiflung an sich selbst und hofft und vertraut darauf, daß Gott, der über jedwedes Schicksal verfügt, selbst die Herzen der Erwählten und Beschenkten ändern wird, damit sie freier Ständigkeit in aufgehender Welt und menschlicher Gemeinschaft würdig und teilhaftig werden. Natürlich gibt es auch hier das Abartige, das die Erwartung des Heils, das Gott schenken wird, mit einem Quietismus verwechselt, der dem alten Befehl, sich die Erde untertan zu machen, durchaus widerspricht und auf den alten, nun rationalistisch mißverstandenen Wundergeschichten basiert: In entscheidenden Dingen darf man nur beten, weder krank den Arzt holen noch in Gefahr nach dem Schwert greifen! Wir sind beim Chronisten. Aber daß solches Halbheit gegenüber welthafter Existenz bleibt, erzwingt eben die welthafte Existenz, erzwingen Himmel und Erde, die kein Schlaraffenleben zulassen und auch fromme Träume dieser Art unerbittlich entlarven. Im Grunde hat das Alte Testament stets an der Maxime »Bete und arbeite!« festgehalten und damit dem Menschen überlassen, was des Menschen ist, und Gott, was Gottes ist. Glaube auf den mitgehenden und voranziehenden Gott überwindet den offensichtlichen Zwiespalt zwischen menschlichem Sein und gottgesetztem Sollen in der Kraft der Hoffnung, daß Gott dennoch mitgeht und voranzieht. Solange der voranziehende und verheißende Gott zugleich der fordernde bleibt, ist nicht zu befürchten, daß der Glaube als solcher zu einem Opiat degeneriert.

Wo sich der Horizont der Geschichte verschließt, weil sie primär als erlittenes oder zu erleidendes Geschick widerfährt, richtet sich der Blick wohl notwendig auf das Einzelschicksal, gewinnt Weisheit als Anweisung zum ständigen Leben an Bedeutung. Sie weist den einzelnen in die Lebensordnungen ein, mahnt ihn zur Lebensklugheit, die es doch nicht ohne das Wissen um den gibt, der durch alle Berechnungen und Klügeleien einen Strich ziehen kann. Solange sie Hinweise gibt, bleibt sie Hilfe. Wenn sie zum System wird, gewährt sie nur dem Schutz, der sich entschließt, lieber an der Wirklichkeit als am System zu zweifeln. Vermutlich ist das keine nur mit der jüdischen Weisheit verbundene Eigenart, sondern eine Schwäche aller Systeme, die eben weil sie eine Patentlösung für Leben und Schicksal verheißen, solche Verführungskraft besitzen. In dem Augenblick, in dem aus der Weisung, Gott zu fürchten, den Nächsten zu achten und auf Gottes Segen zu hoffen, ein Dogma wurde, konnte es nicht ausbleiben, daß sich der von der das System sprengenden Wirklichkeit betroffene Glaube zur Wehr setzte. Gott wird vom Hiobdichter in der Rätselhaftigkeit ertragen, in der er sich sowohl als der offenbar Fordernde wie auch als der rätselhaft Schicksal Zuteilende, als der Verborgene erweist. Vor dieser, eben die Unverfügbarkeit Gottes enthüllenden Wahrheit, vor diesem Unverfügbaren hat sich der Mensch zu beugen. Dem Prediger ist dieser Gott ferner gerückt. Aber gerade deshalb quält ihn die Frage, warum der Mensch so angelegt ist, als ob alles von seinem Tun abhängt, obwohl er ein durch Natur begrenztes und durch Gesellschaft bzw. menschliche Macht in seinem Wirken behindertes Wesen ist, das bei seinem Planen und Machen letztlich auf den Kairos, die zufallende Zeit angewiesen ist. Und er löst das Rätsel mittels der Antwort: Damit der Mensch Gott fürchte! An seiner Begrenzung wird der Mensch der Gottheit Gottes inne. Und der so Begrenzte nimmt sein Schicksal wie im Guten so im Bösen an. – Die ausdrückliche Ablehnung der Möglichkeit, die Seele des Menschen könne nach seinem Tode nach oben aufsteigen, zeigt uns, daß es bereits Juden gab, die das Rätsel des sich widersprechenden Deus revelatus und des Deus absconditus mittels des Glaubens an die Unsterblichkeit und einen über die Todesgrenze ausgreifenden Schicksalszusammenhang zu lösen suchten. Erst als die Getreuen ob ihrer Treue dem Schwert und der Verfolgung zum Opfer fielen, an der Grenze des Alten Testaments, findet ein Zeuge nicht nur den Mut, sondern auch das Gehör der Gemeinde, indem er verheißt, daß Gottes Treue nicht an die Grenze dieses Lebens gebunden ist. Und darin siegt der Glaube an den fordernden, schenkenden und mitziehenden Gott über den an den Gott des unergründlichen und dunklen Schicksals. Wer ist der Gott des Alten Testaments? Er ist der, der dem Menschen Leben in heilvoll aufgehender Welt schenkt, der chaotisch aufgehende Welt durch seine Gegenwart zur Stätte der Helle und zur Stätte gemeinsamen Wirkens werden läßt. Er ist der Gott, der von den Menschen allein verehrt werden will, damit die Menschen Leben und Welt als ganze hinnehmen und nicht isolierenden Verzerrungen verfallen, durch die Menschen und Tiere geschändet werden. Wer die Brüderlichkeit des Nächsten verkennt, verkennt Gott. Wer Gott verkennt, wird in der Folge den Bruder verkennen. Wer erkennt, daß der Gott, der von uns radikalen Beistand für den Bruder fordert, der mitziehende Gott ist, ist frei zur Liebe. Wer das Vertrauen in den mitziehenden und voranziehenden Gott verliert, verliert auch die Welt als Stätte freier Ständigkeit. In diesem Sinne ist die Furcht Gottes der Weisheit Anfang und die Liebe ihre Erfüllung. Die Furcht Gottes sichert die Mitmenschlichkeit. Das Wissen um die eigene Kreatürlichkeit sichert die Ehrfurcht vor dem, was mit uns Kreatur ist. Der Widerspruch zwischen dem schenkenden, verheißenden und fordernden Gott und dem Gott des Schicksals, zwischen dem Deus revelatus und dem Deus absconditus, richtet den Blick auf den Gott, der über die Grenze von Geburt und Tod hinaus unser Gott bleibt. Der Gott, der sein Mitsein und Voranziehen verheißt, läßt den Vertrauen und Hoffnung nicht verlieren, der an seiner Fähigkeit, Gott und den Nächsten zu lieben wie sich selbst, verzweifelt. Der Gott, der als der voranziehende und verheißende der fordernde bleibt, dem nicht nur Liebe, sondern auch Furcht gebührt, läßt den Glauben nicht zu einem Ruhekissen werden, das von konkretem Beistand befreit. Im Gebenkönnen und Betenkönnen erweist es sich, ob der Mensch durch die Schule der Dankbarkeit gegangen ist. Daß er auch in seinem Gebet zwischen Gott und dem Bruder stehenbleibt, weil hier der ihm zugewiesene Ort ist, ergibt sich am Ende von selbst.

Damit sollten wir schließen. Denn ob uns das angeht, was hier gesagt wurde, bleibt wie jede Darlegung auf dem Felde der vérités de l'existence allein der Selbstprüfung überlassen. Auch der Nachweis der Vereinbarkeit dieses mit dem christlichen Glauben sei mir erspart. Denn daß das Neue Testament diesen Gott voraussetzt und diesen Menschen will, scheint außer Frage zu stehen. Wer Gott ist und wer der Mensch ist und sein soll, vermag das Alte Testament seinem Leser wohl zu zeigen. Daß es ihn immer wieder auch dahin führt, wohin es ihn haben will, wer wollte das im vornherein bestreiten? Daß das Neue Testament den Menschen eben dahinbringen möchte, wo er nach dem Alten stehen soll, ist gewiß. Und vielleicht vermag sich in diesem Bilde auch der zu erkennen, dem die Sprache der Bibel und der Kirche, vielleicht ohne seine Schuld, sehr fern gerückt ist oder noch nie nahe war.

Transzendenz und Immanenz
als Aufgabe des sich verstehenden Glaubens

Wer einen oberflächlichen Blick auf die westliche, abendländische Welt wirft, findet sie primär mit technischen, organisatorischen und politischen Problemen beschäftigt: Die Notwendigkeit, den fortlaufend anwachsenden Menschenmassen ein menschenwürdiges Dasein zu ermöglichen, ist offenbar. Daß dieses Ziel nur mittels des technischen Fortschritts und einer immer umfassender werdenden weltweiten Organisation erreicht werden kann, ist eine Binsenweisheit. Daß die politischen Spannungen friedlich gelöst werden müssen und daß diese Lösungen wiederum die Freiheit des Menschen und damit ein menschenwürdiges Dasein im Auge haben müssen, ist ebenso selbstverständlich. Aber in dieser gemeinsamen Zielsetzung technischer Entwicklung und politischen Handelns wird deutlich, daß es letztlich um mehr und um anderes geht als um Technik, Wirtschaft und Politik, nämlich um den Menschen und sein Selbstverständnis. Denn wo von der Freiheit und der Würde des Menschen die Rede ist, wird der Anspruch erhoben, daß der Mensch letztlich mehr und anderes ist als eine Funktion ökonomischer Verhältnisse und eine Summe psychosomatischer Komponenten. Wollen wir diese Freiheit wahren, so müssen wir wissen, worin sie letztlich gründet. Haben wir keine klare Antwort auf die Frage nach dem Wesen des Menschen, nach dem Grunde seiner Freiheit, so wird unser technisches Planen und unser politisches Wollen nicht das gewählte und zugleich schicksalhafte Ziel erreichen, dem Menschen diese Erde zur Heimat werden zu lassen.

Die Frage nach dem Wesen des Menschen und dem Grunde seiner Freiheit ist unauflöslich mit der Frage nach der Wirklichkeit Gottes und der Wirklichkeit seiner Offenbarung verbunden. Die gegebenen Antworten sind, jedenfalls im abendländischen Kulturkreis, in Anknüpfung und Widerspruch zu der christlichen Tradition formuliert worden. Das Grundthema der abendländischen Geistesgeschichte, die Verhältnisbestimmung zwischen Vernunft und Offenbarung, Glauben und Wissen gehört damit nicht der Vergangenheit an. Es ist unser eigenes Problem geblieben. Denn so wahr die Beherrschung der Welt und ihrer Möglichkeiten unser Wissen erfordert, verlangt die Wahrung der Freiheit des Menschen unseren Glauben. Es ist vielleicht die Tragik dieses Jahrhunderts, daß es die ihm damit gestellte zweite, wesentliche Aufgabe, die Begründung der Freiheit des Menschen im Horizont der Gegenwart Gottes weniger leidenschaftlich angegriffen hat als die andere. Denn je enger die Räume und je intensiver die Berührung zwischen den Völkern, ihren Kulturen und Religionen werden, desto dringlicher werden wir gefordert, das Erbe der christlichen abendländischen Vergangenheit verstehend anzueignen oder als leblos gewordenen Ballast von uns zu werfen.

Das weithin die Auseinandersetzung kennzeichnende Verständnis der Frage nach dem Verhältnis zwischen Vernunft und Offenbarung, Glaube und Wissen, ist ein *survival* christlich mittelalterlicher Theologie und Philosophie. Es ist bestimmt durch die Unterscheidung zwischen rationaler Vernunfterkenntnis und einem sie überhöhenden Offenbarungswissen übernatürlichen, inspirierten Ursprungs, dessen Wahrheit entweder nur durch die inspirierten Verfasser der Heiligen Schrift oder (und zugleich) durch die Autorität der Kirche garantiert wird. Aber diese mittelalterlichen oder nachreformatorisch-orthodoxen Lösungsversuche haben in den zurückliegenden vierhundertundfünfzig Jahren fortlaufend an Überzeugungskraft verloren. Die heraufziehende Krisis des Problemverständnisses läßt sich bis in die Spätscholastik zurückverfolgen. Die Reformation schlug eine entscheidende Bresche, indem sie an die Stelle der Kirchenautorität das Einzelgewissen setzte, das selbst von der Wahrheit der Schrift überzeugt sein will. Es ist nicht unsere Aufgabe zu zeigen, wie zumal unter dem Druck miteinander rivalisierender und je einen absoluten Wahrheitsanspruch erhebender Konfessionen seit dem Zeitalter der Renaissance, des Barock und der Aufklärung die Bastionen eines zur Weltanschauung gewordenen Glaubens unterhöhlt worden sind, wie in diesem Prozeß säkulare Wissenschaft und säkularer Staat entstanden; noch ist es unsere Aufgabe, dem verschlungenen Wege der Theologie in diesen Jahrhunderten zu folgen. Es reicht aus, wenn wir feststellen, daß die empirischen Wissenschaften ein zur Weltanschauung gewordenes mythisches Weltbild gestürzt haben. Es reicht aus, wenn wir uns daran erinnern, daß die kritische Philosophie dem Menschen die Grenzen seines Erkennens demonstriert und damit das Ende jeder naiven Metaphysik heraufgeführt hat. Es liegt nur in der Konsequenz dieser Feststellungen, wenn wir sagen, daß die Theologie wie die kirchliche Verkündigung an den Erkenntnissen der empirischen Wissenschaften und der kritischen Philosophie nicht vorübergehen kann. Ja, wir sind der Meinung, daß sie dazu, recht verstanden, auch gar keinen Anlaß hat. Ihr ist durch das Zu-sich-selbst-Kommen der menschlichen Vernunft letztlich nur die Aufgabe gestellt, die uralte Rede von der Transzendenz Gottes folgerichtig zu durchdenken. Es wird daher nicht Wunder nehmen, wenn die folgenden Überlegungen eines Alttestamentlers letztlich im Horizont der kritischen Philosophie geschehen. Denn mag man darin von mancher Seite auch nur eine bedauerliche nachkantische Verengung und Verkürzung der biblischen Botschaft sehen, so sind wir doch der Überzeugung, damit der Befreiung der kirchlichen Verkündigung zu ihrer eigentlichen Aufgabe zu dienen, die darin besteht, den Menschen vor seinen nichtobjektivierbaren Gott zu rufen. Suchen wir den traditionellen Ort des Verständnisses des Alten Testamentes auf, so begegnen wir seiner Einordnung in das heilsgeschichtliche Denken mittels des hermeneutischen Schlüssels von Weissagung und Erfüllung. Am Anfang der Weltgeschichte stehen Schöpfung und Fall. Auf ihn folgt, als eine weissagende Präfiguration des neutestamentlichen Heilsgeschehens, die Erwählung der Väter, die Begründung des davidischen Reiches. In seinen Zerfallszeiten erheben die Propheten ihre Stimme, um den kommenden Messias anzukündigen. Der gegenwärtige Alttestamentler ist gefragt, ob er mit seiner historisch-kritischen Arbeit dieses heilsgeschichtliche Bild stützen kann oder ob und wie er es auf Grund seiner Forschungen zu variieren gedenkt. Dabei spitzt sich die Frage dahingehend zu, ob er als Historiker so etwas wie einen Gottesbeweis aus der Geschichte Israels erbringen kann. So wird in der gegenwärtigen alttestamentlichen Wissenschaft über die Frage diskutiert, ob der Alttestamentler als Theologe letztlich nur an das sich in diesen Büchern heiliger Schrift ausdrückende Selbstverständnis, an das Kerygma oder auch und primär an die historischen Fakten gewiesen ist[1]. Das Problem erfährt nur eine scheinbare Entspannung, wenn man historisch richtig einwirft, daß Geschichtsverlauf und glaubendes Verstehen eine vielschichtige und unauflösbare Einheit bilden[2]. Denn im Blick auf die grundsätzliche Entscheidung ist damit nicht mehr gesagt, als daß das menschliche Selbstverständnis immer auch ein Weltverständnis einschließt, daß sich menschliches Selbstverständnis angesichts der konkreten Herausforderung durch die geschichtliche Situation bildet. Gewiß bietet nun der faktische, vom Historiker ermittelte Geschichtsverlauf ein immanentes Kriterium für das sich in einem

---

[1] Vgl. G. v. Rad, Theologie des Alten Testaments I, 1957, 112f. (= 1962⁴, 118f); F. Hesse Kerygma oder geschichtliche Wirklichkeit?, ZThK 57, 1960, 24.

[2] Vgl. R. Rendtorff, Geschichte und Überlieferung, Studien zur Theologie der alttestamentlichen Überlieferungen (v. Rad-Festschrift), 1962, 93; aber auch J. Köberle, Sünde und Gnade im religiösen Leben des Volkes Israel bis auf Christus, 1905, 2 und F. Hesse, Die Erforschung der Geschichte Israels als theologische Aufgabe, KuD 4, 1958, 15: »Wir dürfen die ›äußere‹ Geschichte Israels weder methodisch noch sachlich von der Glaubensgeschichte trennen; sie liegen völlig ineinander und ›tragen‹ miteinander die Heilsgeschichte.« Sowie von demselben ThLZ 88, 1963, 753.

Geschichtsglauben äußernde Selbstverständnis der biblischen Zeugen an[3]. In diesem Sinne besitzen die Ergebnisse historischer Arbeit zugleich eine theologische Relevanz, indem sie zu der notwendigen Klärung beitragen, was an den jeweiligen biblischen Zeugnissen auf alle Fälle als zeitgebunden, durch den Gang der Geschichte selbst widerlegt und daher für den gegenwärtigen Glauben als unverbindlich anzusehen ist. Und gewiß muß der Exeget dabei immer zunächst und vor allem bemüht sein, den äußeren Ablauf der Geschichte und das innere Deutungsgeschehen in ihrem wechselseitigen Verhältnis darzustellen, weil er nur so seiner ersten Aufgabe, das jeweilige biblische Zeugnis aus seiner ursprünglichen Situation in seiner ursprünglichen Intention verständlich zu machen, gerecht werden kann. Aber der Exeget muß sich dabei der Grenze der historischen Methode und der Grenze historischen Verstehens bewußt bleiben. Als Historiker bekommt er den Glauben Israels nicht anders in den Blick als ein historisches, und sei es nun auch als ein diese Geschichte zentral bewegendes Faktum. Die eigentliche theologische Sachfrage, ob der hier bezeugte Gott *unser Gott* ist, findet auf diesem Wege keine Antwort und kann auf diesem Wege, recht verstanden, auch gar keine Antwort finden. Der Gott des Alten Testaments kommt hier nicht anders in den Blick als etwa die Götter der Kanaanäer: So wie der Glaube an sie das Selbstverständnis der unmittelbaren Umwelt Israels bestimmt hat, hat eben der Glaube Israels auch sein geschichtliches Verhalten bestimmt – oder, wie die prophetische Polemik zeigt, auch nicht bestimmt. Die historische Wissenschaft kann eben, um ein Wort des Jubilars zu zitieren, »als historisches Phänomen nur den Glauben an Gottes Handeln wahrnehmen, aber nicht Gott selbst«[4]. Und das heißt ja nichts anderes, als daß sich Gott von unserem menschlichen Verstande nicht objektivieren läßt[5].

Denn alles, was sich von uns objektivieren, was sich von uns im distanzierten Sehakt betrachten läßt, gehört der Welt der Erscheinungen an, bleibt immanent. In dieser Welt der Erscheinungen lassen sich alle Dinge nach den Gesetzen von Ursache und Wirkung auf immanente Bedingungen zurückführen. Dabei geht die Kette der Verknüpfungen ad infinitum weiter, bis der Mensch an die Grenze des Erkennbaren gekommen ist[6]. Und wenn der Mensch schließlich

---

[3] Das Problem der Eschatologie des Neuen Testaments verdeutlicht diese Feststellung wohl am schnellsten. Vgl. dazu R. BULTMANN, Eschatologie und Geschichte, ²1964, 44 ff.

[4] R. BULTMANN, Zum Problem der Entmythologisierung. Archivio di Filosofia 1961, Rom 1961, 23; vgl. auch E. LOHSE, Die Frage nach dem historischen Jesus in der gegenwärtigen neutestamentlichen Forschung, ThLZ 87, 1962, 134.

[5] Das schließt natürlich nicht aus, daß Gott in seinem »Daß« Gegenstand des Denkens sein kann; vgl. dazu S. HOLM, Religionsphilosophie, 1960, 141 f.

[6] Vgl. dazu M. HARTMANN, Die philosophischen Grundlagen der Naturwissenschaften, 1959, 23 f.

an die seinem Erkennen gezogene Grenze gekommen ist, wird für ihn die Gültigkeit des Satzes vom zureichenden Grunde nicht aufgehoben. Ja, er wird es dahingestellt sein lassen, ob er mit der gegenwärtig erkannten Grenze bereits an eine absolute Erkenntnisgrenze gestoßen ist oder nicht. Und er wird in der Konsequenz feststellen, daß hinter dem Erforschten ein Meer des Unerforschten liegt. Ein Vorstoß in die Transzendenz Gottes erscheint auf diesem Wege unmöglich. Das Irrationale, auf das menschliches Erkennen stößt und um das ein seine grundsätzlichen Grenzen anerkennendes Denken weiß, ist noch nicht mit der Transzendenz Gottes zu identifizieren. Entsprechend enthält auch die Geschichte, solange wir sie objektivierend betrachten, ausschließlich Relationen, aber keine absoluten Begebenheiten[7]. Gibt der Historiker aber seine objektivierende Betrachtung der Vergangenheit auf, so wird er seinem Auftrage untreu, Gewordenes aus seinem Werden verständlich zu machen. Es führt demnach kein unmittelbarer Weg von der objektivierenden Geschichtswissenschaft zur eigentlichen theologischen Aussage, zur Entscheidung der Gottesfrage. Niemand kann durch die Ergebnisse historischer Forschung gezwungen werden, die Existenz eines Gottes oder gar die des Gottes Israels anzuerkennen.

An dieser Feststellung ändert sich weder etwas, wenn wir die alttestamentliche Geschichte und Geistesgeschichte bis in das Neue Testament hinein verfolgen, noch wenn wir genötigt sein sollten, Ereignisse zu konstatieren, die unserem bisherigen Wirklichkeitsverständnis zuwiderlaufen. Im ersten Falle entdecken wir, wie überall in der Geschichte, Kontinuität und Diskontinuität. Im zweiten Falle stehen wir vor der Einsicht, daß hinter dem Erforschten ein Unerforschtes liegt. Aber wir stoßen wiederum nicht auf die Transzendenz Gottes. Diese spiegelt sich nach biblischem Verständnis auch keineswegs nur in außergewöhnlichen Phänomenen, sondern in der ganzen raumzeitlichen Wirklichkeit[8].

Man könnte dem bisherigen Gang der Überlegungen den Vorwurf machen, er sei nur deshalb zu einem derartig negativen Ergebnis gekommen, weil hier ein Hiatus zwischen der objektivierenden Geschichtswissenschaft und der Subjektivität des Historikers aufgerissen worden ist, der so lediglich eine künstliche Abstraktion ist[8a]. Und eben deshalb habe sich hier das Verhältnis des

---

[7] Vgl. dazu Holm, aaO, 272f; U. Mann, Theologische Religionsphilosophie im Grundriß 1961, 199f.

[8] Vgl. dazu W. Philipp, Die Absolutheit des Christentums und die Summe der Anthropologie, 1959, 254f; H. v. Oyen, Theologische Erkenntnislehre, SDGSTh 6, 1955, 233 und speziell zum Problem des Wunders R. Bultmann, Glauben und Verstehen I, [4]1961, 214ff; F. Gogarten, Die Verkündigung Jesu Christi. Grundlagen und Aufgabe, 1948, 97ff.

[8a] Denn wo immer der Historiker mehr als bloße »chronologisch fixierbare Vorgänge

Glaubens zu seinem geschichtlichen Ursprung in ein nebelhaftes Unbestimmt aufgelöst. Ist denn der Glaube etwa nur eine beliebige, gegenüber dem biblischen Zeugnis willkürliche, parteiische Stellungnahme? Das ist selbstverständlich nicht unsere Meinung. Aber diese Stellungnahme erfolgt auf einer anderen Basis als der eines objektivierenden, historischen Verstehens. Der Forscher ermittelt mit seiner in leidenschaftlicher Leidenschaftslosigkeit, mit seiner im distanzierten Sehakt erfolgenden Arbeit schließlich und letztlich das Selbstverständnis der Menschen, die Träger der von ihm untersuchten Geschichte gewesen sind. Er hat es letztlich mit dem Menschen als einem sich verstehenden und sich verantwortenden Wesen zu tun. Und nun ist er wie jeder andere Mensch gefragt, ob sich sein eigenes Dasein im Lichte dieses vergangenen Selbstverständnisses besser verstehen oder anders verstehen läßt als zuvor. Bei dieser Begegnung mit dem Selbstverständnis der Vergangenheit und bei dieser Entscheidung angesichts des Selbstverständnisses der Vergangenheit ist seine Subjektivität im höchsten Maße gefordert. Und wie immer er sich angesichts der Möglichkeiten entscheidet, die ihm von den Zeugnissen vergangenen Menschseins angeboten werden, wird die von ihm getroffene Entscheidung seine eigenste und von ihm selbst zu verantwortende sein.

Wir verdeutlichen das an zwei Beispielen: Wenn der Alttestamentler die Schlußphase der judäischen Geschichte untersucht, wird er dabei die Prophezeiungen eines Jeremia zur Kenntnis nehmen, der seinen König Zedekia vor die Entscheidung stellte, sich entweder im Vertrauen auf Gott, den Gott Israels, dem babylonischen König Nebukadnezars auszuliefern oder ein katastrophales Ende in der Fremde zu finden (vgl. Jer 27, 12ff; 34, 1ff). Er muß dann weiter feststellen, daß Zedekia, der die Übergabe der Stadt Jerusalem ablehnte, in der Tat geblendet und in Ketten im babylonischen Verließ verschwunden ist (2Kö 25, 1ff; Jer 52, 6ff). Aber er kann weder beweisen, daß Jeremia wirklich im Namen Gottes redete, noch daß Zedekia im anderen Falle wirklich dies Schicksal erspart geblieben wäre. Er sieht sich vor die verschiedensten Erklärungsmöglichkeiten gestellt. Er mag an parapsychologische Phänomene oder an eine immanente Wahrscheinlichkeit denken, um das Übereinstimmen zwischen Prophezeiung und weiterem Geschichtsverlauf, zwischen Gerichtsankündigung und Erfüllung, zu erklären. Er kennt auf jeden Fall nur den faktischen Verlauf, aber niemals die Möglichkeiten der Vergangenheit als die Möglichkeiten Gottes. In seiner selbstverantworteten Stellungnahme zu dieser Geschichte fällt er daher immer auch eine glaubende Entscheidung für oder gegen den von Jeremia bezeugten Gott.

des Gewesenen« (BULTMANN, Jesus, 1951, 9) ermittelt, indem er etwa nach den bewegenden Kräften der von ihm behandelten Epoche fragt, ist seine Subjektivität beteiligt.

Man mag dagegen einwenden, es handle sich hier eben nur um ein alttestamentliches Beispiel. Im Neuen Testament lägen die Dinge anders. Aber liegen sie wirklich anders? Steht der Historiker als Historiker vor dem neutestamentlichen Osterzeugnis nicht noch hilfloser, weil es hier für ihn letztlich überhaupt keine historischen Kontrollmöglichkeiten gibt, weil seine Analogien hier versagen, ihn bestenfalls auf das Feld der Mythenbildung, der Tiefenpsychologie oder der Parapsychologie führen? Ja, selbst wenn es ihm eines Tages möglich sein sollte, die Auferstehung Jesu als historisches Faktum zu beweisen, – was bei der gegenwärtigen Quellenlage unmöglich erscheint[9] – hätte er damit historisch bewiesen, daß dieses Geschehen die entscheidende Offenbarung Gottes ist? Wird nicht auch das neutestamentliche Heilsgeschehen erst dadurch für uns zum Offenbarungsgeschehen, daß es uns als verkündigtes, in Fortsetzung der Verkündigung Jesu und in Kontinuität mit der Verkündigung der Kirche in unserem Gewissen trifft und uns so das Rätsel unseres Daseins aufschließt?

Wie sehr hier unsere Subjektivität gefordert und wie unaufgebbar und unaufhebbar der Unterschied zwischen einem objektivierenden und einem sich entscheidenden Verstehen ist, mag ein letztes Beispiel verdeutlichen, das die uns allen mögliche Glaubenserfahrung der Gebetserhörung in den Kreis der Untersuchung einbezieht. Gesetzt, ein Mensch befindet sich in äußerster Not. Er sehe vor sich nichts als den gewissen Tod. Und nun wende er sich in seiner Angst betend an den ihm bislang zwar bezeugten, aber von ihm nicht geglaubten Gott. Und gesetzt, es öffne sich ihm ein überraschender Weg der Rettung, so daß der gerettete Beter seinem Gott überschwänglich dankt. Er hat die Wirklichkeit Gottes erfahren. Und vielleicht tat sie sich ihm vielmehr in dem Gefühl der bergenden und tragenden Nähe Gottes, vor dem alles Fragen nach dem Wohin verstummt, als in der Rettung selbst kund. – Aber gesetzt, er fängt an zu grübeln, ob er denn wirklich die Nähe Gottes und seine Hilfe erfahren hat oder ob nicht alles »ganz natürlich« zugegangen ist: wird ihm seine objektivierende, die innerweltlichen Zusammenhänge analysierende Vernunft einen Gottesbeweis liefern? Der Mensch, der immer nur das bereits Eingetretene, aber nicht die Möglichkeiten des Augenblicks als die Möglichkeiten Gottes kennt, kommt nicht aus dem Zweifel heraus. Denn seine Vernunft kann, solange sie objektiviert, nichts anderes als ein immanentes Kausalgeflecht feststellen, und dieses in seiner ganzen unendlichen Verkettung.

Auf der anderen Seite versteht er sich immer und mit Notwendigkeit als ein verantwortliches, zur Entscheidung angesichts der Möglichkeiten der Zukunft aufgerufenes Wesen. Er steht vor der Antinomie zwischen Freiheit und Not-

---

[9] Vgl. dazu H. GRASS, Ostergeschehen und Osterberichte, ³1963, zumal 257 ff.

wendigkeit. Er kann angesichts seiner objektivierenden, der Vergangenheit zugewandten Erkenntnis, die an die Anschauungsformen von Raum und Zeit gebunden ist und nach dem Satze vom zureichenden Grunde arbeitet, seine Entscheidungsfreiheit nur postulieren, und er muß sie postulieren. Ob er diese seine Freiheit aus sich selbst oder von dem transzendenten, sich im Gebet nach vorgängiger Verkündigung erschließenden Gotte her versteht, bleibt – *sit venia verbi* – seine frei verantwortete Entscheidung. Da der Glaube sich nicht aus der Vergangenheit rechtfertigen kann, hat er es offenbar immer mit dem Augenblick zu tun. Und der einzige Zugang, der sich zu Gott hin öffnet, ist so für den Exegeten nicht anders als für jeden anderen auch der Glaube, der sich selbst freilich nur als eine geschenkte Entscheidung verstehen kann.

Ist dieser Glaube damit zu einem bloßen subjektiven Meinen geworden? Ist er damit Ausdruck für ein *asylum ignorantiae* im Blick auf das Weltganze oder das Geheimnis des konkreten Lebens? Diese Unterstellung widerspricht jedenfalls dem Selbstverständnis des Glaubens auf das Entschiedenste: Er versteht sich gerade nicht in sich selbst befangen, seinem subjektiven Wünschen und Meinen ausgeliefert, sondern von einem Letztgültigen gehalten und gefordert. Er ist davon überzeugt, daß es eine letzte Entsprechung zwischen Existenz und Offenbarung gibt, daß das Rätsel seines Daseins in der christlichen Verkündigung und in dem alt- und neutestamentlichen Heilsgeschehen aufgedeckt wird. Er weiß, daß diese Aufdeckung nur im konkreten Zuspruch der Verkündigung erfolgen kann. Offenbarung ist für ihn kein verfügbarer Besitz, kein festes, objektivierbares Wissen, sondern ein unter dem verkündigten Wort sich ereignendes Geschehen.

Wir können dieser Entsprechung zwischen Existenz und Offenbarung, diesem Angewiesensein des Menschen auf das ihn fordernde Wort hier nur sehr summarisch nachgehen. Wir verdeutlichen es uns an dem ethischen Phänomen. Trotz aller Rede von der Relativität des Sittlichen, aller oberflächlichen Einsicht in die Vielfalt des menschlichen Ethos versteht sich der Mensch, ist er nicht pathologisch entartet, als ein verantwortliches Wesen. Entsprechend beurteilt er auch das Verhalten seiner Mitmenschen nicht als ein lediglich kausiertes Geschehen. Er rechnet es ihnen zu. Er beurteilt ihr Verhalten als gut oder böse. Er weiß, implizit oder explizit, daß er weder sich selbst noch den anderen als bloßes Mittel gebrauchen darf, sondern daß er ihn als Zweck ehren soll[10]. Und wo dies nicht geschieht und in der Geschichte geschehen ist, da läßt sich stets zeigen, daß eine ganz bestimmte Eingrenzung des Nächsten nach rassischen,

---

[10] Vgl. dazu I. Kant, Grundlegung zur Metaphysik der Sitten, hg. v. K. Vorländer, PhB 41, 1957 (1906), 54, 429; zum Problemkreis H. J. Paton, Der kategorische Imperativ, 1962, und K. E. Løgstrup, Die ethische Forderung, 1959.

weltanschaulichen oder religiösen Gesichtspunkten vorgenommen ist. Es läßt sich aber ebenso nachweisen, daß die daraus resultierenden Gewissensüberdeckungen und -verbildungen immer wieder spontan durchbrochen worden sind[11]. Man wird es von hier aus nur bedauern können, daß das Wissen um das Sittengesetz so weitgehend zerredet worden ist. Theologisch entscheidend ist die Frage, ob nicht letztlich hinter jedem Übertreten der ethischen Forderung, den Anderen als den Nächsten, den möglichen, ja den immer schon faktischen Bruder zu achten und zu lieben, die Angst steht, gerade als Achtende und Liebende das Leben zu verlieren[12], der Macht des Todes, die tief in das Leben reicht, zu verfallen. Und macht nicht gerade das das Wesentliche der Gewissenserfahrung aus, daß sie den Übertreter der ethischen Forderung nun erst recht der Angst ausliefert, daß sich der vom Schlage des Gewissens Getroffene als gerichtet, als genichtet erfährt? Und tritt neben die Schuldangst und mit ihr mannigfach verbunden nicht die rätselhafte Schicksalsangst[13]? Muß sie nicht als ein Gefühl, als eine Grundstimmung beschrieben werden, dem Tode, dem Nichts ausgeliefert zu sein? Und wenn das so ist, erhebt sich dann nicht die Frage, warum sich der Mensch in einem derartigen Selbstwiderspruch findet, warum er, zu Achtung und Liebe aufgerufen, bei dem Versuch, sein Dasein zu sichern, faktisch immer wieder seinem Wesen zuwider handelt? Und zeigt nicht die Weltgeschichte, daß den Menschen das Wissen um sein Sollen allein nicht befreit? Sind wir damit nicht in der Nähe des paulinischen Bekenntnisses »Denn das Gute, das ich will, das tue ich nicht; sondern das Böse, das ich nicht will, das tue ich«? (Röm 7, 19).

Dem sich ängstigenden Israel – wir bezeichnen damit jetzt seine Wesensgröße – enthüllte sich die Überraschung der Zukunft. Als die aus Ägypten fliehende Gruppe am Meere nur noch Tod und Verderben vor sich sah, fand sie überraschendes Leben (Ex 14, 1ff)! Dem geretteten Israel war bewußt, daß die Macht, der die Überraschung in der Zukunft zu Gebote steht, und die Macht, die von uns Achtung und Liebe fordert, die gleiche ist[14]. Entsprechend erkannte es in dem Vergehen gegen die Forderung und in der auf dem Grunde des Daseins lauernden Schicksalsangst die Folge des mangelnden Vertrauens zu dieser Macht, das dem Menschen durch sein Dasein selbst abverlangt wird. Und als das Alte Testament mit seinem Versuch an das Ende gekommen war, Gehorsam gegenüber der Forderung und innerweltliches Heil

---

[11] Vgl. dazu O. KAISER, Kameradschaft, Freundschaft, Bruderschaft, ZEE 3, 1959,16.
[12] Vgl. dazu M. HEIDEGGER, Sein und Zeit, 1963[10], 186f. 265f; aber besonders W. HERRMANN, Ethik, (1901) 1921[6], 169.
[13] Vgl. dazu O. HAENDLER, Angst und Glaube, 1953, 55ff.
[14] Vgl. dazu auch O. KAISER, Wort des Propheten und Wort Gottes, Tradition und Situation (Festschrift A. Weiser), 1963, 89.

in einer dem Menschen zugänglichen Rechnung gegeneinander aufzurechnen, als es sich zwischen einer den Gehorsam am Lebensausgang messenden, einer prädestinatianischen und einer die Todesgrenze übersteigenden Lösung hin und her wandte[15], verkündete Jesus die grenzenlose Gegenwart und Liebe Gottes, verkündeten die Jünger angesichts des Gekreuzigten die Liebe Gottes und die Zukunft Gottes, die für uns kein Ende nehmen will[16]. Angesichts dieser, sich in der Predigt der Kirche fortsetzenden Verkündigung des Alten und des Neuen Testamentes sind wir zu der Entscheidung aufgerufen, ob wir dem Sein selbst einen inneren Widerspruch zuschreiben oder ob wir glauben wollen. Der Widerspruch läge darin, daß wir zwar zum Gehorsam der Achtung und Liebe aufgerufen sind, durch diesen Gehorsam aber wie der irdische Jesus dem Tode verfallen können. Der Glaube läge darin, darauf zu vertrauen, daß wir in der Macht dessen stehen, der uns überraschend Zukunft geben kann, auch dort, wo wir nur Tod und Sterben sehen.

Wenn uns die Entscheidung für die zweite Möglichkeit geschenkt wird, dann hat sich Gott offenbart. Das Wissen des Glaubens ist somit ein Wissen um das letzte Woher unseres Seinkönnens und unseres Gefordertseins. Es tritt mit keinem innerweltlichen, objektivierbaren Wissen in Konkurrenz. Und es enthält im Blick auf unsere Zukunft im Reiche Gottes kein konkretes Wissen, es bleibt reine Hoffnung[17]. Damit sagen wir im Blick auf das Zeugnis des Neuen Testamentes wie auf das Zeugnis der Reformation nichts Neues. Denn es war Paulus, der davon sprach, daß wir jetzt nur δι' ἐσόπτρου ἐν αἰνίγματι Gott erkennen (1 Kor 13, 12), und Luther, der bekannte: »Quando ego occidor, video, quibus modis et circumstantiis pereat vita: sed circumstantias non video, quibus vita sit reditura, nec tempus, nec locum. Cur igitur credo hoc, quod nusquam video? Quia habeo promissionem et verbum Dei, id non patitur, ut spem vitae abiiciam, aut dubitem de haereditate, quae Christi est, per quem nos adoptati sumus in filios.«[18] Die Unterscheidung zwischen Glauben und Wissen, zwischen geschenkter Entscheidung und distanzierter historischer Arbeit, die der Jubilar zwei Generationen von Theologen gelehrt hat, ist letztlich kein innertheologisches Problem. Sie ist die Lebensfrage der sich säkular verstehenden Welt, in christlicher Glaube und christliche Verkündigung darüber wachen, daß Gott Gott und die Welt Welt bleiben und Religion, Wissenschaft, Technik und Politik nicht zu lebensfeindlichen Ideologien entarten.

[15] Gemeint sind die Versuche des Chronisten, eines Jesus Sirach und die der Apokalyptiker.
[16] Vgl. R. BULTMANN, Das Urchristentum im Rahmen der antiken Religionen, 1963³, 233.
[17] Vgl. dazu F. GOGARTEN, Die christliche Hoffnung, DUZ 9, 24, 1954, 3 ff.
[18] WA XLIII, 205. Zeile 3-8.

Kants Anweisung zur Auslegung der Bibel

Ein Beitrag zur Geschichte der Hermeneutik

> *»Es ist also die liberale Denkungsart —*
> *gleiweit entfernt vom Sklavensinn und*
> *von Bandenlosigkeit . . .«*
> *Immanuel Kant, Das Ende aller Dinge.*

In der Folge eines »fast schwärmerischen Enthusiasmus für die kritische Philosophie« *Kant*s in dem Jahrzehnt zwischen 1785 und 1795[1] gewannen auch seine Empfehlungen für die durchgängige Auslegung der heiligen Schrift »zu einem Sinn, der mit den allgemeinen praktischen Regeln einer reinen Vernunftsreligion zusammen stimmt«[2], einen in Anspruch und Widerspruch kaum zu überschätzenden Einfluß auf den Fortgang der biblischen Theologie. Kein geringerer als *J. G. Eichhorn*, der sich zweimal öffentlich gegen die *Kant*ische Hermeneutik gewandt hat, erklärte zwanzig Jahre nach dem Erscheinen der zweiten Auflage der »Religion innerhalb der Grenzen der bloßen Vernunft«, dieser Kampf habe Leben in eine Wissenschaft gebracht, »die vormals viel zu todt betrieben worden war«[3]. Liegt die damals geführte Auseinandersetzung in ihrem zeitgenössischen Gewande hinter uns und hat sich die historisch-kritische Auslegung der Bibel in der theologischen Bibelwissenschaft fast uneingeschränkt durchgesetzt, so sind doch die mit ihrem Aufkommen für die christliche Kirche gestellten und grundsätzlich bereits von *Kant* gesehenen Probleme so wenig aus der Welt geschafft, wie man sagen kann, daß die Grundfragen evangelischer Theologie nach ihrem Verhältnis zur Philosophie und zu den nichtchristlichen Hochreligionen eine befriedigende Lösung gefunden haben. Es dürfte sich daher lohnen, an die *Kant*ischen Vorschläge zu erinnern und zu prüfen, ob und wiefern sie geeignet sind, wenn schon nicht fertige Lösungen zu präsentieren, so doch auf Wege zu verweisen, die zu einem Ziele führen könnten. Der vorliegende Beitrag setzt sich freilich seine Grenzen viel bescheidener, indem er lediglich zu zeigen sucht, wie sich *Kant*s hermeneutische Anweisungen in sein allgemeines Verständnis der Religion und der heiligen Schrift einfügen und wie er auf die Einwürfe seiner theologischen Gegner geantwortet hat. Dabei wird außer der Religionsschrift vor allem der »Streit

---

[1] *J. G. Eichhorn*, Litterärgeschichte Bd. II, Göttingen 1814, S. 800.
[2] Religion innerhalb der Grenzen der bloßen Vernunft[2], S. 158. (*Kant*s Schriften werden im folgenden, soweit dort erschienen, nach den Ausgaben in der PhB zitiert. Sofern dort Verweise auf die ursprünglichen Seitenzahlen fehlen, wird in Klammern auf die Berliner Akademie Ausgabe, hinfort AA genannt, verwiesen.)
[3] Litterärgeschichte II, S. 1103.

der Fakultäten« nebst den dazu in seinem handschriftlichen Nachlaß
erhaltenen Vorarbeiten und Notizen Berücksichtigung finden, von dem
man billig erwarten kann, daß sich hier nicht nur Vorläufiges, sondern
auch manches nicht für das Auge des Zensors Bestimmtes findet. Denn
wäre es ihm auch allein angemessen erschienen »wenn sich Gelehrte...
lieber gleich als im Naturzustande befindliche freye Menschen in ihren
Ansprüchen gegen einander betragen« hätten⁴, so war er doch zur Rück-
sichtnahme auf die theologischen Fakultäten und mehr noch auf die von
Wöllner inspirierte preußische, seinen eigenen Gesinnungen durchaus
nicht gewogene Religionspolitik genötigt.

Es darf als bekannt vorausgesetzt werden, daß *Kant* in der 1793 in
erster und 1794 in zweiter Auflage erschienenen Religionsschrift keine
prinzipielle Untersuchung über das Problem einer Religionsphilosophie
vorgelegt, sondern daß seine Schrift im wesentlichen die praktische Aufgabe zu lösen gesucht hat, »wie die Religionsphilosophie sich zu dem die
Praxis beherrschenden historischen Element, dem christlichen Landes-
kirchentum, zu verhalten habe«⁵. Wird hier »am Beispiel der vorgegebenen christlichen Dogmatik« dargelegt, »wie sich aus einem System gege-
bener Glaubenssätze durch deren kritisch-philosophische Auslegung ein
Inbegriff von Grundwahrheiten reiner Vernunftreligion gewinnen läßt«⁶,
so ist doch gewiß, daß eben bei dieser Arbeit eine wesentliche Weiterbildung der religionsphilosophischen Anschauungen *Kants* erfolgte⁷. Man
wird weiterhin konstatieren dürfen, daß er schon in dieser ersten Schrift
die Absicht verfolgt, die später dem ersten Abschnitt des »Streites der
Fakultäten« zugrunde liegt, die Aussagen der biblischen Theologie einschließlich der ihr folgenden kirchlichen Verkündigung philosophisch zu
limitieren. Die Grundüberzeugung, die ihn in den ganzen unerquicklichen
Jahren nicht verließ, schimmert überall siegreich durch seine Ausführun-
gen hindurch, daß nämlich »eine Religion, die der Vernunft unbedenklich
den Krieg ankündigt, es auf die Dauer gegen sie nicht aushalten wird«⁸.
Jedenfalls seit seiner Arbeit an der »Kritik der reinen Vernunft« war es
seine Überzeugung, daß es »nur eine (wahre) Religion; aber vielerlei
Arten des Glaubens geben kann«⁹. Die wahre Religion besteht darin,

---

⁴ Erster Entwurf zur Vorrede der 1. Auflage der Religionsschrift, PhB 45⁶, Hamburg
  1956 (1961), S. XCIV.
⁵ *E. Troeltsch*, Das Historische in Kants Religionsphilosophie, Kant-Studien 9, 1904,
  S. 74; vgl. auch S. 57 ff. und 62 f.
⁶ *H. Noack* in PhB 45⁶, S. LIII; vgl. Kant's handschriftlicher Nachlaß Bd. 10, Vorarbeiten und Nachträge , AA XXIII, Berlin 1955, S. 94, 25 ff.
⁷ Vgl. *Troeltsch*, a. a. O., S. 79.
⁸ Religion, S. XIX.
⁹ Religion, S. 154. — Vgl. Kritik der reinen Vernunft, A S. 820 ff.; B S. 848 ff.
  (PhB 37 a² hg. *R. Schmidt*, S. 739 ff.). Zur allgemeinen Entwicklung von *Kants*
  Religionsphilosophie vgl. auch *K. Reich* in seiner Einleitung zum »Beweisgrund zu
  einer Demonstration des Daseins Gottes«, PhB 74 II, Hamburg 1963, S. VII ff.

»daß wir Gott für alle unsere Pflichten als den allgemein zu verehrenden Gesetzgeber ansehen«[10]. Dieser Religion würde uneingeschränkt nur ein »reiner Religionsglaube« entsprechen, »welcher allein eine allgemeine Kirche gründen kann«. Er ist dazu allein in der Lage, »weil er ein bloßer Vernunftsglaube ist, der sich jedermann zur Überprüfung mitteilen läßt«[11]. Der »historische« Glaube, der sich auf Offenbarungsurkunden beruft, kann dagegen grundsätzlich nur als ein Mittel, ein Vehikel zur Beförderung und Ausbreitung des reinen Vernunftglaubens angesehen werden; denn »die reine m o r a l i s c h e Gesetzgebung, dadurch der Wille Gottes ursprünglich in unser Herz geschrieben ist«, ist »nicht allein die unumgängliche Bedingung aller wahren Religion überhaupt, sondern sie ist auch das was diese selbst eigentlich ausmacht, und wozu die statuarische nur das Mittel ihrer Beförderung und Ausbreitung enthalten kann«[12]. Die universale Vernunftsreligion steht so dem partikularen, örtlich und zeitlich in seiner Wirksamkeit begrenzten historischen Glauben gegenüber, der sich auf Fakten gründet und auf Offenbarung beruft[13].

Sollte man eigentlich erwarten, daß sich der »reine Religionsglaube« in der Menschheit durchsetzt, so steht dem die Erfahrung gegenüber, daß auf Grund »einer besonderen Schwäche der menschlichen Natur« »auf jenen reinen Glauben niemals soviel gerechnet werden kann, als er wohl verdient, nämlich eine Kirche auf ihn allein zu gründen«[14]. Man muß sich

---

[10] Religion, S. 147; vgl. S. 229 f.; Streit der Fakultäten, PhB 252, Hamburg 1959, S. 31 (AA VII, Berlin 1907, S. 36, 18 ff.) und S. 46 (AA VII, S. 49, 18 ff.); ferner den Brief an *J. C. Lavater* vom 28. April 1775, Briefwechsel Bd. 1, AA X, Berlin und Leipzig 1922, S. 176, 35 ff.; Kritik der praktischen Vernunft 1787, S. 233; Kritik der Urteilskraft 1799, S. 477. — Zur Bedeutung des Freiheitsproblems für *Kants* Religionsphilosophie vgl. *E. Cassirer*, Kants Leben und Lehre, Werke hg. *E. Cassirer* Bd. XI, Berlin 1923, S. 417; auch *T. Hoekstra*, Immanente Kritik zur Kantischen Religionsphilosophie, Kampen 1906, S. 13 ff.
[11] Religion, S. 145; vgl. S. 236 f.
[12] Religion, S. 148; vgl. auch L Bl. G 9, S. II (aus der Zeit zwischen 1785 und 1799), Kant's handschriftlicher Nachlass Bd. 6, AA XIX, Berlin und Leipzig 1934, Nr. 8089, S. 633, 19 ff.: »Das, was alle Welt wissen muß, weil jedermann darnach handeln soll, muß sich auch unabhängig vom Historischen, folglich von Gelehrsamkeit erhalten und im practischen bestehen.« Ferner L Bl. G 19, S. I f. aus den Vorarbeiten zum »Streit«, AA XXIII, S. 437, 13 ff.
[13] Religion, S. 145; vgl. auch »Streit«, S. 46 (AA VII, S. 49, 31 ff.): »A l l g e m e i n - h e i t für einen Kirchenglauben zu fordern (catholizismus hierarchicus) ist ein Widerspruch, weil unbedingte Allgemeinheit Notwendigkeit voraussetzt, die nur da stattfindet, wo die Vernunft selbst die Glaubenssätze hinreichend begründet, mithin diese nicht blosse Statute sind. Dagegen hat der reine Religionsglaube rechtmäßigen Anspruch auf Allgemeingültigkeit (catholozismus rationalis). Die Sektiererei in Glaubenssachen wird also bei dem letzteren nie stattfinden, und wo sie angetroffen wird, da entspringt sie immer einem Fehler des Kirchenglaubens; seine Statute (selbst göttliche Offenbarungen) für wesentliche Stücke der Religion zu halten, mithin den Empirismus in Glaubenssachen dem Rationalismus unterzuschieben und so das bloß Zufällige für an sich notwendig auszugeben.«
[14] Religion, S. 145; vgl. auch S. 157 und 237.

daher um der Religion willen mit der Existenz empirischer Glaubens-
gemeinschaften oder Kirchen als »Versammlungsörtern zur Belehrung
und Belebung in moralischen Gesinnungen« abfinden[15]. Ob und wie weit
sich *Kant* bei dieser Verhältnisbestimmung zwischen einer reinen Vernunft - und einer empirischen Religion, einem Vorwurf von *Troeltsch*
entsprechend, eines mit seinem eigentlichen System nicht in Einklang stehenden Widerspruchs zwischen einem f o r m a l e n und einem m a t e -
r i a l e n Rationalismus schuldig gemacht hat[16], braucht uns hier nicht zu
beschäftigen, wenngleich die Entscheidung dieser Frage für eine die Ge-
gegenwartsbedeutung der *Kant*ischen Religionsphilosophie bedenkende
Arbeit von größter Wichtigkeit wäre.

Ist es nun einmal so, daß der Religionsglaube zu seiner Ausbreitung
und Erhaltung auf den Kirchenglauben angewiesen ist, so folgt für *Kant*
daraus zugleich, daß als Grundlage für diesen nur eine Schrift in Frage
kommt, die ihre Geltung auf den Anspruch, Offenbarung zu sein, stützt[17].
— Man würde ihn trotz dieser von seinem Standpunkt aus notwendig vor-
genommenen Einschränkungen völlig mißverstehen, wenn man ihm unter-
stellte, er wolle das Ansehen der ja gerade seiner Untersuchung als Beispiel
unterlegten christlichen Bibel herabsetzen[17a]. Denn kann »die Verbindung
der Menschen zu einer Religion nicht füglich ohne ein heiliges Buch und
einen auf dasselbe gegründeten Kirchenglauben zustande gebracht und
beharrlich gemacht werden«[18], und ist es nicht zu erwarten, daß in der
(aufgeklärten) Gegenwart oder Zukunft eine neue heilige Schrift entsteht[19],
so ist es nach seiner Ansicht »das Vernünftigste und Billigste«, »dies Buch,
was einmal da ist, fernerhin zur Grundlage des Kirchenunterrichts zu
brauchen und seinen Wert nicht durch unnütze oder mutwillige Angriffe
zu schwächen«[20].

---

[15] Religion, S. 152.
[16] a. a. O., S. 146.
[17] Religion, S. 152, vgl. S. 166.
[17a] Zur Sache vgl. *E. Klostermann*, Kant als Bibelerklärer, in FS *R. Seeberg* II, Leipzig
1929, S. 13—26, sowie *H. Borkowski;* Die Bibel Immanuel Kants, Veröffentlichungen aus der Staats- und Universitätsbibliothek zu Königsberg Pr. 4, Königsberg
1937. Ich zähle in Kants Bibel neben den 32 Randbemerkungen (vgl. dazu AA XIX,
Berlin und Leipzig 1934, S. 651 ff.) und 951 Anstreichungen, davon 98 im Alten
Testament, 462 in den Evangelien und der Apostelgeschichte (Matth. 182; Marc, 40;
Luc. 64; Joh. 78; Ac. 98), 337 im Corpus Paulinum (Röm. 143; 1. Cor. 63; 2. Cor.
10; Gal. 42; Eph. 22; Phil. 11; Col. 10; 1. Thess. 5; 2. Thess. 7; 1. Tim. 18 und
2. Tim. 6) und 54 in den Katholischen Briefen (1. Petr. 5; 2. Petr. 6; 1. Joh. 16;
2. Joh. 2; Hb. 6 und Jak. 19). Vgl. *Borkowski:* »Daraus, daß Unterstreichungen
fehlen, darf man aber nicht schließen, daß Kant diese Bücher nicht gelesen hat.«,
a. a. O., S. 6.
[18] Religion, S. 198.
[19] Streit, S. 64 (AA VII, S. 65, 14 ff.); ferner aus den Vorarbeiten dazu L Bl. G 1,
S. III, AA XXIII, S. 452, 28 ff.
[20] Religion, S. 198; vgl. L Bl. G 1, S. III, AA XXIII, S. 452, 19 ff.: »Ein jeder Versuch

Es ist trotz der vorsichtigen Äußerungen innerhalb der von ihm zum
Druck gegebenen Schriften eindeutig, mußte aber eigentlich von einem
aufmerksamen Leser auch aus diesen entnommenen werden, daß der
Glaube an die Inspiration der Bibel für ihn erledigt war. So notiert er sich
unter der Arbeit zum ersten Abschnitt des »Streites«, daß »die Inspiration
(Deus ex machina)« . . . »ein sehr mislicher Erklärungsgrund« für den großen Einfluß der Bibel« auf dem moralischen Gang der Weltbegebenheiten«
sei[21]. Er war von dem »natürlichen Ursprung« der Bibel überzeugt. Das
konnte ihn freilich nicht daran hindern, in ihrer Entstehungsgeschichte
gleichzeitig ein Werk »der Vorsehung überhaupt« zu sehen, »weil die Fortschritte der Menschen in der moralischen C u l t u r selbst in den damals
aufgeklärten Völkern ein solches Organ der Religion hervorzubringen
nicht vermochten. Dieses [sc. die Annahme der Vorsehung überhaupt]
geschieht darum damit die Existenz dieses Buches unerachtet seiner Zweck-
mäßigkeit nicht dem Z u f a l l oder unerachtet der Unerklärlichkeit seines
Ursprungs nicht einem W u n d e r zugeschrieben würde als in welchen
b e y d e n Fällen die Vernunft auf den Strand gesetzt wird«[22]. *Kant* war
von der faktischen Notwendigkeit der weiteren Gültigkeit der Bibel zu-
tiefst überzeugt. Die Frage, ob diese Gültigkeit ewig bestehen bleiben
werde oder ob sie »chiliastisch in ein neues Reich Gottes auf Erden über-
gehen« werde, läßt er im »Streit« offen; denn sie zu beantworten »über-
steigt unser ganzes Vermögen der Wahrsagung«[23]. In den Vorarbeiten ist
freilich auch die entgegengesetzte Möglichkeit ins Auge gefaßt, daß statt
des Übergangs der Geschichte in das Reich Gottes auf Erden eine »barba-
rische Rohigkeit oder auch entnervende oder überfließende Verfeinerung
das moralische Weltende« herbeiführen, und dann der beide Eventuali-
täten berücksichtigende Rat gegeben, den Satz von der ewigen Dauer
des geschriebenen Gotteswortes »nur so zu verstehen daß es Pflicht der
Menschen vernehmlich der Lehrer sey es so zu beherzigen und zu lehren
als ob es ewig zu währen bestimmt sey weil der Gedanke von ihrer möglichen Abänderlichkeit zugleich den von einer fehlerhaften Beschaffenheit
derselben und der Glaubenslehre selber bey sich führen und so ohne Kraft
seyn würde«[24]. So hoch also *Kant* die gegenwärtige und zukünftige Bedeutung der Bibel eingeschätzt hat, so muß er doch in völliger Übereinstimmung mit seiner Grundanschauung von dem Verhältnis zwischen
jeder positiven und der reinen und allein ganz wahren Vernunftreligion
die weitere Vertretung der Bibel an die Forderung der Toleranz knüpfen,

---

sie geringschätzig zu machen oder sie mit den Philanthropen gantz eingehen zu
lassen ist Frevel an der Menschheit . . .«
[21] L Bl. G 18, S. I, AA XXIII, S. 448, 30 f.
[22] L Bl. G 25, S. I f., AA XXIII, S. 442, 14 ff; vgl. auch Religion, S. 153 Anm.
[23] Streit, S. 67 (AA VII, S. 68, 4 ff.); vgl. dazu L Bl. G 1, S. I, AA XXIII, S. 451, 7 ff;
vgl. auch Religion S. 181 f. Anm. und S. 252 f. Anm.
[24] L Bl. G 1, S. III, AA XXIII, S. 452, 35 ff.

nach der man den Glauben an die Schrift »auch keinem Menschen... als zur Seligkeit erforderlich« aufdringen darf[25].

Das bisher Gesagte scheint alles für eine sehr kühle und distanzierte Stellung *Kants* zur Bibel zu sprechen. Aber es fehlt nicht an Äußerungen und Anzeichen dafür, daß *Kant* ein durchaus persönliches Verhältnis zu ihr besaß. Man wird in diesem Zusammenhang nicht allein an seine, in den Vorarbeiten zum »Streit« erhaltene Notiz zu denken haben: »Ich lese die Bibel gern und bewundere den Enthusiasm in ihren neutestamentlichen Lehren«[26], sondern man wird unterstellen dürfen, daß der Mann, der gerade sie seiner Untersuchung zugrunde legte und der sich notierte, daß »das Entstehen der Bibel als eines Volksbuchs die größte Wohltat ist, die dem menschlichen Geschlecht je wiederfahren ist«[27], sehr wohl wußte, was er diesem Buch für seine eigene religiöse Bildung verdankte[28]. Sie hat nach seinem Urteil »zur Erweckung moralischer Triebfedern in Befolgung derselben von Jahrhunderten her bis jetzt so kräftig und beharrlich« gewirkt, daß sie »als bestätigtes Organ der Beförderung und Erhaltung der Religion Erfahrung die einzige heilige Schrift zu heißen und in unabsehliche Zeiten zu bleiben geeignet ist«[29]. Allerdings müssen eben alle diese Äußerungen auf dem Hintergrund seiner speziellen philosophischen Überzeugungen gesehen werden. — *Kants* grundsätzliche Bewertung der Bibel hat schon rund zwanzig Jahre vor seiner Religionsschrift gültigen Ausdruck in dem Entwurf eines Briefes an *J. C. Lavater* gefunden, der vielleicht sein klarstes Bekenntnis übers ein Verhältnis zum Christentum enthält: »... so suche ich in dem Evangelio nicht den Grund meines Glaubens sondern dessen Bevestigung«[30].

Von diesen Voraussetzungen her sind nun seine hermeneutischen Anweisungen für die Auslegung der Bibel allein sachgerecht zu verstehen. Er verfolgt mit ihnen eben das Anliegen zu zeigen, wie der sich in der Bibel ausdrückende Geschichtsglaube mit dem ihm zugrunde liegenden moralischen Glauben vereinigt werden kann und m u s s ; denn den Menschen kann »das Theoretische des Kirchenglaubens... moralisch nicht

---

25 Religion, S. 198 f.; vgl. Streit, S. 64 (AA VII, S. 65, 24 f.): »Daß aber ein Geschichtsglaube Pflicht sei und zur Seligkeit gehöre, ist Aberglaube.« und dazu aus der dazugehörigen Fußnote: »A b e r g l a u b e ist der Hang in das, was als nicht natürlicher Weise zugehend vermeint wird, ein größeres Vertrauen zu setzen, als was sich nach Naturgesetzen erklären läßt.« ebenda S. 64 (AA VII, S. 65, 26 ff.); ferner L Bl. G 23, S. I, AA XXIII, S. 432, 29 ff.

26 L Bl. G 1, S. I., AA XXIII, S. 451, 17 f.

27 L Bl. G 1, S. III, AA XXIII, S. 452, 18 f.

28 Vgl. dazu *E. Cassirer*, Kants Leben und Lehre, S. 415: »Weil er der sittlichen W i r k u n g des Neuen Testaments von Jugend an gewiß geworden war, darum ist für Kant die Frage nach ihrem einzigartigen und unvergleichlichen Gehalt von Anfang an entschieden. Die rationale Analyse sollte hier nur im Einzelnen bestätigen und erhärten, was als Gesamtergebnis für ihn schon im voraus feststand.«

29 L Bl. G 1, S. IV, AA XXIII, S. 453, 11 ff.

30 AA X, S. 179, 25 f.

interessieren«, sofern es nicht »zur Erfüllung aller Menschenpflichten als göttlicher Gebote« dient[31]. Eben deshalb ist die »durchgängige Deutung derselben [uns zu Händen gekommenen Offenbarung] zu einem Sinn, der mit den allgemeinen praktischen Regeln einer reinen Vernunftreligion zusammenstimmt«, unerläßlich. Diese moralische Interpretation soll auch dann vorgenommen werden, — und hieran entzündete sich der Widerspruch der biblischen Theologen —, wenn sie »gezwungen scheint« oder »oft es auch wirklich ist«. Und deshalb muß sie, sofern »es nur möglich ist«, daß der Text sie annimmt, »einer solchen buchstäblichen vorgezogen werden, die entweder schlechterdings nichts für die Moralität in sich enthält oder dieser ihrer Triebfeder gar entgegenwirkt«[32].

In der zweiten Auflage hat *Kant* das Gemeinte in einer Fußnote am Beispiel von Ps. 59, 11 ff. verdeutlicht. *Michaelis* hatte dieses Rachegebet unter Hinweis auf die Inspiration der Bibel zu verteidigen gesucht, indem er aus ihr ableitete, daß hier nichts Unrechtes erbeten werden könne, und damit die Aufforderung verbunden, keine heiligere Moral als die Bibel haben zu wollen[33]. *Kant* stellte dem seine berühmte Frage entgegen, »ob die Moral nach der Bibel oder die Bibel vielmehr nach der Moral ausgelegt werden müsse«[34]? Für den Philosophen, der weiß, daß die Moral »weder der Idee eines anderen Wesens über ihm, um seine Pflicht zu erkennen, noch einer anderen Triebfeder als des Gesetzes selbst, um sie zu beobachten«, bedarf[35], kann es sich hierbei nur um eine rhethorische Frage handeln. Ohne Matth. 5, 21-48, eine »auch inspirierte« Stelle des Neuen Testaments, zu berücksichtigen und zu fragen, wie beide Schriftabschnitte zusammen bestehen können, würde er entweder versuchen, die anstößigen Verse seinen sittlichen Grundsätzen anzupassen und zu unterstellen, »daß

---

[31] Religion, S. 158, vgl. auch S. 161.
[32] Religion, S. 158.
[33] Der inkriminierte Passus lautet bei *J. D. Michaelis,* Moral, hg. und mit der Geschichte der christlichen Sittenlehre begleitet von *C. F. Stäudlin,* 2. Theil, Göttingen 1792, S. 202 f.: »Die Psalmen sind inspirirt, wird in diesen um Strafe gebeten, so kann es nicht unrecht seyn, und wir sollen keine heiligere Moral haben, als die Bibel. Sonderlich ist die Stelle Ps. LIX, 12—14 sehr stark, und es kommt noch bey ihm folgende Betrachtung hinzu. Nicht wahr, David selbst konnte und sollte, da er zur Regierung kam, diese Pesten des Hofes Saul nicht in das Land aufnehmen, sondern so gegen sie handeln, als er hier bittet? Was er nun selbst thun kann, darf er auch nicht darum bitten? Sonderbahr kommt es mir vor, diese Psalmen um einer dunklen Stelle der Bergpredigt willen tadeln; bald sagen, die Moral des A. T. war unvollkommen, bald ihnen ich weiß nicht was für Erklärungen aufheften. Die dies thun, denken gemeiniglich selbst so, wie die Psalmen, an deren Moral sie so viel zu meistern haben.«
[34] Religion, S. 158; vgl. auch Streit, S. 64 f. (AA VII, S. 65, 28 ff.): »Man kann also die Frage aufwerfen: ob der Bibelglaube (als empirischer) oder ob umgekehrt die Moral (als reiner Vernunft- und Religionsglaube) dem Lehrer zum Leitfaden dienen solle; mit anderen Worten: ist die Lehre von Gott, weil sie in der Bibel steht, oder steht sie in der Bibel, weil sie von Gott ist?«
[35] Religion, S. III.

hier nicht etwa leibliche sondern unter dem Symbol derselben die uns ver-
derblicheren unsichtbaren Feinde, nämlich böse Neigungen, verstanden
werden, die wir wünschen müssen völlig unter den Fuß zu bringen«, oder,
»will dieses nicht angehen«, lieber einzugestehen, »daß diese Stelle gar
nicht im moralischen Sinn, sondern nach dem Verhältnis, in welchem sich
die Juden zu Gott als ihrem politischen Regenten betrachteten, zu verstehen sei«[36]. *Kant* beabsichtigte mit der Empfehlung dieses hermeneutischen Prinzips keinesfalls eine Aufforderung zur Unredlichkeit, denn die
Behauptung, daß die Texte ursprünglich so gemeint gewesen seien, lag
nicht in seiner Absicht. Entscheidend war für ihn »nur die M ö g l i c h -
k e i t , die Verfasser derselben so zu verstehen«[37].

Es hat mindestens den Anschein, daß er hier an die herkömmliche, in seiner, und nicht nur in seiner Zeit vom Pietismus geübte erbau-
liche Auslegung anknüpft[38], die er auf philosophische Grundsätze zurück-
und damit allerdings über sich hinausführt. Daneben sieht er jedoch eine
nur historische Würdigung des Textes ausdrücklich als Alternative vor.
Aber die historische Exegese ist nach seiner Meinung für die Kirchenlehre
lediglich ein Hilfsmittel[39], sonst jedoch bedeutungslos. »Denn das Lesen
dieser heiligen Schriften oder die Erkundigung nach ihrem Inhalt hat zur
Endabsicht, bessere Menschen zu machen; das Historische aber, was dazu
nichts beiträgt, ist etwas an sich ganz Gleichgültiges, mit dem man es
halten kann, wie man will«[40].

Kant wurde durch einen Brief *Chr. F. Ammons* vom 8. März 1794
darauf aufmerksam gemacht, daß *Eichhorn, Gabler* und *Rosenmüller*
»mit großem Eifer« gegen seine moralische Schriftauslegung aufgetreten
seien: »Sie behaupten, daß dieser moral. Sinn kein anderer sei, als der
längst verlachte allegorische der Kirchenväter, besonders des Origenes;
daß bei dieser Art der Exegese alle dogmatische Sicherheit verloren gehe
(woran sie wohl nicht ganz Unrecht haben mogten); und daß eine neue
Barbarei den Beschluß dieser Interpretation machen werde«[41]. *J.Ph.Gabler*
hatte bereits 1792 in seiner Neuausgabe der *Eichhorn*schen »Urgeschichte«

---

[36] Religion, S. 158.
[37] Religion, S. 161. — Zur Frage der Redlichkeit vgl. Streit, S. 66 (AA VII, S. 67,
    2 ff.). Zum Interpretationsproblem die Kritik der r. Vernunft, A S. 314, B S. 370
    (Ph B 37 a hg. R. Schmidt², S. 349, 35 ff.): »Ich merke nur an, daß es gar nichts
    Ungewöhnliches sei, sowohl im gemeinen Gespräche, als in den Schriften, durch die
    Vergleichung der Gedanken, welche ein Verfasser über seinen Gegenstand äußert,
    ihn sogar besser zu verstehen, als er sich selbst verstand, in dem er seinen Begriff
    nicht genugsam bestimmte, und dadurch bisweilen seiner eigenen Absicht entgegen
    redete, oder auch dachte.«
[38] Zur pietistischen Beeinflussung *Kants* vgl. *H. Noack* in PhB 45⁶, S. XI f.; aber auch
    J. Bohatec, Die Religionsphilosophie Kants in der »Religion innerhalb der Grenzen
    der bloßen Vernunft«, Hamburg 1938, S. 21 ff.
[39] Religion, S. 163.
[40] Religion, S. 161.
[41] Briefe II, AA XI, Berlin u. Leipzig 1922, S. 493, 19 ff.

das von *Kant* in seinem »Mutmaßlichen Anfang der Menschengeschichte« angewandte Auslegungsverfahren als allegorisch charakterisiert[42], allerdings nicht ohne gleichzeitig die positive Bedeutung dieser Schrift für die »philosophische Entwicklung der successiven Fortschritte der menschlichen Vernunft« hervorzuheben[43]. *J. G. Eichhorn* erwiderte noch im Jahr 1793 in seinen »Briefen die biblische Exegese betreffend« und dann im folgenden Jahr in dem Aufsatz »Ueber die Kantische Hermeneutik« auf die in der Religionsschrift gemachten hermeneutischen Anweisungen. Er betonte die im Fall ihrer allgemeinen Annahme für die Bibelwissenschaft gegebene Gefahr einer neuen Barbarei und stempelte die empfohlene Methode als ein Wiederaufleben der überholten Allegorese ab. Von der Überzeugung geleitet, daß der Siegeslauf der jungen grammatisch-historischen Exegese nicht mehr aufzuhalten sei, beharrte er auf dem Wortsinn, von dem abzuweichen auch dem Homileten nur bei deutlichem Hinweis auf den Unterschied zwischen den Gedanken des Textes und den daran geknüpften eigenen Gedanken erlaubt sei. Er war in der Konsequenz bereit, das ganze Alte Testament lediglich als ein für die Geschichte der Religion und Moral wie für die Erläuterung der neutestamentlichen Begriffe belangvolles Buch in Gebrauch zu behalten, während er im Blick auf das Neue überzeugt war, daß sich hier alle Probleme unter Anwendung der klassischen altprotestantischen hermeneutischen Grundsätze lösen ließen, freilich unter entscheidender Mitbeteiligung der »in die Zeitbegriffe« hineintretenden historisch-grammatischen Exegese. Vernunftprinzipien helfen die Auslegung vollenden, dürfen aber sonst nicht in das exegetische Geschäft hineinreden. Trotz dieser Kritik macht aber auch *Eichhorn* gleichzeitig eine Verbeugung vor Kant als Moralphilosophen[44]. In ganz ähnlicher Weise scheint auch *J. G. Rosenmüller* den Unterschied zwischen der Schriftauslegung und der Schriftbeurteilung betont und gleichzeitig die Bedeutung der Geschichte als Versinnlichung der moralischen Wahrheiten hervorgehoben zu haben[45].

Kant hat sich bei seinen Vorschriften für die Vorrede zum »Streit

---

[42] Vgl. Johann Gottfried Eichhorns Urgeschichte hg. mit Einleitung und Anmerkungen von *D. Johann Philipp Gabler*, Zweyten Theiles erster Band. Einleitung zum zweyten Theil der Urgeschichte, Altdorf und Nürnberg 1792, S. 423 f. — Zu *Gabler* vgl. auch *R. Smend*, EvTh 22, 1962, S. 345 ff.

[43] Urgeschichte, S. 445.

[44] Vgl. dazu O. Kaiser, Eichhorn und Kant, in: Das ferne und nahe Wort, Festschrift L. Rost, BZAW 105, Berlin 1967, S. 144 ff.

[45] *Johann Gottfried Rosenmüllers* »Einige Bemerkungen das Studium der Theologie betreffend. Nebst einer Abhandlung über einige Außerungen des Herrn Prof. Kants, die Auslegung der Bibel betreffend, Erlangen 1794, war mir leider nicht zugänglich, so daß ich nach *Eichhorn*, AB VI, 1, 1794, S. 52 ff. referiere. Vgl. auch *(Chr. W. Flügge)*, Versuch einer historisch-kritischen Darstellung des bisherigen Einflusses der kantischen Philosophie auf alle Zweige der wissenschaftlichen und praktischen Theologie, Hannover 1796, S. 129—131.

der Fakultäten« Notizen über die gegen ihn von den verschiedensten Seiten erhobenen Vorwürfe gemacht. Dabei fragt er offensichtlich an die Adresse der grammatisch-historischen Exegeten gerichtet zurück: »Aber wie soll der Bibelleser oder das Volk jene gelehrte Hermenevtik fassen und zwar so mit Überzeugung daß er nicht in jenen Mysticism oder Buchstabenglauben zurückfalle. — Die Bibel hat doch immer die Vernunft die jedem faßlich ist zu Grunde gelegt«[46]. *Kant* weiß sehr wohl, daß der Theologe nicht auf die wissenschaftliche, grammatisch-historische Auslegung verzichten kann, — er wird diesen Gesichtspunkt im »Streit der Fakultäten« noch deutlicher als in der Religionsschrift hervorheben —, aber er zweifelt daran, daß der Nichtfachmann und zumal der gemeine Mann aus dem Volk dieser historischen Exegese und der auf ihr aufbauenden Kirchenlehre in ihrem inneren Zusammenhang so sicher folgen kann, daß sich ihm diese ja in der Tat nicht gerade einfachen hermeneutischen Prinzipien so klar erschließen, daß er unter ihrer Leitung zu einem eigenen Lesen der Schrift gelangen kann. Er fürchtet als Folge einer Überforderung des Bibellesers einen Rückfall in den »Mystizismus«, ein sich Verlaufen der Phantasie in das Überschwengliche[47]. Man wird *Kant* nicht bestreiten können, daß er sich damit durchaus als nüchterner Prognostiker erwiesen hat.

Waren seine Grundsätze in der Religionsschrift vollständig entwickelt, so ist von einer Durchsicht des zwar schon 1794 begonnenen, aber erst 1798 veröffentlichten »Streites der Fakultäten« im Blick auf unsere Fragestellung lediglich eine Präzisierung seiner Position zu erwarten[48]. Dem Grundsatz, daß alle reine, vernünftige und moralische Religion die Voraussetzung des historischen Glaubens ist, begegnen wir etwa in der These wieder, daß die Aufforderung der Theologen, in der Schrift zu forschen, um in ihr das ewige Leben zu finden[49], vom Menschen nicht anders verifiziert werden kann als so, daß er die zur moralischen Besserung, die ja ihrerseits für *Kant* die Bedingung des ewigen Lebens ist, erforderliche Begriffe und Grundsätze hineinlegt. Denn sie werden »eigentlich nicht von irgendeinem andren gelernt, sondern nur bei Ver-

---

[46] L Bl. E 73, S. II, AA XXIII, S. 424, 13 ff. Vgl. dazu, was *W. T. Krug,* Briefe über die Perfektibilität der geoffenbahrten Religion, Jena 1795, S. 263 nach *Flügge,* a.a.O., S. 135 eingewendet hat und den nach einem Ungenannten in »Hopkins Magazin für Religionsphilosophie« II, 3, S. 626 ebenda referierten Einwand, aus dem *Flügge* die Frage abgeleitet, »ob nicht eben diese (moralische) Methode, wenn sie auch allgemein würde, das weitere Fortschreiten des Volks in der religiösen Kultur hindern würde.« u. S. 136: »... solange die Wahrheit noch in Mythen und Geschichten vorgetragen wird, wird der große Haufe sich immer daran halten, und sich wenig um die moralische Anwendung, die er nicht fassen kann oder falsch deutet, kümmern. Sein Glaube ist und bleibt historisch.«

[47] Vgl. Streit, S. 42 (AA VII, S. 46, 4 ff.).

[48] Zur Entstehungsgeschichte vgl. *K. Reich,* PhB 252, S. IX ff.

[49] Streit, S. 32 (AA VII, S. 37, 10 ff.); vgl. Ev. Joh. 5, 39.

anlassung eines Vortrags aus der eigenen Vernunft des Lehrers [und natürlich sachentsprechend auch aus der des Hörers] entwickelt werden müssen«[50]. Daß er damit durchaus sachgemäß das Verhältnis zwischen Vernunft und Offenbarung, Glaube und Predigt umschreibt, wird man kaum bestreiten können. Die hierin enthaltene philosophische Schriftlehre findet ihre klare Entfaltung in dem gleichzeitig sorgfältig die Grenzen zur Bibeltheologie wahrenden Satz: Das »Christentum ist die Idee von der Religion, die überhaupt auf Vernunft gegründet und sofern natürlich sein muß. Es enthält aber ein Mittel der Einführung desselben unter Menschen, die Bibel, deren Ursprung für übernatürlich gehalten wird, die (ihr Ursprung mag sein, welcher er wolle), sofern sie den moralischen Vorschriften der Vernunft in Ansehung ihrer öffentlichen Ausbreitung und inniglichen Belebung beförderlich ist, als Vehikel zur Religion gezählt werden kann und als solches auch für übernatürliche Offenbarung angenommen werden mag«[51]. Die philosophische Auslegungsregel erhält jetzt ebenfalls eine lehrsatzmäßige Prägnanz, in der von dem eigentlichen Streitpunkt nichts zurückgenommen wird: »Schriftstellen, welche gewisse t h e o r e t i s c h e , für heilig angekündigte, aber allen (selbst den moralischen) Vernunftbegriff ü b e r s t e i g e n d e Lehren enthalten, d ü r - f e n , diejenigen aber, welche der praktischen Vernunft widersprechende Sätze enthalten, m ü s s e n zum Vorteil der letzteren ausgelegt werden«[52]. Der zweite dieser Sätze ist insofern hypothetisch, als er die geltende kirchliche Praxis in Rechnung stellt. Denn die Möglichkeit, den biblischen Schriftsteller »eines Irrtums zu beschuldigen«, hat *Kant* natürlich gesehen, die Entscheidung darüber aber offensichtlich der zuständigen theologischen Fakultät überlassen wollen, sofern ihn nicht Bedenklichkeiten im Blick auf eine daraus resultierende Schwächung des Ansehens der Bibel erfüllten[53]. Ihm geht es primär darum zu zeigen, welche Ansprüche die Philosophie an den Schriftausleger stellen kann und muß, wenn seine die Religion fördern wollenden und die Bibel zugrunde legenden Vorträge in Übereinstimmung mit der Vernunft stehen sollen. Daß die Theologie sich dieser Forderung nicht verschließen kann, ist für ihn selbstverständlich, findet aber in einem Brief an *C. F. Stäudlin* vom 4. Mai 1793 seinen eindeutigen Ausdruck: »Der biblische Theolog kann doch der Vernunft nichts Anderes entgegensetzen, als wiederum Vernunft, oder Gewalt, und will er sich den Vorwurf der letzteren nicht zu Schulden kommen lassen, . . . so muß er jene Vernunftgründe, wenn er sie sich für nachtheilig hält, durch andere Vernunftgründe unkräftig machen . . .«[54]. Seine Voraussetzung,

---

[50] Streit, S. 32 (AA VII, S. 37, 14 ff.).
[51] Streit, S. 40 (AA VII, S. 44, 24 ff.); vgl. oben S. 129 und Anm. 21 und 22.
[52] Streit, S. 33 (AA VII, S. 38, 28 ff.).
[53] Streit, S. 36 (AA VII, S. 41, 12) und die oben Anm. 20 genannten Stellen.
[54] AA XI, S. 429, 23 ff. — Vgl. dazu Streit, S. 41 (AA VII, S. 45, 23 ff): » . . . wenn
   der biblische Theologe aufhören wird sich der Vernunft zu seinem Beruf zu bedienen,

daß die Annahme des Geschichtsglaubens »doch mehr von der Wirkung, welche die Lesung der Bibel auf das Herz der Menschen tun mag, als von mit kritischer Prüfung der darin enthaltenen Lehren und Erzählungen aufgestellten Beweise erwartet werden darf«, dürfte nur schwer zu widerlegen sein.

Kant sieht in der von ihm empfohlenen Auslegungsregel durchaus eine Parallele zum christlichen Gebrauch des Alten Testaments als Weissagung, wobei er ganz offensichtlich den Unterschied zwischen der Wortbedeutung der Texte und ihrer sekundären Verwendung kennt[55]. Zur Vermeidung von Mißverständnissen erklärt er jetzt ausdrücklich, daß der Ausleger, der die Bibel »in Anschauung dessen, was in der Religion statuarisch ist«, a u t h e n t i s c h erklären will, »philologisch (angemessen)« verfahren muß[56]; aber er bleibt bei seiner verständlichen Bestreitung, daß damit bereits dem »eigentlichen Zweck der Religionslehre« gedient sei. Die philologische Auslegung kann diesen Zweck nicht nur verfehlen, sondern unter Umständen sogar verhindern[57]. Damit stellt *Kant* die grammatisch-historische Bibelwissenschaft auf eigene Füße[58]. Aber eben deshalb muß er auf dem Postulat bestehen, daß nicht die im historischen Sinne authentische, sondern die doktrinale und nichtsdestoweniger gleichzeitig im eigentlichen Sinne authentische (»d. i. so will Gott seinen in der Bibel geoffenbarten Willen verstanden wissen«)[58a] Auslegung, »welche nicht (empirisch) zu wissen verlangt, was der heilige Verfasser mit seinen Worten für einen Sinn verbunden haben mag, sondern was die Vernunft (a priori) in moralischer Rücksicht bei Veranlassung einer Spruchstelle als Text der Bibel für eine Lehre unterlegen kann, die einzige evangelisch biblische Methode der Belehrung des Volks in der wahren, inneren und allgemeinen Religion [ist], die von dem partikulären Kirchenglauben als Geschichtsglauben — unterschieden ist«[59]. Ist die moralische Vernunftreligion die allein wahre, so findet eben gerade bei Befolgung der ihr entsprechenden Hermeneutik keine Täuschung des Volkes statt, während dieses, bei bloßem Geschichtsglauben gehalten, »seine Lehrer anklagen kann«[60].

Man kann fragen, ob *Kant* den gegenwärtigen, zu dieser radikalen Gegenüberstellung von authentischer und moralischer Interpretation nötigenden Zustand nicht als ein Interim angesehen hat, ob er nicht der letzte gewesen wäre, der einen Religionsvortrag nicht freudig begrüßt

---

so wird der philosophische auch aufhören zur Bestätigung seiner Sätze die Bibel zu gebrauchen.«

[55] Streit, S. 41 f. (AA VII, S. 45, 29 ff.).
[56] Streit, S. 65 (AA VII, S. 66, 1 ff.).
[57] Streit, S. 66 (AA VII, S. 66, 14 f.).
[58] Vgl. *K. Reich,* a. a. O., S. XV.
[58a] Streit, S. 66 (AA VII, S. 67, 19 f.).
[59] Streit, S. 66 (AA VII, S. 67, 3 ff.).
[60] Streit, S. 66 (AA VII, S. 67, 9 ff.).

hätte, in dem das Verhältnis zwischen dem Text und seiner heutigen Bedeutung in aller Freiheit zur Sprache gebracht wird. So wie er sich nach
einer Zeit sehnte, in der die Fakultäten »aus allen Einschränkungen der
Freiheit des öffentlichen Urteils durch die Willkür der Regierung« entlassen werden könnten[61], hätte er wohl auch dieser Zeit seinen Beifall
nicht vorenthalten. Aber er sah zu seiner eigenen Zeit angesichts des Zustandes der Regierung, der Kirchen und des allgemeinen Bildungsstandes
des Volkes eine solche Möglichkeit nicht für gegeben an[62]. Man sagt allerdings kaum zuviel, wenn man behauptet, daß der lebenserfahrene Philo-
soph dem Kommen dieser Zeit mit ebenso großer Erwartung wie Skepsis
entgegenblickte[63].

In der protestantischen Schriftlehre seiner Zeit sah er, wie eine im
»Streit der Fakultäten« verständlicherweise nicht berücksichtigte Auf-
zeichnung zeigt, eine in sich widersprüchliche Angelegenheit. Während die
katholische Kirche nach seiner Meinung konsequent die Unterwerfung
unter ihre Lehrautorität fordert, provoziere der Protestantismus die Freiheit, um sich gleichzeitig hinter der äußeren Autorität der Schrift zu ver-
schanzen: »Die Protestanten sagen forschet in der Schrift selbst aber ihr
müßt nichts anderes darin finden als wir darin finden. Liebe Leute sagt
mir also was ihr darin fandet so darf ich die Bibel nicht lesen«. In dieser
»Inconseqvenz in der Denkungsart« sah er die unvermeidliche Quelle der
Aufsplitterung des Protestantismus in Sekten[64].

Sicherlich hat *Kant* wie jeder andere versucht, mit seinen Vorschlä-
gen und Einwürfen den von ihm so und nicht anders gesehenen Problemen des Verhältnisses zwischen Vernunft und Offenbarung, Philosophie
und Schrifttheologie eine den Umständen seiner Zeit gerecht werdende
Lösung zu geben. Er wußte, daß der Streit zwischen den Fakultäten weitergehen würde und weitergehen müsse[65]. Es mag sein, daß er, dem man
wohl zu Unrecht den Vorwurf der Ungeschichtlichkeit gemacht hat[66], die
allgemeine Kraft der Impulse des neuen historischen Denkens unter-
schätzt hat[67]. Eine *bloße* Inbesitznahme »der Texte von den Bedürfnissen
einer neuen Zeit her« wird man in seiner Hermeneutik nicht sehen können[68]. Dafür hat er das Religionsproblem und die mit dem Zerbrechen des
Inspirationsglaubens der Verkündigung gestellte Aufgabe zu tief gesehen.

---

[61] Streit, S. 29 (AA VII, S. 35, 19 ff.).
[62] L Bl. E 73, S. II, AA XXIII, S. 424, 14 ff.
[63] Vgl. Streit, S. 27 (AA VII, S. 33, 26 ff.).
[64] L Bl. E 10, S. I, AA XXIII, S. 446, 30 ff.
[65] Streit, S. 27 (AA VII, S. 33, 25 ff.).
[66] Vgl. dazu *Troeltsch*, a. a. O., S. 153 f.: »Kants Lehre ist weit entfernt von dem ihr
        gewöhnlich zugeschriebenen geschichtslosen Sinne, sie zieht vielmehr geradezu die
        Konsequenz der beginnenden Historisierung des menschlichen Denkens und der
        Einverleibung der heiligen Geschichte in die allgemeine Religionsgeschichte.«
[67] Vgl. dazu schon *Chr. F. Ammon*, Biblische Theologie I², Erlangen 1801, S. XIII.
[68] Vgl. *Klostermann*, a. a. O., S. 25.

Jedenfalls wird man dem Mann, der sich um die Mitte der 90er Jahre notierte: »Ob Vernunft und Geschichte eine Religion begründen können. Nein! aber wohl eine Kirche, worin Religion und Cultur einander unterstützen«[69], und der wenige Jahre vor seinem Tode aufzeichnete: »Es ist unmöglich, daß ein Mensch ohne Religion seines Lebens froh werde«[70], zugestehen müssen, daß er tiefer als viele seiner zeitgenössischen und späteren Kritiker von der Sorge um den Fortbestand der Kirche bewegt worden ist, ein Umstand der uns nötigen könnte, ihm, wenn schon nicht unsere Bewunderung, so doch unsere Achtung nicht zu versagen.

---

[69] L Bl. E 24, S. II, AA XIX, Berlin und Leipzig 1934, Nr. 8098, S. 642, 11 f.
[70] L Bl. L 20 (1799), AA XIX, Nr. 8106, S. 649, 19 f.

Eichhorn und Kant

Ein Beitrag zur Geschichte der Hermeneutik

Das Erscheinen der KANTischen »Religion innerhalb der Grenzen der bloßen Vernunft« im Jahre 1793 brachte die junge Bibelwissenschaft in lebhafte Bewegung und nötigte ihre Vertreter, das alte Problem des Verhältnisses zwischen Vernunft und Offenbarung, Schriftauslegung und Philosophie neu zu durchdenken[1]. Zu den Männern, die damals in die Kontroverse eingriffen, gehörte auch der große Göttinger Bibelwissenschaftler und Orientalist JOHANN GOTTFRIED EICHHORN. Im Jahre 1793 richtete er den ersten seiner »Briefe die biblische Exegese betreffend« unmittelbar gegen das von KANT empfohlene hermeneutische Prinzip einer durchgehenden Deutung der Schrift »zu einem Sinn, der mit den allgemeinen praktischen Regeln einer reinen Vernunftreligion zusammenstimmt«[2], während er mit den folgenden, der Geschichte der Allegorese nachgehenden, mittelbar dagegen polemisierte[3]. Im folgenden Jahr beschloß er seine Besprechung des J. G. ROSENMÜLLERschen Buches »Einige Bemerkungen das Studium der Theologie betreffend. Nebst einer Abhandlung über einige Aeußerungen des Herrn Prof. Kants, die Auslegung der Bibel betreffend«[4] mit einem Aufsatz »Ueber die Kantische Hermeneutik«[5].

In dem letztgenannten Beitrag erhebt er gegenüber KANT gewissermaßen einen Prioritätsanspruch, indem er darauf verweist, daß er bereits ein Jahr vor dem Erscheinen der Religionsschrift ein allgemeines Auslegungsprinzip für das Neue Testament aufgestellt habe, das den Einfluß der »Vernunft-Principien auf die Bestimmung des

---

[1] Vgl. den Gesamtüberblick bei CHR. W. FLÜGGE (anonym), Versuch einer historisch-kritischen Darstellung des bisherigen Einflusses der Kantischen Philosophie auf alle Zweige der wissenschaftlichen und praktischen Theologie, I und II, 1796 und 1798; G. W. MEYER, Geschichte der Exegese, V 1809, S. 517ff.

[2] KANT, Religion[2], S. 158 ([1]150).

[3] Allgemeine Bibliothek der biblischen Literatur (AB), V, 2 1793, S. 203—222 bzw. 222—281.

[4] 1794;—AB VI, 1 1794, S. 51—55.

[5] AB VI, 1, S. 55—67.

Bibel-Sinns« berücksichtigt[6]. So ist die Kenntnis dieser vorausgegangenen »Vorschläge zur Hermeneutik«, genauer zu einer »Special Hermeneutik« des Neuen Testaments[7], zum vollen Verständnis seiner späteren, gegen KANT gerichteten Polemik erforderlich.

Zum Anlaß seiner »Vorschläge zur Hermeneutik« diente EICHHORN eine Besprechung des Werkes des niederländischen reformierten Predigers J. HERINGA, »Ueber die Lehrart Jesu und seiner Apostel mit Hinsicht auf die Religionsbegriffe ihrer Zeitgenossen«, das gerade in Offenbach in deutscher Übersetzung erschienen war und sich gegen die Annahme einer Anpassung Jesu und seiner Apostel an die »Volks-Irrthümer« ihrer Umwelt, gegen die sogenannte »Accomodations-theorie«, richtete[8]. Mit der Feststellung, daß der Kampf um die neutestamentliche Hermeneutik in den zurückliegenden dreißig Jahren zu keinem klaren Ergebnis geführt habe, weil eine klare Reduktion des Streites auf allgemeine Grundsätze gefehlt hätte, leitet er zu seinem eigenen Programm über[9]. Dabei sieht er es als die entscheidende Frage an, »in wie ferne der Philosophie die Entscheidung über die Richtigkeit des durch die allgemeinen Auslegungsregeln eruirten BibelSinns einzuräumen ist?«[10]. Mit anderen Worten: Er sieht das Kernproblem in einer genauen Bestimmung der Bedeutung der Philosophie für die biblische Hermeneutik.

Bei der Erörterung dieser Frage macht er vier Voraussetzungen, die zeigen, wie sehr sich EICHHORN als Sachwalter der biblischen Theologie verstand und wie es ihm letztlich darum ging, eine nach seiner Meinung unsachgemäße Einmischung der Philosophie in die Schriftauslegung abzuwehren, und dies, obwohl er grundsätzlich von der Notwendigkeit ihrer Mitsprache überzeugt war. Es steht ihm 1. fest, »daß man die Bibel nur nach solchen Grundsätzen auslegen darf, die auch in der Anwendung auf andre Schriften des Alterthums für richtig befunden werden . . .«[11]. Die grammatisch-historische[12] Methode ist für ihn die wie für alle klassischen so auch für alle biblischen Schriftsteller selbstverständliche Grundlage der Exegese. Aber er weiß gleichzeitig 2., daß für die Auslegung des Neuen Testaments darüber hinaus eine besondere, eine »Special Hermeneutik« erforderlich ist, die »viel Eigenthümliches haben muß«, welches aus den Begriffen, die der Christ

---

6 AB VI, 1, S. 55f.

7 AB IV, 2 1792, S. 330—343; vgl. S. 330 und 337.

8 Vgl. dazu unten Anm. 23.

9 AB IV, 2, S. 330.

10 Ebd.

11 Zu EICHHORNS Abhängigkeit von HEYNE und MICHAELIS vgl. demnächst E. SEHMS-DORF, Die Prophetenauslegung bei J. G. Eichhorn, Diss. theol. Marburg.

12 AB V, 2, S. 204.

von seinem Inhalt annimmt, von selbst abfließt«[13]. Anders ausgedrückt: Er versteht das Neue Testament gleichzeitig als Buch des christlichen Glaubens und ist sich bewußt, daß dieser Glaube als ein hermeneutisches Prinzip vom Ausleger mitberücksichtigt werden muß. Damit ist für ihn 3. die Annahme impliziert, daß im Neuen Testament »die Lehren eines untrüglichen Lehrers treu, ächt und unverstellt dargestellt und der Nachwelt überliefert werden«; bzw. etwas vorsichtiger und genauer, »daß man wenigstens in solchen Stellen, die *Lehren* enthalten, keine Spur von Irrthum, Aberglauben, Schwärmerey finden dürfe«[14]. Daß sich dahinter die altprotestantische Anschauung von der *perfectio seu sufficientia scripturae* verbirgt[15], liegt auf der Hand. Ebenso deutlich handelt es sich bei der 4. Voraussetzung, »daß der ganze Inhalt [des Neuen Testaments] so beschaffen seyn müsse, daß er einer richtigen und bescheidenen Vernunft acceptabel sey«[16], um die Aufnahme der Lehre von der *perspicuitas scripturae*[17].

Ist die Bibel die Quelle der ewig gültigen, allgemeinverbindlichen und daher notwendig auch allgemeinverständlichen Lehre Jesu, so darf es keinen unüberbrückbaren Widerspruch zwischen dieser Lehre und »einer geläuterten und bescheidenen Philosophie« geben[18]. Das eigentliche hermeneutische Problem stellt sich ihm nun dadurch, daß die Vorstellungswelt der Bibel und der eigenen, von der Vernunft bestimmten Zeit teilweise so weit auseinanderklafft, daß der Konflikt unvermeidlich erscheint. Dabei ist er sich der Tatsache bewußt, daß gerade die grammatisch-historische Exegese kraft ihres Eingehens auf den Wortsinn und die selbstverständlichen Denkvoraussetzungen der biblischen Schriftsteller den Abstand zwischen dem Neuen Testament und der Gegenwart zunächst vergrößert[19]. Von der getroffenen theologischen Vorentscheidung her ist es nur folgerichtig, daß im Konfliktsfall zwischen dem »Bibel-Sinn« und der die menschliche Vernunft vertretenden Philosophie »billig« die letztere einer »strengsten Prüfung« unterzogen werden muß. Was aber, wenn sie dieses, vor der »richtenden Vernunft« abzulegende Examen besteht? — Da die Schrift, wie eben dargelegt, in ihren wesentlichen Aussagen nicht irren kann, muß man nach einem »Vereinigungsmittel« ausschauen. Es ist bezeichnend für EICHHORN, daß er dieses Mittel nicht bei der Dogmatik, sondern bei der Exegese sucht: Sie, welche die Schwierig-

---

[13] AB IV, 2, S. 331.
[14] Ebd.
[15] Vgl. dazu C. H. RATSCHOW, Lutherische Dogmatik zwischen Reformation und Aufklärung, I 1964, S. 117ff.
[16] AB IV, 2, S. 331f.
[17] Vgl. RATSCHOW a. a. O. S. 123ff.
[18] AB IV, 2, S. 332.
[19] AB IV, 2, S. 332f.

keiten zu einem Teil erst hervorgerufen hat, ist auch primär zu ihrer
Überwindung berufen. Seine diesbezüglichen Vorschläge enthalten *in
nuce* ein Programm für eine neutestamentliche Zeitgeschichte und eine
auf literargeschichtlicher Basis aufbauende neutestamentliche Theologie. Denn zuerst soll der Ausleger angesichts auftauchender Bedenken
den eigentümlichen Denkvoraussetzungen der Zeit seines Schrift-
stellers nachfragen. Dabei muß er sich gleichsam in seinen »Zeitgenossen in Sprache, Denkart, Sitten und Kenntnissen« verwandeln[20].
Das Ergebnis dieser Bemühungen wäre »ein Bild von der Geistes
Cultur der Juden, ihrer Denk- und Vorstellungsart, ihren Vorurtheilen,
ihren abergläubischen und schwärmerischen Ideen, nebst ihrem Einfluß auf die Sprache und Modificirung des Ausdrucks zu Christus und
der Apostel Zeiten«[21]. Dann müsse »eine vollständige Aufzählung der
Stellen und Aeußerungen des N. T. folgen«, »welche der Vernunft, ihren
Lehren und Grundsätzen anstößig sind, mit steter Hinsicht auf Sprache
und Vorstellungsart der Juden von den Gegenständen, welche der
Inhalt dieser Stellen sind«[22]. Der nächste Schritt würde in der Feststellung liegen, »worinn denn Jüdische Volks-Meynungen und die
Condescendenz Jesu und seiner Apostel zu denselben besteht«[23]. Bei
diesen Vorarbeiten behebt sich ein Teil der Schwierigkeiten schon dadurch, daß der Forscher die Unterschiede zwischen der Sprache des
ungebildeten und des gebildeten Teils der Nation beobachtet[24]; werden
die Ereignisse dort auf Wunder, Einwirkungen übernatürlicher Mächte
und Kräfte zurückgeführt, hier aber ganz natürlich erklärt, so ist ihm
die Pflicht auferlegt, die älteren, volkstümlichen Begriffe auch seinerseits in »gebildete und bestimmte« umzusetzen[25]. Charakteristisch
genug fügt er hinzu: »Und hätten wir keinen Johannes [als vermeintlichen Vertreter einer gebildeten Sprache], so würde blos die Vernunft
mit ihren Grundsätzen und Lehren, uns auf diese Bahn bringen: und

---

[20] AB IV, 2, S. 332.

[21] AB IV, 2, S. 337.

[22] AB IV, 2, S. 338f.

[23] AB IV, 2, S. 341. — Vgl. dazu paradigmatisch den Aufsatz »Ueber die Engels-Er-
scheinungen in der Apostelgeschichte«, AB III, 3 1791, S. 381—408. — Eichhorn
rechnet grundsätzlich weniger mit einer »Accomodation« der ntl. Lehrer und Schriftsteller an ihre Zeit als damit, daß sie in der Tat die Anschauungen derselben teilten:
»Sie mischten Teufel und Engel oft in die Rede ein, ohne dass es ihnen beykam, an
eine Accomodation zu denken, weil so eine Einkleidung der Idee vollkommen con-
ventionell war«. IV, 2, S. 341. Zu dem Problem der Unterscheidung zwischen Einkleidung und Idee bei Eichhorn vgl. Sehmsdorf a. a. O.

[24] Eichhorn erkennt grundsätzlich den heute als »Kleinliteratur« bezeichneten und sie
von den klassischen Autoren unterscheidenden Charakter der ntl. Schriften.

[25] AB IV, 2, S. 333—336; vgl. dazu schon AB III, 3, S. 383: »Der Ausleger sollte doch
natürlich erklären, was sich natürlich erklären läßt.«

wäre sie nun nicht ein richtiger Wegweiser?« So soll der Ausleger z. B.
»ohne Bedenken die Wirksamkeit der Engel auf einzelne Menschen,
und bey besonderen Ereignissen weg erklären, wenn eine geläuterte
und bescheidene Philosophie es fordert«[26]. Erst wenn die exegetischen
Befunde auf diese Weise geordnet und überdies die von der Philosophie
zu beantwortenden Fragen sachlich und methodisch genau präzisiert
sind, ist der Augenblick ihrer Beteiligung gekommen. Der Vernunft
sollen auf diese Weise die Regeln vorgeschrieben werden, die man
ihr »in ihren Entscheidungen bey der Interpretation vorschreiben
muß, damit sie sich bescheiden in ihren Schranken halte, und nicht
gesetzlos ausschweife und schwärme«[27].

Der hermeneutische Prozeß wird also ganz eindeutig so bestimmt,
daß die grammatisch-historischen Arbeiten des Exegeten den philosophischen nicht allein zeitlich, sondern auch sachlich vorausgehen.
Aus ihren Ergebnissen werden die Regeln abgeleitet, die Mitwirkung
und Grenze der Philosophie für das Geschäft der Auslegung feststellen. Man darf es daher als EICHHORNS erklärtes Anliegen bezeichnen,
den Einfluß der Philosophie auf die Exegese so weit wie nur irgend
möglich einzuschränken. Gewiß ist die Philosophie bzw. die »richtende
Vernunft« die letzte, über den Schriftsinn entscheidende Instanz; aber
der Exeget muß dafür sorgen, daß sie »eine geläuterte und bescheidene
Philosophie« bleibt[28].

Es ist verständlich, daß EICHHORN nach dem allem die Religionsschrift KANTS als einen bedrohlichen Angriff auf die von ihm verteil-
digte Freiheit einer zugleich historischen und theologischen Exegese
empfand. Er legt dem fingierten Empfänger seiner »Briefe« die Pro-
gnose in den Mund, es werde noch vor Ablauf des Jahrhunderts mit
der »gerühmten grammatisch-historischen Interpretation des Alten
und Neuen Testaments zu Ende seyn«, alle exegetischen Werke würden
dann beiseite gelegt, um »unter den ausgebrauchten und ungelesenen
Büchern« zu modern[29]. Vom Buchstaben zum Geist zurückgekehrt,
»werde man in Zukunft eine durchgängige Deutung des Alten und

---

[26] AB IV, 2, S. 338.
[27] AB IV, 2, S. 341f.
[28] Vgl. AB IV, 2, S. 332 und 338. — Die Frage, an welche Philosophie E. hierbei konkret denkt, kann im Rahmen dieses Aufsatzes nicht untersucht werden. Generell
wird man mit dem Einfluß der englischen Philosophie wie mit dem der damals freilich schon mannigfaltig gebrochenen LEIBNIZ-WOLFFschen Schulphilosophie, aber
auch mit dem seines akademischen Lehrers FEDER, eines Eklektikers, zu rechnen
haben. Vgl. dazu EICHHORN, Litterärgeschichte, II 1814, S. 1061, aber auch S. 790f.
und 797f. Die spezielle Frage, wann E. begonnen hat, sich mit der KANTischen
Philosophie zu beschäftigen, wird sich nur bei Heranziehung seines handschriftlichen
Nachlasses klären lassen.
[29] AB V, 2 1793, S. 203f.

Neuen Testaments zu einem Sinn vorziehen, der mit den allgemeinen
practischen Regeln der reinen Vernunft-Religion zusammenstimme,
wenn ihm gleich der Buchstabe widerspräche«[30]. EICHHORN faßt damit
den nachher von ihm wörtlich abgedruckten hermeneutischen Abschnitt aus KANTS Religionsschrift zusammen[31]. Er ist davon überzeugt, daß die allgemeine Annahme der dort vertretenen Auslegungs-
prinzipien das Heraufkommen »einer neuen Barbarey« und das Ende
des kaum begründeten wissenschaftlichen Charakters der Theologie
bedeuten würde[32].

Aber er ist davon überzeugt, daß der Siegeslauf der historischen
Bibelwissenschaft nicht mehr aufzuhalten ist: »Bis Sie Ihre Weissagungen mit tauglichen Gründen unterstützen«, wendet er sich seinem
fiktiven Gegenüber zu, »hoffe ich vielmehr eine viel fröhlichere Zukunft auch für die biblische Litteratur! Und hätten Sie auch Zeichen
der Zeit für Ihre Vermuthungen, so würde ich doch meinen Muth
nicht sinken lassen, sondern vielmehr bey meiner Freundin, der Geschichte, einer mächtigen Trösterin bey allen gefürchteten Nöthen,
Trost finden«[33]. Der Historiker in ihm weiß um den unaufhebbaren
Unterschied der Zeiten und um den Zusammenhang der Schriften »mit
dem jedesmaligen Grad der Cultur«[34]. Daher läßt es sich, so betont er
1794, nicht denken, »daß schon in den ältesten Urkunden der geoffenbahrten Religion die moralischen Aeußerungen so rein enthalten seyn
können, wie sie die reinste practische Vernunft geben würde: aber je
später und neuer diese Urkunden sind, desto näher müßen ihre moralischen Aeußerungen der reinsten practischen Vernunft kommen: und in
den neuesten hätte man sie erst in ihrer vollkommenen und vollendeten
Reinigkeit zu suchen«[35]. Von der weitgehenden Unvereinbarkeit der
Anschauungen der Bibel, und, wie wir gleich sehen werden, in Sonderheit des Alten Testaments, mit dem Sittengesetz überzeugt, weidete
sich schon 1793 an dem Gedanken, in welche Schwierigkeiten ein Anhänger der KANTischen Hermeneutik bei dem Versuch der praktischen
Verwirklichung geraten müsse: Wie will er »das Ansehen der alten
Schriftsteller retten? wie im Kind den Mann, in dessen einfältigen
Sprüchen hohe Weisheit, in dessen religiösem Lallen Religions-Philo-
sophie entdecken?« Entweder müsse er Auszüge aus den Schriften
machen, »um dem weiseren Theil des Volks diese Verlegenheiten zu
verdecken«[36], oder gar unter völligem Absehen vom Wortsinn seine

---

[30] AB V, 2, S. 204.
[31] Vgl. AB V, 2, S. 215—220 mit KANT, Religion², S. 157—162 (¹S. 150ff.).
[32] AB V, 2, S. 205.
[33] Ebd.
[34] AB VI, 1 1794, S. 59.
[35] AB VI, 1, S. 59.
[36] AB V, 2, S. 212.

Zuflucht bei der Allegorese suchen. Damit ist das Stichwort gefallen, das letztlich EICHHORNS Einwände gegen KANTS Hermeneutik bündig zusammenfaßt: Er sieht in ihr den Versuch einer Erneuerung der Allegorese, der mit dem allgemeinen Geist der Zeit nicht mehr zu vereinbaren ist[37].

Positiv greift EICHHORN jetzt ganz eindeutig auf die altprotestantische Hermeneutik mit ihrem Grundsatz der *facultas scripturae se ipsam interpretandi* zurück[38], indem er erklärt, für den Ausleger reichten die »erprobten und für wahr anerkannten hermeneutischen Regeln« aus, nach denen »die unbestimmten Stellen durch bestimmtere bestimmt, die dunkeln durch deutliche aufgeklärt, die exaggerirenden durch limitirende berichtigt werden«[39]. Bezeichnend fügt er hinzu: ». . . und wo noch Dunkelheiten bleiben, da wird das Hineintreten in die Zeitbegriffe dieselben zerstreuen«[40]. Es ist wohl nicht zu übersehen, wie weit das Gehäuse der altprotestantischen Schriftlehre von EICHHORN mit einem neuen, dem geschichtlichen Bewußtsein verpflichteten Geist ausgefüllt worden ist. Das wird sicher daran deutlich, daß er mit der Möglichkeit eines nicht mit der Vernunft harmonisierbaren Restes selbst im Neuen Testament rechnet und für diesen Fall den Rat gibt, einer solchen Schrift eher »ihren Platz unter den Urkunden der christlichen Religion« abzusprechen, als »zu dem Mittel der Verzweiflung« zu schreiten und den Worten einen fremden Sinn aufzudrängen[41]. Das zeigt sich aber vor allem in seiner prinzipiellen Preisgabe des Alten Testaments als Buches der Kirche: Seine weitere Bedeutung beruht nach seiner Meinung einmal darauf, daß es eine Geschichte des Weges enthält, auf dem die praktische Vernunft ihre spätere Höhe stufenweise erklommen hat, und zum anderen darauf, daß es ein Buch »zur Erläuterung der Ausdrücke, in denen die moralischen Begriffe [im Neuen Testament] in vollester Reinheit dargestellt worden sind«, ist. Damit nimmt EICHHORN die Lösung SCHLEIERMACHERS vorweg[42].

Die eigentümliche Stellung EICHHORNS zur Schrift wie zur KANTIschen Philosophie läßt sich nur dann voll verstehen, wenn man gleichzeitig sein den Inspirationsglauben hinter sich lassendes Offenbarungsverständnis in Rechnung stellt. Die Bibel selbst ist für ihn keine Offenbarung, sondern lediglich »das blose Archiv geoffenbarter Lehren«. Das bedeutet aber nicht, daß die Schrift Zeugnis der jeweils geschehenen Offenbarung durch den Zeugen ist, nein, sie enthält »nur

---

[37] AB V, 2, S. 213 f. 220—222; AB VI, 1, S. 215.
[38] Vgl. dazu RATSCHOW a. a. O. S. 123 ff.
[39] AB VI, 1, S. 62.
[40] Ebd.
[41] AB VI, 1, S. 62 f.
[42] AB VI, 1, S. 59 f.; vgl. SCHLEIERMACHER, Glaubenslehre, [2]§ 132, hrsg. M. REDEKER,
    II 1960, S. 304 ff.

die Geschichte der Erhaltung, Fortpflanzung und Entwicklung der
weit früher schon geoffenbahrten Lehren«[43]. Es ist an dieser Stelle nicht
möglich, genauer auf das sich hier aussprechende Offenbarungsverständnis einzugehen, das EICHHORN erstmalig in seiner 1775 entstandenen und 1779 veröffentlichten »Urgeschichte« entwickelt hat[44]. Es
reicht auch aus, wenn wir festhalten, daß die eigentliche Offenbarung
in der Frühzeit des Menschengeschlechts erfolgte. Damals offenbarte
sich die Gottheit dem Menschen, da sonst »gar Jahrhunderte hätten
verstreichen können, bis der erste Gedanke von Gott bey dem Menschen erwacht wäre, wenn er durch seine Vernunft *allein* aus der
Schönheit und dem Reichthum der Schöpfung auf ihn hätte geleitet
werden sollen«[45]. Alles Spätere ist nichts weiter als eine Entfaltung
und Verdeutlichung dieser ersten Offenbarungen.

Eben von diesem Offenbarungsverständnis her, das ihm selbst
die größte innere Freiheit gegenüber den einzelnen biblischen Schriften
gab, meinte er gegen KANTS ganz die geltende kirchliche Praxis in
Rechnung stellende Position den grundsätzlichen Einwand erheben
zu müssen, ob die »von Kant empfohlene Hermeneutik« nicht »Bibel
(das bloße Archiv geoffenbahrter Lehren, das seiner Natur nach auch
viel fremdartiges enthalten muß) mit der Offenbahrung selbst verwechselt, und nach dieser Voraussetzung, in alle Schriften des A.
und N. Testaments die reinsten moralischen Sätze zu tragen bemüht sey, weil ja göttliche Aussprüche den reinsten moralischen Sinn
enthalten müssen? ob sie nicht Anfang, Mitte und Ende verkehrt habe?«[46].
— Auf der anderen Seite sah er in KANTS Religionsphilosophie einen
prinzipiellen Umklammerungsversuch der Theologie durch die Philosophie[47], die zudem die mit dem Interesse jeder philosophischen
Schule, »sich und ihre Lehren mit einem alten Schriftsteller in Har-
monie und Coalition zu setzen«, verbundene Gefahr für die Eisegese
potenziert. Im Gefühl ihrer eigenen Überlegenheit suche sie »bey aller
Disharmonie« doch als mit einem für heilig gehaltenen Schriftsteller
»in einem freundschaftlichen Verhältnis« zu bleiben und bediene sich
eben deshalb ihrer allegorischen Künsteleien[48].

Trotz dieser deutlichen Abgrenzung gegen KANT wäre es verkehrt,
wollte man die Kluft über das hier Festgestellte hinaus vertiefen.

---

[43] AB VI, 1, S. 58.

[44] Repertorium für Biblische und Morgenländische Litteratur, IV 1779, S. 129—256;
vgl. dazu ausführlich SEHMSDORF a. a. O.

[45] Rep. IV, S. 185.

[46] AB VI, 1, S. 64.

[47] Zu dem damit gegebenen Interpretationsproblem der »Religion innerhalb« vgl. E.
TROELTSCH, Das Historische in Kants Religionsphilosophie, Kant-Studien 9, 1904,
S. 146.

[48] AB V, 2, S. 214f.

EICHHORN blieb auch jetzt dabei, daß »die Vernunftprincipien . . . die Auslegung vollenden helfen«; seine Polemik gegen KANT will also nur verhindern, daß die Philosophie den Ausleger zur Exegese verleitet[49]. Und EICHHORN wußte sich, wenn auch bei Wahrung eines respektvollen Abstandes, mit der Intention der theoretischen Philosophie KANTS ebenso einig wie mit der seiner praktischen. Er weiß, daß sich »die Vernunft nie anmaßen kan, übersinnliche Dinge unter ihr Forum zu ziehen, da es unter bescheidenen Philosophen längst ausgemacht ist, daß wir von den Dingen außerhalb unsers Gemüths nichts verstehen und einsehen«, wie dies auch KANT »auf eine eigene, höchst scharfsinnige Weise in der Kritik der reinen Vernunft dargethan«[50]. Er gesteht zu, daß KANT auf dem Gebiet der praktischen Philosophie »unstreitig . . . ganz neue Seiten zuerst entdeckt, und durch seine höchst treffliche Bemerkungen über sie neues Licht in die Sittenlehre« gebracht habe[51]. Er zögert auch nicht, die KANTische Sittenlehre gleichzeitig mit seiner eigenen Zurückweisung der hermeneutischen Anweisungen dem Dogmatiker und Moralisten zu empfehlen, der sie um so williger gebrauchen werde, »je näher schon vordem seine Vernunft-Principien denen kamen, die auch Kant festgesetzt hat. Diesen zufolge darf die Offenbarung der Vernunft nicht widersprechen; sie muß mit dem Sitten-Gesetz, als einem unmittelbaren göttlichen Gebot, harmoniren; und wird übersinnliche Dinge nur in so fern lehren, als dadurch moralische Aufgaben gelöst werden«[52]. Ja, er konnte noch weitergehen und selbst der Religionsphilosophie KANTS seine Reverenz erweisen, indem er sagte: »Und da wir an der christlichen Religion eine Religion mit Geheimnissen haben, so ist es gewiß ein großes Verdienst, wenn man diese Lehren des N. T. durch die Aufsuchung ihrer moralischen Seiten gegen Einwürfe und Zweifel zu retten sucht«[53].

EICHHORNS Protest gegen KANTS »Religion innerhalb der Grenzen der bloßen Vernunft« bleibt letztlich streng auf deren hermeneutische Empfehlungen beschränkt. Der grammatisch-historische Exeget verteidigt seine junge Wissenschaft in der Gewißheit, daß sich die von ihr erkannten Wahrheiten nicht unterdrücken oder überspielen lassen. Daher richtete er auch an den Homileten die Aufforderung, in seinem Vortrag den sachlichen Unterschied zwischen dem Wortsinn des

---

[49] AB VI, 1, S. 61.
[50] AB VI, 1, S. 56 f.
[51] AB VI, 1, S. 65 f.
[52] AB VI, 1, S. 65. Vgl. auch AB VI, 1, S. 57, wo er zugesteht, daß »die Principien, welche über den Inhalt und Sinn der Bibel, als eines Archivs geoffenbahrter Lehren, mit zu stimmen haben, blos aus der practischen Vernunft genommen werden« müssen; und z. B. »Ueber die Engelserscheinung beym Grabe Jesu«, AB VIII, 4 1798, S. 635 f.
[53] AB VI, 1, S. 65 f.

Textes und seinen eigenen »Ideen« deutlich zu erkennen zu geben[54].
So sicher es ist, daß es KANT nicht um einen Angriff auf die historische
Bibelwissenschaft ging[55], so sicher ist es, daß er, natürlich von seinen
Voraussetzungen aus, um die Lösung des Problems gerungen hat, wie
die Bibel angesichts des Zerbrechens des Inspirationsglaubens und des
heraufkommenden historischen Bewußtseins[56] ein Volksbuch bleiben
könne. Als ihn der Erlanger CHR. F. AMMON brieflich auf den von
EICHHORN, GABLER und ROSENMÜLLER gegen ihn erhobenen Vorwurf
der Neuempfehlung der längst überwundenen Allegorese aufmerksam
gemacht hatte[57], notierte er sich, mit den Vorarbeiten zum »Streit
der Fakultäten« beschäftigt: »Aber wie soll der Bibelleser oder das
Volk jene gelehrte Hermenevtik fassen und zwar so mit Überzeugung
daß er nicht in jenen Mysticism oder Buchstabenglauben zurük falle. —
Die Bibel hat doch immer die Vernunft die jedem faßlich ist zugrunde
gelegt«[58].

Zwanzig Jahre nach dem Höhepunkt des Streites und zehn Jahre
nach KANTS Tod urteilte EICHHORN im Rückblick versöhnlich: »Dieser
Kampf hat Leben in die Wissenschaft, die vormals viel zu todt betrieben worden war, gebracht, und ihr zu höherer Vollkommenheit
geholfen ...« Im Blick auf die theologische und kirchliche Gesamt-
situation lautete sein Spruch wesentlich zurückhaltender: »Hume'ns
Skepticismus und Kant's kritische Philosophie zerstörten, durch die
Vernichtung aller Beweise für das Daseyn Gottes aus der Vernunft,
selbst den Glauben an die natürliche Religion. Statt dessen stellten sie
ein Moralsystem auf, das allen Schaden mehr als wieder gut machen
soll. Aber ein Theil der Theologen hält es für unzulänglich, und ein
anderer ist vergeblich bemüht, dasselbe dem Volk nur deutlich zu
machen. Was der Ausgang seyn wird, ist noch nicht entschieden«[59].

---

[54] AB VI, 1, S. 63 f.

[55] Vgl. dazu demnächst O. KAISER, Kant's Anweisung zur Auslegung der Bibel.

[56] Gegen den Vorwurf der Geschichtslosigkeit von KANTS Religionsschrift vgl. TROELTSCH
a. a. O. S. 153 f.

[57] Briefe II, Akademie-Ausgabe (AA) XI, 1922, S. 493, 19 ff.

[58] L Bl. E 73, S. II, AA XXIII 1955, S. 424, 13 ff.

[59] Litterärgeschichte, II S. 1103 und 1062; vgl. auch CHR. F. AMMON, Biblische Theologie, I 1801², S. XIII.

Gedanken zur Bewältigung
der gegenwärtigen Krise

Sinneskrisen menschlicher Existenz brechen in der Geschichte nachweislich immer dann auf, wenn die Einbettung des Einzelnen in die Gemeinschaft durch eine tiefgreifende Strukturveränderung der Gesellschaft gestört und sein Selbstverständnis durch Erfahrungen aus dem Gleichgewicht gebracht wird, für die es in der hergebrachten, als verpflichtend übernommenen Weltauslegung keine Einordnungsmöglichkeiten gibt. Der Versuch, bei ihrer historischen Analyse einseitig Störungen äußerer Strukturen und ökonomischer Bedingungen *oder* des inneren Gleichgewichts für ihr Aufkommen verantwortlich zu machen, dürfte in eine ähnliche Aporie wie der einer Lösung des Leib-Seele-Problems führen. – Wenn heute die gesellschaftlich bedingte Krise im Mittelpunkt des öffentlichen Interesses steht, hat das angesichts der auf der ganzen Erde fast gleichzeitig erfolgenden Ablösung agrarischer, feudaler und bürgerlicher Gesellschaftsordnungen durch die moderne Industrie- und Leistungsgesellschaft sicher seine guten Gründe, weil man sich von der Erhellung der strukturalen wirtschaftlichen, eine Krise auslösenden Zusammenhänge eine Hilfe für die unübersehbar gestellte Aufgabe verspricht, die Probleme der Gegenwart und nächsten Zukunft zu lösen.

Der Historiker kann dazu ein reiches Vergleichsmaterial beibringen, indem er etwa an die Krise des altägyptischen Staates und Selbstverständnisses am Ende des Alten Reiches[1], an die mindestens spürbare Transformation des altbabylonischen Lebensgefühls in der Kassitenzeit[2], an die durch den vollständigen Zusammenbruch des israelitisch-judäischen Staatswesens ausgelöste Glaubenskrise[3], an die mannigfachen Infragestellungen des griechischen Menschen durch die Auflösung der Adelsgesellschaft, den Aufstieg erst und den Abstieg dann der Polis, ihr Eingehen in die hellenistische Staatenwelt und schließlich in das Imperium Romanum erinnert[4],

---

[1] Vgl. dazu W. Helck, *Geschichte des Alten Ägypten* (HO I, 1, 3), Leiden–Köln 1968, S. 75 ff, 87 ff.

[2] Vgl. dazu H. Schmökel, *Geschichte des alten Vorderasien* (HO I, 2, 3), Leiden–Köln 1957, S. 171 ff und besonders W. v. Soden, *Religion und Sittlichkeit nach den Anschauungen der Babylonier*, ZDMG 89 (1935) 143 ff.

[3] Vgl. dazu P. R. Ackroyd, *Exile and Restoration*, London 1968.

[4] Vgl. dazu etwa W. Jaeger, *Paideia*, I, Berlin–Leipzig ²1936, S. 249 ff, 405 ff; K. Reinhardt, *Die Sinneskrise bei Euripides*, in: *Tradition und Geist*, hg. v. C. Becker, Göttingen 1960, S. 227 ff; M. Pohlenz, *Die Stoa*, Göttingen ³1964, S. 9 ff und zu den historisch-konstitutionellen Zusammenhängen V. Ehrenberg, *Grundformen griechischer Staatsordnung*, in: *Polis und Imperium*, hg. v. K. F. Stroheker und A. J. Graham, Zürich 1965, S. 105 ff; ders., *Der Staat der Griechen*, Zürich–Stuttgart ²1965, S. 230 ff; ders., *The Hellenistic Age*,

ohne darüber zu vergessen, daß auch dieses Reich an sein Ende kam und damit aus dem grundsätzlich-fraglich gewordenen antiken Lebensgefühl das spezifisch christlich-abendländische Existenzverständnis erwuchs. Soweit gekommen, hält der Historiker unwillkürlich inne, weil er erkennt, daß er auf dem Wege ist, einen ganzen Abriß der Weltgeschichte als einer Geschichte der Krise des Menschen und der ihn tragenden Gemeinschaftsformen und Gesellschaftsordnungen zu skizzieren, eine Aufgabe, deren Bearbeitung als solche einer in den Verruf einer bloß antiquarischen Gelehrsamkeit geratenen Disziplin schnell ihre öffentliche Reputation zurückgeben könnte. Gleichzeitig wird ihm freilich auch bewußt, daß er nicht allein als der freundliche Helfer von Politikern und allerlei Philanthropen auftreten kann, weil es für ihn unübersehbar ist, daß die großen Krisen, auf die er zurückblickt, niemals allein auf organisatorischem oder, wie man heute gern sagt, technokratischem Wege gelöst worden sind, sondern in ihnen jeweils eine neue Antwort auf die Frage nach dem Wesen des Menschen und seiner Stellung im Kosmos gefunden werden mußte. Allein der Verdacht, eine geheime Ratlosigkeit oder verschwiegene Überzeugung von der Unabwendbarkeit des Nihilismus sei für die einseitige Interessenverlagerung auf das organisatorisch Machbare verantwortlich, reicht daher aus, ihn daran zu erinnern, daß die gegenwärtige Krise wie die großen Vorläuferinnen nicht nur ihre wirtschaftliche und gesellschaftliche Seite besitzt, sondern umgekehrt geradezu der Ausfluß einer tieferen, seit langem auf dem Wege befindlichen Sinneskrise des abendländischen Menschen·sein könnte[5].

Vermutlich ist dies zu oft behauptet worden, um als bloße·Feststellung noch einen Eindruck zu machen. Und so bleibt dem Exegeten und Historiker nichts anderes übrig, als das Historische eine Weile auf sich beruhen zu lassen – kann man ihm doch bei den von ihm beigebrachten Beispielen immer mit der vermeintlichen und in mancher Hinsicht ja auch tatsächlichen Analogielosigkeit der gegenwärtigen Verhältnisse begegnen –, um nach den anthropologischen Hintergründen im Horizont neuzeitlicher Welterfahrung zu fragen. Dabei erweist sich eine bloß soziologische Skizze der Ursachen für die Sinneskrise der Gegenwart schon deshalb als unzureichend, weil der spezifisch nihilistische Einschlag ohne den Zusammenbruch des antik-mittelalterlichen geozentrischen, kurzzeitlichen und kleinräumigen Weltbildes kaum zu denken ist, in dessen Rahmen der christliche Erlösungsglaube eingezeichnet war. Erde und Mensch sind aus ihrem Mittelpunkt in unabsehbare Räume, Zeiten und Einsamkeiten geschleudert worden. Die Welt als Schöpfung eines um seine Menschen besorgten Gottes wandelte sich in eine ihren eigenen Gesetzen folgende und schließlich in ihren Zusammenhängen und Dimensionen nicht mehr vorstellbare Natur[6]. In ihr erfährt sich der Mensch als auf sich selbst gestellt, ohne doch zum Schöpfer seiner selbst, zum homo faber, werden zu können. Dabei verwandelt er das Gesicht der Erde, bis es, wie Gerhard Krüger einmal

in: *Man, State and Deity. Essays in Ancient History*, London 1974, S. 64 ff; E.Kornemann *Weltgeschichte des Mittelmeerraumes von Philipp II bis Muhammad*, hg.v. H.Bengtson, München 1967, 255 ff.

[5] Vgl. dazu A.Schweitzer, *Kultur und Ethik. Sonderausgabe mit Einschluß von „Verfall und Wiederaufbau der Kultur"*, München 1960, ein Werk, das es verdient, der Vergessenheit entrissen zu werden.

[6] Vgl. dazu z.B. von C.F. von Weizsäcker, *Die Geschichte der Natur*, Göttingen ³1956.

in einer Tübinger Vorlesung sagte, auch die von selbst aufgehende Natur nur noch als künstliche, als Reservat gibt. Der Herrschaftsanspruch ist zum totalen geworden. – Wieder bedeutete es, die politische, soziale und Geistesgeschichte der Neuzeit zu schreiben, wollte man die Ausbreitung des modernen Bewußtseins und seine Versuche, die durch seinen Austritt aus dem mittelalterlichen Denken und Lebensverband gestellten Probleme zu lösen, nachzeichnen[7]. Wolfgang Philipp hat von dem kosmischen Schock gesprochen, den nach seiner Überzeugung das Abendland schon im Frühbarock erlitten hätte[8]. In dem berühmten „Beschluß“ von Kants *Kritik der praktischen Vernunft* zittert er jedenfalls nach, und in Jean Pauls *Rede des toten Christus vom Weltgebäude herab, daß kein Gott sei* ist er kenntlich. Nietzsche wäre wohl ohne ihn nicht denkbar. Nur sein „letzter Mensch“ wird behaupten, ihn nie gespürt zu haben.

Blickt man auf die politisch-gesellschaftliche und die kosmisch-theologische Krise, hat man wohl Grund zu der Frage, ob die erstgenannte nicht selbst eine Folge der zweiten, die Krise des industriellen Zeitalters als solche ein Kind des Nihilismus ist. Wenn der Schöpfer hinter seiner Schöpfung versinkt, wird die Welt zur bloßen Materie und der Mensch zum Menschenmaterial, die beide zu beliebiger Verwendung bereit stehen. Dabei wäre zu fragen, ob der dem Zeitalter eigentümliche und von gröbsten Verstößen abgesehen klaglos geduldete Lärm nicht ein Indiz für eine geheime, hinter einer sinnlos gewordenen Reproduktion stehenden Angst ist. Damit ist ein Stichwort gefallen, dem nachzusinnen lohnt, weil mit der Angst tatsächlich das fundamentale, hinter allen Arten von Krisen stehende Phänomen genannt ist. Da Martin Heidegger sie klassisch definiert und ihren Unterschied zur Furcht genügend erhellt hat, sei ihm dazu das Wort gegeben: „Worum die Angst sich abängstet, ist nicht eine *bestimmte* Seinsart und Möglichkeit des Daseins. Die Bedrohung ist ja selbst unbestimmt und vermag dabei nicht auf dieses oder jenes faktisch konkrete Seinkönnen bedrohend einzudringen. Worum sich die Angst ängstet, ist das In-der-Welt-sein selbst. In der Angst versinkt das umweltlich Zuhandene, überhaupt das innerweltlich Seiende. Die ‚Welt‘ vermag nichts mehr zu bieten, ebensowenig das Mitdasein Anderer“[9]. – Daß damit die Angst des Einzelnen in der gesellschaftlichen wie in der kosmischen Krise getroffen und richtig als Phänomen der Ortlosigkeit in Welt und Gemeinschaft beschrieben worden ist, erhellt unmittelbar. Es hieße aber den Blick für die Wirklichkeit des Menschen und damit für den letzten Hintergrund des Krisenbewußtseins verschließen, wollte man nicht gleichzeitig erkennen, daß sich in der Angst das ontologisch fundamentale Stehen des Menschen „in der Ausweglosigkeit des Todes“ zu Wort meldet[10]. Mithin kann es keine wirkliche Überwindung der jetzt die Völker ergreifenden Krise geben, solange man dabei nicht die von der Sterblichkeit jedes Einzelnen ausgelöste Sinneskrise als die letzte Quelle alles Nihilismus selbst im Auge behält.

---

[7] Vgl. dazu E. Hirsch, *Geschichte der neuern evangelischen Theologie*, I–V, Gütersloh ³1964; ders., *Die Umformung des christlichen Denkens in der Neuzeit. Ein Lesebuch*, Tübingen 1938; W. Weischedel, *Der Gott der Philosophen*, I, Darmstadt 1971; J. Gebser, *Abendländische Wandlung*, Konstanz–Zürich–Wien 1950.

[8] In: *Das Werden der Aufklärung in theologiegeschichtlicher Sicht*, Göttingen 1957.

[9] *Sein und Zeit*, Tübingen ³1957, S. 187.

[10] M. Heidegger, *Einführung in die Metaphysik*, Tübingen 1953, S. 121.

Das zu erkennen, gehört schon deshalb zur geforderten Diagnose, weil es in einer künftig noch mobileren und zugleich durch und durch organisierten Gesellschaft für den Einzelnen gerade darauf ankommen wird, dem Wechsel an sozialen Einbettungen, der sich ja als solcher historisch bereits als Quelle epochaler Krisen ansprechen ließ, nicht nur physisch, sondern auch psychisch und moralisch gewachsen zu sein, ohne durch einen plötzlich aufgezwungenen Rollenwechsel das Gefühl eines persönlichen Lebenssinnes zu verlieren. Man könnte ja eine mobile Gesellschaft geradezu als eine institutionalisierte Krise begreifen, weil sie sich nicht nur mit ihren Individuen, sondern auch mit ihren Strukturen in einer ständigen Bewegung befindet. Mithin ist es für den Einzelnen die Aufgabe, die von dem beständigen Wandel entbundene Angst zu bewältigen. Dabei soll nicht geleugnet werden, daß ein von der Gesellschaft aufgenötigter Rollenwechsel und die von ihr veranstaltete Dauerbewegung ein ganzes Stück weit einsichtig und dadurch annehmbar gemacht werden können. Es muß dem Einzelnen nur die Gewißheit erhalten bleiben, daß er in der Ausübung dieser wie jener Rolle ebenso seinen Nächsten wie zugleich den Fernsten dient und durch einen Rollenwechsel weder aus diesem menschlichen Gebrauchtwerden entlassen noch in seiner Würde geschmälert wird. Das Relative ist nicht nichts. Am Ende könnte das Absolute nur in der rechten Weise der Hingabe an das Relative, Kontingente zu finden sein. Dabei wird eine einseitig individualistisch orientierte Gesellschaft im Laufe der Zeit notwendig in ihr kollektivistisches Gegenteil umschlagen, nicht weil das ökonomisch notwendig, sondern weil es in der Struktur des Menschen als eines sich selbst als vernünftig, frei und verantwortlich verstehenden und in seiner eigenen, daraus resultierenden Würde zugleich der Würde aller anderen moralischen Vernunftwesen bewußten Wesens begründet ist[11]. – Aber auch das Umgekehrte läßt sich hieraus ableiten: Gesellschaften, die einseitig das Allgemeine, Kollektive betonen, provozieren auf die Dauer den Protest des Individuums und den Umschlag in ihr Gegenteil. Denn der Gedanke von Würde und Wert aller kann nicht ohne den der Würde des Einzelnen gedacht werden. Kommt ihm keine unantastbare Würde und kein eigener Wert zu, läßt sich beides auch nicht für die Gemeinschaft, für ein Volk, eine Klasse oder die Menschheit als ganze behaupten. Hinter der Leugnung des Eigenwertes der Persönlichkeit steckt mithin stets ein bewußter oder unbewußter Nihilismus. Daß es den Einzelnen nicht ohne die Gemeinschaft gibt, bedarf gar keiner weiteren Erörterung in diesem Zusammenhang.

Mithin stellt sich die Aufgabe der Überwindung der gegenwärtigen globalen Krise als eine vielschichtige dar, einmal gewiß als eine politische, zum anderen als eine ethische und schließlich als eine anthropologische, ja metaphysische und theologische. In der politischen geht es um die optimale Vermittlung des konstitutio-

---

11 Vgl. I. Kant, *Grundlegung zur Metaphysik der Sitten*, hg. v. K. Vorländer (PhB 41³), Leipzig–Hamburg 1965, S. 58 f (AA IV, 435) und dazu G. Krüger, *Philosophie und Moral in der Kantischen Kritik*, Tübingen ²1967, S. 91 f. – Es ist ebenso töricht wie würdelos, vergangene Institutionen unkritisch an der Gegenwart zu messen und sie, kommen sie der eigenen Idealvorstellung nicht gleich, unbesehen als Unterdrückung anzusprechen und damit nicht nur diese, sondern alle, die sie sich gefallen ließen, zu disqualifizieren. Wenn Institutionen und Interesse grundsätzlich aufeinander bezogen sind, sollte man meinen, daß unter diesem Gesichtspunkt in der Geschichte das Interesse weniger nicht grundsätzlich mit den Interessen der Vielen kollidieren mußte; daß sie letzteres konnten und sehr oft auch taten, wird damit nicht bestritten.

nellen Urkonfliktes zwischen Individuum und Gemeinschaft. Sie beginnt mit den Problemen einer beiden Polen gerecht werdenden Verfassung und setzt sich in der permanenten Reflexion über die angemessene Umgestaltung der Verfassungswirklichkeit im Horizont der Erfahrung fort. Als solche wird sie in der Gesetzgebung praktisch und umspannt dann als Organisation die politischen und wirtschaftlichen Bezüge des Menschen in seiner Totalität, ohne Religion, Kunst und Kultur, Erziehung, Bildung, Sport und Freizeitgestaltung unbeachtet zu lassen. Je mehr in einer technisch bestimmten Welt aus den ihr eigenen Sachzwängen heraus organische durch organisierte Zusammenhänge ersetzt werden, um so umgreifender und intensiver wird das Leben des Einzelnen mitorganisiert und reguliert, desto nachdrücklicher stellt sich freilich auch um des eigentlichen Zweckes dieser ganzen Veranstaltung willen die alte, von Humboldt angesprochene Aufgabe, „die Grenzen des Staates zu bestimmen". Angesichts der Tatsache, daß Verfassung und Verfassungswirklichkeit nur zu leicht auseinanderfallen, wird man sich dabei, vor dem Problem stehend, wie beide zur Deckung zu bringen sind, im Blick auf den Gesetzgeber an das Diktum Kants erinnern, mit dem er auf die Notwendigkeit einer rationalen Begründung einer jeden möglichen positiven Gesetzgebung hinwies: „Eine bloß empirische Rechtslehre ist … ein Kopf, der schön sein mag, nur schade, daß er kein Gehirn hat"[12]. So impliziert die politische Aufgabe der Meisterung der Krise ein Denken, das in der Lage ist, die Würde, die Rechte und Pflichten des Einzelnen gegenüber der Gemeinschaft und der Gemeinschaft gegenüber dem Einzelnen so zu definieren, daß die daraus abgeleiteten Normen von allen Gliedern der Gemeinschaft aus Vernunft als unbedingt gültig anerkannt und praktiziert werden können. Solange selbst die beste aller möglichen Verfassu. gen und Gesetzgebungen keine Basis im Bewußtsein des Volkes oder der aufsteigenden, schrittweise an seine Stelle tretenden übernationalen wie überregionalen Zusammenschlüsse besitzt, werden beide ihr Ziel nicht erreichen. Ethischer Nihilismus und, mindestens im Blick auf die fundamentalen Grundlagen gesehen, ethischer Pluralismus werden sich hier notwendig zersetzend auswirken. Ob sich, sollen Individuum und Gemeinschaft aufeinander abgestimmt werden, aus der bisherigen Tradition und Erfahrung andere Grundsätze als die des kategorischen Imperativs („handle nur nach derjenigen Maxime, durch die du zugleich wollen kannst, daß sie ein allgemeines Gesetz werde")[13] und des praktischen Imperativs („handle so, daß du die Menschheit, sowohl in deiner Person als in der Person eines jeden anderen, jederzeit zugleich als Selbst-Zweck, niemals bloß als Mittel brauchst")[14] auf der einen und des allgemeinen Rechtsgesetzes („handle äußerlich so, daß der freie Gebrauch deiner Willkür mit der Freiheit von jedermann nach einem allgemeinen Gesetze zusammen bestehen könne…")[15] auf der anderen Seite ergeben, sei bezweifelt. Vermutlich erweist sich

---

[12] *Metaphysik der Sitten,* hg.v. K.Vorländer (PhB 42) Hamburg 1954, S. 34, 10 ff (AA VI, 230).
[13] I.Kant, *Grundlegung,* Vorländer, S. 42 (AA IV, 421). Vgl. dazu N.Hartmann, *Ethik,* Berlin ⁴1962, S. 652 ff, und J.Ebbinghaus, *Deutung und Mißdeutung des kategorischen Imperativs,* in: ders., *Gesammelte Aufsätze, Vorträge und Reden,* Darmstadt 1968, S. 80 ff.
[14] Kant, *Grundlegung,* Vorländer, S. 52 (AA IV, 429).
[15] Kant, *Metaphysik der Sitten,* Vorländer, S. 35, 26 ff (AA VI, 231) und dazu J.Ebbinghaus, *Das Kantische System der Rechte des Menschen und Bürgers in seiner geschichtlichen und aktuellen Bedeutung,* a.a.O., S. 161 ff.

in einer vor der Bewältigung konkreter Aufgaben stehenden Gesellschaft die, wenn man so will, aporetische Philosophie Kants der totalen Hegels überlegen, mag sie sich auch angesichts eines seinerzeit nicht absehbaren Zuwachses der Erfahrung und einer Komplizierung der physikalisch-mathematischen Theorie als revisions- und ergänzungsbedürftig erweisen. Sofern das Denken nur der doppelten Tatsache des unmittelbaren und des mittelbaren Verhältnisses des Menschen zu sich selbst und seiner Welt bewußt bleibt und nicht versucht, beide in einer vermeintlich höheren Synthese dieser oder jener Art, des Geistes oder der Materie, aufzuheben, bleibt es allen Totalitätsansprüchen gegenüber kritisch und damit, wenn man so will, in der ihm zukommenden kreatürlichen Haltung. Die wirksamste Begrenzung aller im Namen kollektiver Größen erhobenen Ansprüche auf den Einzelnen beruht auf der Anerkennung des Sitten- und des Rechtsgesetzes durch alle Bürger. Damit ist zugleich die Einschränkung eines sich selbst mißverstehenden Individualismus im Ansatz mitgegeben. Der Konflikt bleibt freilich insofern mitgesetzt, als die vorge- tragenen Gründe für eine im Interesse von Staat, Gesellschaft und Individuum lie- gende Einschränkung oder Ausweitung individueller Rechte sehr oft auf einer Ein- schätzung der Lage beruhen, die unterschiedlich sein kann. Objektivierung der Ent- scheidungsgrundlagen, Verzicht auf Verdächtigungen und Emotionalisierungen und eine gleichzeitige besondere Anwendung des praktischen Imperativs zwischen den streitenden Parteien könnten hier jedenfalls die optimalen Voraussetzungen für den grundsätzlichen Bürgerfrieden schaffen, wenngleich um des Lebens in dem Staat willen mit Sophokles zugefügt werden muß:

„Indes den Streit zum Heil der Stadt, den edelen, nie möge ihn Gott lähmen"[16].

Noch einmal: Die Schaffung eines allgemeinen politischen Bewußtseins und eine immer weiter ausgreifende politische Organisation allein verfehlen ihr Ziel, solange ihnen die verläßliche Basis eines basalen ethischen Einverständnisses fehlt. Auf der politisch-organisatorischen Ebene geschieht die relative Überwindung des Nihilis- mus durch eine funktionale Einweisung des Einzelnen in einen Teil des größeren Ganzen, dessen Funktion er um seiner Selbstachtung und seiner Überlebens- chancen willen bejahen muß. In der ethisch-anthropologischen Bestimmung der Würde des Menschen als eines zur Selbstbestimmung aufgerufenen verantwortli- chen, wesentlich gemeinschaftsbezogenen Wesens vollzieht sich die Überwindung des ethischen Nihilismus, welcher den Einzelnen der Beliebigkeit seiner Handlun- gen und Triebe ausliefert. Seine Verwurzelung hier sollte so stark sein, daß sich der Gedanke der Pflicht in einer unvollkommenen Welt gegen die nihilistische Bedro- hung durchsetzt, die aus der Unvollkommenheit und vielleicht unvermeidlichen Rückständigkeit immer größer werdender organisatorischer Gebilde gegenüber den Anforderungen und Ansprüchen des Augenblicks aufsteigt. Dabei führt gerade ein der Pflicht als Notwendigkeit des Handelns aus Achtung vor dem Gesetz[17] ver- bundenes Denken auch zu den notwendigen Reformen, deren Ende, dies stand be- reits am Anfang unserer Überlegungen, im Zeitalter einer mobilen technischen Ge- sellschaft nicht abzusehen ist. Trifft die andere oben gemachte Feststellung zu, daß

---

[16] *Oedipus Rex* 877 ff, übertragen v. H. Weinstock (KTA 163), Stuttgart ⁴1962, S. 356.
[17] Kant, *Grundlegung*, Vorländer, S. 18 (AA IV, 400).

das Absolute nur in der rechten Weise der Hingabe an das Relative zu finden und also auch „zu haben" ist, bedeutet das zugleich, daß dieser politisch-ethischen Sinngebung eine normalerweise unersetzliche Bedeutung zukommt, weil der Mensch in der Regel nicht in Grenz-, sondern alltäglichen Situationen lebt. Daß der Gedanke der Pflicht seine Bewährungsprobe recht eigentlich in der Grenzsituation findet und damit noch einmal aus dem politischen in den individuellen Bezirk zurückverweist, gleichzeitig aber die Bedeutung dieses eigensten Bezirkes eines jeden für Staat und Gesellschaft signalisiert, sei angemerkt.

Die hermeneutische Bedeutung der Grenzsituationen des eigensten Schuldigseins und der Erfahrung des eigensten Seins zum Tode für die Anthropologie sind nicht zu unterschätzen[18], weil sich von der Grenze her erst der volle Blick auf das Ganze ergibt. Der Schuldige und der Sterbende erfahren sich in eigentümlicher Weise als aus der Gemeinschaft ausgestoßen bzw. von ihr im Stich gelassen[19]. In den Grenzsituationen erfährt sich der Mensch fundamental geängstet. Gewiß ereignet sich darin wie in jeder Angst der Aufruf, die Existenz als eigenste zu übernehmen und zu verantworten[20]. Aber das Paradoxe daran ist, daß dies so geschieht, daß ihr die Möglichkeit entzogen wird und sie vor ihre schlechthinnige Unmöglichkeit gestellt wird. Nun schien uns die Angst in einer mobilen Gesellschaft als einer gleichsam institutionalisierten Krise ihrer selbst in ihrer Potenz zu wachsen, weil sich in ihr fortgesetzt und notwendig eine Herauslösung der Menschen aus ihrer gewohnten Rolle und Umgebung vollzieht.

Mithin werden wir zu der politisch-ethischen Aufgabe der Überwindung oder, wie wir vielleicht im Blick auf die Lehre der Geschichte und den eigenen Kairos besser sagen, der Bewältigung der Krise einer Dimension ansichtig, in der durch Schuld und Tod Ur-Ansprüche auf den Menschen erhoben werden, denen jeder für sich selbst antworten muß und vor denen er nur um den Preis des Nihilismus fliehen kann, der sich dann seinerseits notwendig zersetzend auf die Gemeinschaft auswirkt. Der Einbruch *dieses* Nihilismus kann in jedem Augenblick erfolgen. Die Qualität des Lebens schützt in keiner denkbaren Quantität vor ihm. Oder ist es nötig, an den jüdischen Weisen zu erinnern, der sich den Mantel König Salomos umschlägt, um von seiner Warte den Ertrag des Lebens zu bedenken und mit einem וּרְעוּת רוּחַ   הֵכּוֹל הֶבֶל zu antworten, es ist alles eitel und ein Haschen nach Wind[21]?

Es wäre mehr als naiv, vom Menschen ausgelöste Strukturkrisen von einer Krise seiner selbst ablösen zu wollen. Hemmungslosigkeit ist in jedem Bereich ein Hinweis darauf, daß die Betroffenen vom Stigma ihrer Endlichkeit gezeichnet sind. So bleiben zwei Disziplinen der Wissenschaft, die in steigendem Maße der Verachtung verfallen sind, sei es, weil sie sich nicht mehr über ihren je eigensten Zirkel hinaus verständlich machen konnten, sei es, weil sie aus vermeintlichem Besserwissen dem Verdikt der Antiquiertheit verfallen sind, aufgerufen, die Philosophie als die Anthro-

---

[18] Vgl. dazu K. Jaspers, *Philosophie II. Existenzerhellung,* Berlin–Göttingen–Heidelberg 1956, S. 201 ff.
[19] Vgl. zur Veranschaulichung die Erzählung des Fürsten Myschkin in F. M. Dostojewskis *Idiot,* I, 5 nebst den Reflexionen über die Todesstrafe in I, 2.
[20] Heidegger, *Sein und Zeit,* S. 188.
[21] Vgl. dazu O. Kaiser, *Der Mensch unter dem Schicksal,* NZSTh 14 (1972) 1 ff, oder ders., *Von den Grenzen des Menschen,* Die Karawane (Ludwigsburg) 14 (1973, H. 3/4) 41 ff.

pologie umgreifende Metaphysik[22] und die Theologie als Wissenschaft davon, wie im Kontingenten das Absolute, in der Annahme der eigenen Schuld und des eigenen Todes *das* Leben verborgen ist.

[22] Solange Philosophie das Problem der Erkenntnis festhält, muß sie mindestens auf das Problem der Metaphysik als Grenzphänomen stoßen, vgl. N. Hartmann, *Grundzüge einer Metaphysik der Erkenntnis*, Berlin ⁴1949, S. 34 ff., aufgenommen von M. Hartmann, *Die philosophische Grundlegung der Naturwissenschaften*, Stuttgart ²1959, S. 8 ff, weiter K. Lorenz, *Die Rückseite des Spiegels. Versuch einer Naturgeschichte menschlichen Erkennens*, München ²1973, S. 15 ff. In der Auseinandersetzung mit Kant verdient Beachtung auch W. Schrader, *Zum Denkansatz Kants*, PhilPersp 3 (1971) 148 ff. – Zur Aporetik sittlicher Freiheit und mithin der Ethik vgl. N. Hartmann, *Ethik*, S. 706 ff.

Johann Salomo Semler als Bahnbrecher der modernen Bibelwissenschaft

„*Geist* und *Wahrheit,* oder eigenes Nachdenken und Betrachtung ist die Quelle einer christlichen Überzeugung."
J. S. Semler, Versuch einer freiern theologischen Lehrart, 1777, S. 119

Glaube, Lehre und Leben der christlichen Kirche und des einzelnen
Christen sind, wenn vielleicht auch in unterschiedlicher Weise, sachlich
unaufgebbar an die Bibel als Zeugnis von Gottes Handeln am Menschen
im allgemeinen und von seinem Erlösungswerk durch Jesus von Nazareth als seinen Christus im besonderen gewiesen; denn dort wird der *eine*
Gott und Vater aller Menschen, der Schöpfer der Welt und Herr der Geschichte, und Jesus von Nazareth als der allen Menschen gesandte Lehrer und Erlöser, der Messias oder Christus, und d. h. der von Gott beauftragte und bevollmächtigte Stellvertreter Gottes auf Erden bezeugt. Die
Tatsache, daß es sich bei diesem Erlöser um einen Menschen handelt,
der sein aus der Geschichte der Menschheit nicht mehr fortzudenkendes
Lebenswerk in dem *einen* Jahr 29/30 oder bestenfalls in den vier Jahren
von 29–33 n. Chr. vollbracht hat[1], bindet alle, die etwas von ihm, seinem
Leben, Wirken und Werk erfahren wollen, an die Bezeugung seines Lebens und seiner Bedeutung im Neuen Testament. Das Neue Testament
aber ist auf dem Boden des Judentums erwachsen, und seine Bibel, das
Alte Testament, ist auch die Bibel Jesu und der ersten Christenheit gewesen. So ist die Verbindung zwischen der christlichen Kirche und ihrer
Bibel schicksalhaft. Wollte sie sich von ihr lösen, käme dies über kurz
oder lang der Selbstauflösung gleich. Sie muß sich mit diesem ihrem
Schicksal immer erneut auseinandersetzen und also immer neu der
Schrift entnehmen, was es bedeutet, daß sich Gott den Menschen in der
Gestalt Jesu von Nazareth genaht hat. So ist der christliche Glaube als
auf die nie endende Gegenwart Gottes bezogene Grundgewißheit be-

---

[1] Vgl. dazu M. Dibelius: Jesus, SG 1130, Berlin 1966[4], S. 41 f.

ständig auf die denkende Vermittlung zwischen dem Neuen Testament und je seiner Zeit angewiesen und in diesem Sinne eminent eine denkende Religion[2]. Er bedarf eben wegen dieser ständig vor ihm liegenden Aufgabe der Vermittlung zwischen seinem historischen Ursprung und seiner Gegenwart der wissenschaftlichen Theologie. Diese legt die Grundgewißheit des Glaubens denkend der Gegenwart aus, indem sie sich auf das ursprüngliche Zeugnis der Zeugen zurückbezieht. Die Aufgabe stellt sich deshalb immer neu, weil sich das Selbstverständnis des Menschen in der Welt beständig verändert und die heute gewonnene Form der Vergegenwärtigung des ursprünglichen Heilsgeschehens morgen schon historisch geworden ist. Auf diese Weise stellt sich die Aufgabe aber auch zugleich so komplex dar, weil der bisherige Gang der Vermittlung der immer erneuten Vergegenwärtigung des Anfangs selbst in die Reflexion über die Gegenwartsbedeutung dieses Anfangs einbezogen werden muß. – Man muß sich diese Eigenart der christlichen Religion und der damit gesetzten Aufgabe christlicher Theologie vergegenwärtigen, um die Leidenschaft zu verstehen und gerecht zu würdigen, mit der durch die Geschichte der Kirche hindurch und besonders in den letzten zweihundert Jahren um das sachgemäße Verständnis der Bibel gerungen worden ist und bis zum Tage gerungen wird. Was von außen betrachtet als bloßes Theologengezänk erscheinen mag, erweist sich von innen her als notwendige Auseinandersetzung bei der nicht nur jeder Generation, sondern jedem einzelnen aufgetragenen Findung der letzten Wahrheit.

Es ist einleuchtend, daß die damit der Kirche und Theologie wie jedem denkenden Christen gestellte Aufgabe der Vermittlung zwischen dem biblischen Einst und dem gegenwärtigen Heute in dem Maße an Schwierigkeit, aber auch an Klarheit der Zielsetzung und Einsicht in das Wesen des Christentums gewinnen muß, in dem das antike, von der Bibel geteilte Weltbild in die bloße Vergangenheit zurücksinkt und durch ein neues, seinem Wesen nach unabgeschlossenes und dynamisches ersetzt wird, wie es Kennzeichen des durch die sich an die Mathematik anlehnenden Naturwissenschaften geschaffenen wissenschaftlichen Weltbildes der Neuzeit ist[3]. Solange sich das eigene und das Weltbild der Bibel im wesentlichen deckten, konnten auch die Antworten, welche das Christentum in den ersten Jahrhunderten gefunden hatte, in ihrer Substanz beibehalten werden. Zu diesen grundlegenden und alles weitere theologische Nachdenken tragenden Überzeugungen gehörte neben der Trinitätslehre auch das Verständnis der Schrift.

---

[2] Vgl. dazu C. H. Ratschow: Das Christentum als denkende Religion, NZSTh 5, 1963, S. 16 ff. und besonders S. 28 ff.
[3] Vgl. dazu auch E. Cassirer: Philosophie der symbolischen Formen II. Das mythische Denken, Darmstadt 1953[2], S. 93 ff.

Man muß sich vor Augen halten, daß die junge Christenheit zunächst die gleiche Heilige Schrift wie das Judentum, von uns Altes Testament genannt, besaß. Einer eigentümlichen Grundstimmung der hellenistischen Welt gemäß verstanden es gewisse Kreise des Judentums neben seiner das Leben regelnden Eigenart als Gesetz wesentlich als der Endzeit geltende Prophetie. Dieses endzeitliche oder eschatologische Verständnis der Schrift übernahm das Urchristentum[4] und führte nun mittels der heiligen Bücher der Juden den Schriftbeweis, daß mit dem gekreuzigten und auferstandenen Jesus von Nazareth der geweissagte Erlöser gekommen sei[5]. Erst die Notwendigkeit der Apostel, brieflich mit ihren Gemeinden in Verbindung zu bleiben oder zu treten, und die Aufgabe, Menschen, die Jesus aus räumlichen oder zeitlichen Gründen nicht begegnet waren, diesen Mann und sein Wirken vorzustellen, führten zur Entstehung einer christlichen Literatur, der Evangelien und der apostolischen Briefe. Die dem Judentum und Urchristentum gemeinsame Überzeugung, am Ende der Zeiten zu leben, führte schließlich auch im christlichen Bereich zum Entstehen apokalyptischer, die Geheimnisse der Endzeit enthüllender Schriften. Aus diesem ur- und frühchristlichen, zwischen der Mitte des 1. und des 2. Jahrhunderts entstandenen Schrifttum hat die Kirche nach anfänglichem Schwanken im Laufe der folgenden zweieinhalb Jahrhunderte die Bücher als verbindliche Lehrgrundlage ausgesondert, die wir nun als das Neue Testament bezeichnen[6]. Die Einheit beider Testamente schien durch den Weissagungsbeweis, ihr göttlicher Ursprung durch die Inspiration durch den Heiligen Geist gesichert[7]. Um über der Vielfalt der biblischen und selbst neutestamentlichen Zeugnisse die Einheit nicht zu übersehen, trat neben die Schriften das Glaubensbekenntnis, die regula fidei, und neben sie beide als Ausdruck der Kontinuität der Kirche mit ihren Anfängen wie als Wahrerin der Rechtgläubigkeit das monarchische Bischofsamt, das die gegenwärtige Kirche kraft seiner apostolischen Sukzession mit den Anfängen, ja, mit dem Anfänger und Vollender des Glaubens Jesus Christus selbst verband. Schrift, Bekenntnis und Bischofsamt, im Westen in der Lehr- und Schlüsselgewalt des Papsttums zusammengefaßt, sollten den mit dem Ursprung identischen Charakter der Kirche im Wandel der Zeiten sichern.

---

[4] Vgl. dazu z. B. K. H. Schelkle: Theologie des Neuen Testaments II, Düsseldorf 1973, S. 48 ff.

[5] Vgl. dazu Schelkle, a.a.O. und z. B. R. Bultmann: Weissagung und Erfüllung, in: Glauben und Verstehen II, Tübingen 1952, S. 163 ff.

[6] Vgl. dazu z. B. E. Lohse: Entstehung des Neuen Testaments, ThWi 4, Stuttgart 1975[2], S. 370 ff.

[7] Vgl. dazu z. B. G. Strauss: Schriftgebrauch, Schriftauslegung und Schriftbeweis bei Augustin, BGBH 1, Tübingen 1959, S. 44 ff.

Es ist unmittelbar einsichtig, daß die Bestreitung des Papsttums und des autoritativen Charakters der kirchlichen Lehrtradition durch die Reformatoren der Schrift eine Bedeutung im Leben der Kirche gab, wie sie diese wenigstens theoretisch so zuvor kaum besessen haben dürfte. Alles, was in der Kirche geschah, mußte sich nun an ihrem Zeugnis messen und vor ihrem Forum verantworten. Die Freiheit, in der zumal Martin Luther dies wahrnahm, der in dem verkündigten und geglaubten Christus die Mitte der Schrift erkannte[8] und von seiner zentralen Gottesgewißheit her sehr drastische Urteile über den Wert einzelner biblischer Schriften fällen konnte[9], ging den Späteren vielleicht notwendig verloren. Sie sahen sich nach innen dem sich gegenüber der Schrift auf innere Offenbarungen berufenden Schwärmertum und nach außen den wachsamen Angriffen der römischen Kontroverstheologen ausgesetzt. Um das sola fide, sola gratia, sola scriptura und damit das sola Christus zu sichern, meinte man dem materialen Rechtfertigungsglauben einen formalen Inspirationsglauben vorschalten zu müssen. Dieses Dogma der Verbalinspiration besagte, daß sich Gott als der eigentliche Urheber der Schrift der Propheten und Apostel nur als seiner Werkzeuge bedient hatte[10]. Was immer sie schrieben, schrieben sie unter dem Diktat des Heiligen Geistes, und also mußte auch alles, was sie geschrieben hatten, in gleicher Weise Gottes Offenbarung sein. Hatte Luther das ,,was Christum treibet" in den Mittelpunkt gestellt und damit dem Einzelgewissen seinen Spielraum gelassen, gewann nun jeder einzelne Satz der Schrift den Charakter letztgültiger und verbindlicher Wahrheit, gleichgültig, ob es sich um Fragen des Glaubens oder des Wissens, um Fragen der Physik, Geographie oder der Geschichte handelte[11]. Das in der Schrift gelehrte Alter der Welt galt demnach als selbstverständlich. An Gottes Sechstagewerk bei der Schöpfung zu zweifeln war verboten. Da die Schrift vom Auf- und Untergang der Sonne sprach, mußte wohl auch

---

[8] Vgl. dazu H. Bornkamm: Luther und das Alte Testament, Tübingen 1948, S. 169 ff.

[9] Vgl. dazu Bornkamm, S. 161 ff.

[10] Vgl. dazu z. B. D. Hollatz: Examen theologicum acroamaticum I, Stargard 1707 = Darmstadt 1971, S. 122: ,,Omnia et singula verba, quae in sacra codice leguntur, a Spiritu Sanctu Prophetis et Apostolis inspirata, et in calamum dictata sunt." Und dazu auch C. H. Ratschow: Lutherische Dogmatik zwischen Reformation und Aufklärung I, Gütersloh 1964, S. 77 mit den Belegen aus Königs Theologia positiva acroamatica, Rostock 1699.

[11] Vgl. dazu Hollatz, Examen, S. 117: ,,Materia, circa quam sacra Scriptura versatur, est vel generalis, vel specialis. Materia specialis et primaria sunt dogmata fidei et praecepta morum(a). Materia generalis sunt res omnes, quae in scriptis canonicis Prophetarum et Apostolorum continentur(b)." Und dazu wiederum auf S. 117: ,,Continentur in sacra Scriptura res historicae, chronologicae, genealogicae, astronomicae, physicae et politicae; quae licet cognitu ad salutem non sint simpliciter necessariae; sunt tamen divinitus revelatae, quia illarum notitia ad interpretandam sacram Scripturam et illustranda dogmata fidei morumque praecepta haut parum facit." – Zur Entwicklung des orthodoxen Inspirationsglaubens vgl. auch Ratschow, Lutherische Dogmatik I, S. 106 ff.

das geozentrische Weltbild richtig sein, weil es von der allweisen Autorität Gottes gedeckt war. Diese Lehre von der Verbalinspiration ist entscheidend dafür verantwortlich, daß es in der Folge zu einem Bruch zwischen christlichem Glauben und neuzeitlichem Wahrheitsbewußtsein gekommen ist. Und diese Lehre verwirrt zum Teil noch heute die Gewissen, indem sie ihnen den Zwang auferlegt, um ihrer Seligkeit willen ihrer Vernunft abzusagen.

Dabei kann die evangelische Welt auf über zweihundert Jahre zurückblicken, in denen sie die Herausforderung des Glaubens durch das Denken der Neuzeit angenommen und die Aufgabe, das Gotteszeugnis der Vergangenheit einer veränderten Gegenwart zu übersetzen, als solche klar erkannt hat. Unter ihren Bahnbrechern ragt der Hallenser Theologe Johann Salomon Semler hervor. In seinem äußeren Lebenslauf gibt es wenig Aufregendes zu berichten: Semler wurde am 15. Dezember 1725 in Saalfeld als Sohn des dortigen Archidiakons und späteren Superintendenten Matthias Nicolaus Semler geboren[12]. Der Vater hatte gothaische Truppen als Feldprediger nach Italien begleitet und dort in der Begegnung mit römisch-katholischen Geistlichen die konfessionellen Gegensätze zu relativieren gelernt. Selbst ein gebildeter Mann, hatte er alles getan, um dem Sohn eine möglichst gediegene Bildung zuteil werden zu lassen. Die Mutter, eine Predigerstochter aus Remda, ging bis zu ihrem frühen Tod in der Fürsorge für die Ihren auf. Der einzige überlebende Bruder war offenbar als erster in der Familie zum Pietisten geworden. Dank seiner Aufrichtigkeit hat er sich in vergeblichen Bußkämpfen frühzeitig verzehrt und ist jung gestorben. Nach dem Tode der Mutter öffnete sich auch der Vater dem am Hofe in hoher Gunst stehenden Pietismus und ruhte nicht, bis sich auch der Sohn bereit erklärte, die Stunde zu besuchen, was ihm eine herzogliche fromme Audienz eintrug. Aber die Redlichkeit, wohl der bemerkenswerteste Charakterzug dieses Mannes, hielt ihn davon ab, sich dem Pietismus zu verschreiben. 1743, mit siebzehn Jahren, bezog er die preußische Universität in Halle, wo er in dem Wolff-Schüler Sigmund Jakob Baumgarten, dem Bruder des Philosophen Alexander Baumgarten, dessen Grundrisse Kant seinen Vorlesungen zugrunde zu legen pflegte, den entscheidenden persönlichen Lehrer fand, der eben zum Ordinarius ernannt war. Schlägt man die dreibändige, von Semler bald nach dem Tode seines Meisters herausgegebene „Evangelische Glaubenslehre"[13] auf, wird man formal das Urteil von Ernst Wolf gerechtfertigt finden, Baumgarten habe als Versöhner

---

[12] Vgl. dazu J. S. Semlers Lebensbeschreibung von ihm selbst abgefaßt I–II, Halle 1781/82 sowie G. Hornig: Die Anfänge der historisch-kritischen Theologie. Johann Salomo Semlers Schriftverständnis und seine Stellung zu Luther, FSThR 8, Göttingen 1961, S. 9 ff.

[13] Halle 1759–1760.

von Philosophie und Theologie „in ehernem Fleiß die auf das Leben bezogene wissenschaftliche Arbeit und eine Masse solider Gelehrsamkeit ... hinüber in das ebenso übersichtliche wie trockene Bett der von
Chr. Wolff übernommenen logischen Schematisierung mit ihren endlo-
sen Divisionen und Subdivisionen" gelenkt[14]. Hier wird noch einmal die
ganze orthodoxe Lehre entfaltet, aber zugleich werden die Weichen so
umgestellt, daß damit der freieren theologischen Denkungsart der Schüler der Weg freigegeben ist. Dabei liegt das Neue oft in dem, was nicht
mehr gesagt wird. Aber der aufmerksame Leser entdeckt auch, daß des
Neuen genügend gesagt ist. Gewiß ist die Schrift inspiriert, III, S. 22, und
gewiß ist Gott ihr eigentlicher Autor, III, S. 26, aber die auctores secun-
darii et causae ministeriales, die sancti homines Dei, III, S. 28, haben
nicht als willen- und vernunftlose Werkzeuge gewirkt, sondern „durch
eigenes Nachdenken und Überlegung unter Eingebung des heiligen Geistes dergleichen ausgefertigt und aufgezeichnet", III, S. 29. Die göttliche
Eingebung war also weder ein ekstatisches Erlebnis noch ein göttliches
Diktat, sondern ein besonderer Beistand, der den Männern der Schrift
bei ihrem Arbeiten zuteil wurde, III, S. 37. Fänden sich Fehler chronolo-
gischer, geographischer oder historischer Natur, würde das der Sache
nicht schaden; allerdings ist Baumgarten noch überzeugt, daß die genaue
Untersuchung die vermeintlichen Fehler als zutreffende Aussagen erkennen läßt, III, S. 37 f. Hier spiegelt sich etwas von der reformatori-
schen Freiheit der Schrift gegenüber wider: Weil die Schrift eben „Glau-
bensgrund der richtigen Lehre von der Heilsordnung" ist, III, S. 23, und
ihr Nutzen „in Unterweisung, Überzeugung, Besserung und Handlei-
tung des Menschen in der Gerechtigkeit" besteht, III, S. 22, sind eben
auch die „bloß zur äußern und leiblichen Wohlfahrt menschlicher Gesellschaften gehörigen Wahrheiten und Lehrsätze ... in der heiligen
Schrift nicht eigentlich vollständig und ausführlich abgehandelt; folglich
ist auch kein Lehrbegriff von solchen Wissenschaften darin zu finden",
III, S. 23. Und unter der Lehre von der efficacia, der Wirksamkeit der
Schrift hören wir, daß die Kraft derselben darin besteht, „das wirksame
oder mit einem beständigen Bemühen verknüpfte Vermögen, gewisse
zum Endzweck derselben, der Besserung der Menschen und Vereinigung mit Gott, nötige Veränderungen in den Menschen hervorzubringen. Welches Vermögen also sich auf Veränderungen, die zu diesem
Zweck nicht gehören, gar nicht erstrecken muß ..." III, S. 164. „... die
Sachen", heißt es weiterhin, „worauf sich diese Kraft der heiligen Schrift
erstreckt, sind moralische Veränderungen des Menschen, die zur geistli-

---

[14] Sigmund Jakob Baumgarten 1706–1757, in: 250 Jahre Universität Halle. Streifzüge
durch ihre Geschichte in Forschung und Lehre, Halle 1944, S. 68. Zu B. vgl. weiterhin M.
Schloemann: S. J. Baumgarten. System und Geschichte in der Theologie des Übergangs
zum Neuprotestantismus, Göttingen 1974.

chen Besserung und Vereinigung der Menschen mit Gott, zur neuen Einrichtung und Verfassung derselben, zur Hervorbringung der höchsten und überwiegenden Neigung gegen Gott nötig sind", ebenda[15]. Wer Semlers spätere Schriften durchsieht, wird bald feststellen, daß der Schüler dem Lehrer in diesem zentralen Punkt unbedingt gefolgt ist und hinter die hier angebahnten Freiheiten, der Vernunft auf dem Gebiet der Welterkenntnisse und bei der Erforschung der Bibel ihr Recht zu lassen, nicht zurückgegangen ist[16]. Doch ehe wir davon handeln, ist noch ein abschließender Blick auf den Lebensweg dieses Mannes nötig: 1750 legte er in Halle sein Magisterexamen ab, um in Coburg eine schlecht dotierte Stelle als Redakteur der dortigen Staats- und Gelehrten-Zeitung zu übernehmen und, zum Professor am akademischen Gymnasium ernannt, vor zwei bis drei Hörern Arabische Grammatik zu lesen, um den Titel nicht gänzlich unberechtigt zu führen. Schon 1751 wurde er Professor der Historie und lateinischen Poesie an der Universität Altdorf bei Nürnberg. Und wieder ein Jahr später erreichte ihn der Ruf auf eine ordentliche theologische Professur nach Halle, dem er nach anfänglichen Skrupeln unter dem Zuspruch Baumgartens 1753 folgte. Nach dessen Tod im Jahre 1757 galt Semler bereits als der bedeutendste Vertreter der Theologischen Fakultät der Universität Halle. Sein Ansehen spiegelt sich darin, daß er dreimal zum Rektor gewählt wurde. 1761/62 hatte er dieses Amt zum ersten, 1789/90 zum dritten und letzten Male inne. Am 14. März 1791 schloß er die Augen für immer. – Die Liste seiner Veröffentlichungen, darunter zahlreiche Übersetzungen aus dem Englischen, Französischen und Holländischen, mit denen er der deutschen evangelischen Theologie den Zusammenhang mit der europäischen sicherte und sie damit zur Weltgeltung führte, umfaßt 218 Nummern[17]. Dabei ist zu berücksichtigen, daß er die Übersetzungen ebenso wie die von ihm edierten Werke deutscher Theologen mit umfänglichen historischen Einleitungen versah, in denen er nachwies, wie die geltenden orthodoxen Lehrmeinungen teils im Laufe der Kirchengeschichte angesichts eines bestimmten aktuellen Anlasses entstandene Ansichten übernahmen, neben denen es immer auch andere gegeben hatte, teils eigentümlich überspitzten. Wir brauchen die Arbeit der sogenannten Neologen, der die geistigen Impulse der Aufklärungszeit aufnehmenden Theologen, nicht zu unterschätzen[18], wenn wir Semler trotz seiner eigentümli-

---

[15] Vgl. diesen Satz mit Hollatz' oben in Anm. 11 wiedergegebenen Zitat aus dem Examen, S. 117.

[16] E. Barnikol: Johann Salomo Semler 1725–1791, in: 250 Jahre Universität Halle (Anm. 14), S. 73 verallgemeinert vielleicht zu sehr, wenn er von der genuin Semlerschen Unterscheidung zwischen öffentlicher und privater Religion her argumentierend feststellt, Semler sei in seinen Grunderkenntnissen selten selbständig gewesen.

[17] Vgl. das Verzeichnis bei Hornig (Anm. 12), S. 251 ff.

[18] Vgl. zu diesen K. Aner: Die Theologie der Lessingzeit, Halle 1929, S. 61 ff.; E.

chen, am Ende behutsam zwischen dem überkommenen und dem kommenden Christentum vermittelnden Position, die ihn mit fortschreitendem Alter mancher Anfeindung aussetzte[19], als den eigentlichen Begründer der historisch-kritischen Theologie und, gemäß dem Titel seines dogmatischen Hauptwerkes, der Institutio ad doctrinam Christianam liberaliter discendam von 1774, das drei Jahre später als „Versuch einer freiern theologischen Lehrart" aufgelegt wurde, zugleich als den Namenspatron der liberalen Theologie ansprechen.

Es ist einfach, seine Schwächen nachzuweisen, zu notieren, daß er fast an alle Probleme gerührt hat, welche die Geschichte und das Wesen des Christentums dem menschlichen Nachdenken stellen, und daß er doch keines derselben wirklich bis in die letzte Tiefe ausgelotet und dann einer zusammenhängenden, in ihren Einzelheiten wohl aufeinander abgewogenen Lösung zugeführt hat. So behält z. B. seine Bestimmung zwischen natürlicher Religion und geoffenbartem Christentum durchaus etwas Schwebendes. Und weiterhin kann man seine wirklich positiven eigenen Äußerungen über die Heilsbedeutung Jesu als allzu pauschal, schematisch und in ihrer Klarheit noch hinter Baumgarten zurückbleibend beurteilen. Der Mann, der als Historiker und Altphilologe begann, hat sicher vor allem einen scharfen Blick für das geschichtlich Bedingte und historisch Gewordene besessen, gleichgültig, ob er nun Kirchen- und Dogmengeschichte, die Entstehung des Kanons oder das Neue Testament und die Dogmatik traktierte. Die schier unermeßliche Fülle des unmittelbar aus den Quellen geschöpften Wissens schloß sich weder zu einer Geschichte des neutestamentlichen Zeitalters der Kirche noch einem System christlicher Glaubenslehre zusammen. All dies blieb vielmehr in Ansätzen und Hinweisen stecken. Aber darüber darf zweierlei nicht vergessen werden: Die in Halle durch Baumgarten und Semler ausgebildeten preußischen Pfarrer hatten es gelernt, aufrichtig und auf das Wesentliche konzentriert zu predigen. Und was da auf dem Katheder vorgetragen und in dieser wahren Flut von Schriften in das Land hinausgegangen war, hatte die Landschaft der evangelischen Theologie so verändert, daß es für sie keinen Weg an ihm vorbei und zurück gab[20]. Aus einer primär dogmatischen, die Schrift und die Geschichte auf dicta probantia, auf stützende Sätze für ein System vermeintlich ewiger Wahrheiten abhörenden Wissenschaft war eine sich historisch begründende geworden, aus einer ihrem Anspruch nach an alle Menschen gerichteten heilsnotwendigen Lehre eine Spezialwissen zur Leitung einer

---

Hirsch: Geschichte der Neuern Evangelischen Theologie IV, Gütersloh 1964³, S. 3 ff. und J. Schollmeier: Johann Joachim Spalding. Ein Beitrag zur Theologie der Aufklärung, Gütersloh 1967.

[19] Vgl. dazu Aner, S. 98 ff.
[20] Vgl. E. Hirsch, S. 87 f.

christlichen Gemeinde vermittelnde Wissenschaft[21]. Die Einsicht, daß
alle menschlichen Aussagen und menschlichen Lehren grundsätzlich geschichtlich bedingt, von der Eigenart der sie bildenden Menschen, ihren
gesellschaftlichen, örtlichen und zeitlichen Umständen abhängig sind,
spiegelt sich ein um das andere Mal in seinen Abhandlungen und fordert
den Nach- und Mitdenkenden zu dem Schluß heraus, daß es am Ende
beim christlichen Glauben nicht um Satzwahrheiten, sondern eine besondere, sich im Umgang mit den Mitmenschen spiegelnde und äußernde Art der Gottesbeziehung geht. Und letzte göttliche Autorität
kann daher auch nur dieser selbst zukommen, während alle menschlichen Veranstaltungen zu ihrer Begründung und gemeinsamen Pflege relativ und wandelbar sind.

Vergegenwärtigen wir uns, wie sein historisches Nachfragen und
Ernstnehmen der Befunde das orthodoxe Lehrgebäude gleichsam im
Sturm eroberte und schleifte, werden wir zu Recht an erster Stelle seiner
umständlichen vierbändigen „Abhandlung von freier Untersuchung des
Canon", Halle 1771–1775, gedenken. Die Orthodoxie berief sich hinsichtlich des Alten Testaments auf den hebräischen Kanon, der seine
letzte Abrundung im rabbinischen Judentum erhalten hatte. Neben ihm
steht bekanntlich der umfangreichere griechische des alexandrinischen,
hellenistischen Judentums und der weniger umfangreiche der Samaritaner. Angesichts dieses Befundes bedurfte es letztlich nur der ironischen
Frage, ob der hebräische Kanon „desto gewisser lauter göttliche Schriften" enthält, weil er mehr Bücher als der samaritanische und weniger als
der griechische umfaßt, I, S. 8, um der Einsicht Bahn zu brechen, daß es
jeweils ganz bestimmte Bedürfnisse der Religionsgesellschaften gewesen sind, die sich in der Abgrenzung von anderen diese Auswahl geschaffen haben. „In den älteren Zeiten", stellt er I, S. 11 fest, „ist es ganz un-
leugbar, daß Canon das Verzeichnis heißt von den Büchern, welche in
den Zusammenkünften der Christen öffentlich vorgelesen wurden. Ca-
nonische Schriften, oder Bücher, sind eben solche, die zum öffentlichen
Vorlesen bestimmt sind." Und Semler erkennt auch den Zweck der Veranstaltung, die notwendige Abgrenzung gegen die als ketzerisch betrachteten religionsverwandten Parteien, I, S. 12. Eine öffentliche Reli-

---

[21] Vgl. z.B. die Definitionen Königs bei Ratschow, Lutherische Dogmatik I, S. 27, und
die Thesis I Baumgartens in seiner „Evangelischen Glaubenslehre" I, S. 3 mit der Bestimmung, die ihr Semler in seinem „Versuch einer freiern theologischen Lehrart", S. 1 gibt,
„daß sie eine den Lehrern der christlichen Religion eigentümliche Geschicklichkeit eigentlich ausmacht, die christlichen Wahrheiten sowohl aufs Beste ihren Zeitgenossen zu empfehlen, als auch die verschiedenen Vorstellungen und Verknüpfungen der selben, wodurch
besondere Sekten oder Parteien der christlichen Religion entstanden sind, richtig zu beurteilen". Daraus folgert daß sie a) „sowohl an sich veränderlich" wie b) „eines jeden Wachs-
tums fähig" und c) „folglich aber auch eben deswegen gewissen Mängeln immer ausgesetzt" ist.

gionsgesellschaft muß festlegen, welche Schriften sie ihrer gemeinschaft-
lichen und öffentlichen Religionsausübung zugrunde gelegt wissen will.
Und sie läßt sich dabei von sachlichen Gesichtspunkten leiten. Ob die
einst für die Auswahl der Schriften bestehenden Kriterien weiterhin gültig sind, ist dagegen durch keine dogmatische Vorentscheidung zu sichern, sondern der freien, den Inhalt der Schriften prüfenden Untersuchung zu überlassen. Die Demonstration der Göttlichkeit der Bücher
des hebräischen Kanons in der Orthodoxie bringen, legt man das Sach-
kriterium der christlichen Religion an, für sie „nicht das allergering-
ste . . . indem diese Bücher der Juden unsre Religion nicht enthalten.
Alle diese Bücher des alten Testaments gehören zur Geschichte und
Wahrheit der jüdischen Religion; aber sie haben mit der christlichen Religion keinen Zusammenhang; sie sind weder Grund, noch der Inhalt des
Christentums", wird es im „Versuch einer freiern christlichen Lehrart"
S. 108f. heißen. Und wenn Jesus und Paulus sich in ihren Gemeinden auf
das Alte Testament berufen haben, ist damit noch nicht ausgemacht,
„daß den Christen, zur christlichen Belehrung und bessern Gemütsfas-
sung jene 24 Bücher nötig seien". ebenda, S. 242, vgl. auch Abhandlung
von freier Untersuchung des Canon II, S. 557 und S. 586f. Die Problematik der Übernahme aber gerade des rabbinischen Kanons erhellt
schon daraus, „daß viel untadelhafte fromme Christen aus dem Buche
Sirach und der Weisheit recht unmittelbar vielmehr eigenen moralischen
Nutzen sich schafften . . ., als es je möglich war, aus dem Buch Ruth,
Esther, manchen Stücken der Nationalhistorie, manchen Teilen der
Sprichwörter etc. für eine christliche Gesinnung zu sammeln", Lebensbeschreibung. Zweiter Theil, Halle 1782, S. 135. Mag sich das Alte Testament aus diesem oder jenem Grund dem Christen, dessen Heilige
Schrift und dessen Erlöser selbst dem Judentum entstammen, empfehlen, so steht doch vorab fest: „An sich sammeln Christen die Erkenntnis
Gottes und der besten Verehrung desselben nicht aus den Büchern des
alten Testaments; sondern zunächst aus der vollkommenern Lehre Christi und der Apostel", Versuch einer freiern christlichen Lehrart, S. 263.
„Allein", so fährt er fort, „es ist demohngeachtet nützlich, wenn Christen den Anfang der Geschichte der jüdischen Religion wissen und nun
mit der christlichen vergleichen."[22] Scharfsichtig erkennt er, daß der
christliche Gebrauch des Alten Testaments seiner Zeit weitgehend nicht
einen solchen, die Unterschiede und mit den Unterschieden den eigenen
Standort deutlicher erkennen lassenden Gebrauch im Auge hat, sondern
eine Rückspiegelung neutestamentlich begründeten christlichen Glaubens in das Alte Testament darstellt: „allein dies ist bloß eine jetzige Beschäftigung dieser Christen, welche aus dem habenden Schatze auch so

---

[22] Zur Sache vgl. auch Semler, S. 89ff.

oder so viel Stellen mit einem geistlichen Inhalt bereichern." ebenda, S.
266. Semler verkennt nicht die Ansätze, aber er bleibt dabei, daß der
spezifisch christliche Glaube auch erst durch Christi Lehre bekannt geworden ist und so in der jüdischen Religion und ihrem Dokument, dem
Alten Testament, noch nicht enthalten war, ebenda. Damit ist nicht nur
eine der Säulen des Inspirationsglaubens aufgelöst, sondern zugleich der
weiteren theologischen Arbeit die Aufgabe gestellt, das Verhältnis zwischen den beiden Testamenten sachlich zu überprüfen und neu zu bestimmen, eine Aufgabe, die bis zum Tage nicht als gelöst betrachtet werden darf. Man mag Semlers Urteile als unhistorisch oder zu wenig geschichtlich denkend ablehnen, einen Weg zurück zur einflächigen Projektion beider Testamente gibt es seit ihm in Wahrheit nicht mehr[23].
Und wie nebenbei hat denn Semler auch die aus der Überspitzung der
Inspirationstheorie abgeleitete Behauptung der Theopneustie auch der
hebräischen Vokalzeichen ad absurdum geführt, wofür ihm Baumgarten
wiederum eine Bahn gebrochen hatte, indem er erklärte, es handle sich
bei dieser Ansicht um „keine unentbehrliche Glaubenslehre; auch (sei)
die gegenseitige Meinung, die manche Wahrscheinlichkeit vor sich hat,
kein gefährlicher Irrtum . . .", Glaubenslehre III, S. 144 und vgl. dazu
den Versuch, S. 231f.

Aus dem bisher Ausgeführten geht zur Genüge hervor, daß die Anta-
stung des formalen Inspirationsdogmas die materiale Frage nach dem
Verbindlichen der Schrift oder in der Schrift notwendig zur Folge hatte.
Die letztlich gegenüber dem Alten Testament vertretene Forderung der
Offenheit des Kanons konnte auch vor dem Neuen Testament nicht halt
machen. Hier zeigt zunächst die Textgeschichte, wie es um die Verbalinspiration bestellt ist. In seinem „Letzten Glaubensbekenntnis über natürliche und christliche Religion", das sein Schüler Christian Gottfried
Schütz 1792 in Königsberg herausbrachte, heißt es entsprechend S. 43:
„Nun man aber nach und nach die Geschichte des Textes des N.T. etwas
genauer zu sammeln angefangen hat: so sind wenig christliche Lehrer
ferner so unwissend, daß sie Gottes unaufhörliche Wirkung oder Inspiration ferner an jene griechische Wörter und ihren dortigen Inhalt fes-
seln wollten, da diese Worte geradehin allesamt in vielerlei Veränderungen und Umtauschungen angetroffen werden, also auch nicht eine fest-
stehende Summe der Gedanken enthalten können. Gottes Wirkung in
den Aposteln oder Verfassern dieser Schriften, auf ihren Verstand und
Urteil zu einer neuen Erkenntnis ist uns nun genug." Und sofort erkannte Semler, daß sich auch im Neuen Testament keine durchgehende
Lehrverknüpfung zu erkennen gibt, sondern offenbar auch hier ver-

---

[23] Vgl. das Urteil von Hirsch, S. 61: „Damit schlägt er ein Thema an, das in der Geschichte der deutschen Theologie und Kirche nicht zur Ruhe gekommen ist bis auf den
heutigen Tag."

schiedene Anlässe verschiedene Autoren zu einer ganz unterschiedlichen Entfaltung der Botschaft von Jesus als dem Erlöser herausgefordert haben, ebenda S. 49. Aus dem offensichtlichen Unterschied der Lehrarten schon im Neuen Testament folgt aber, daß zur für jeden rechten Christen notwendigen Theologie nur das gehört, was für die gemeinschaftliche Wohlfahrt, die *sōtāría*, unentbehrlich ist, Versuch einer freiern christlichen Lehrart, S. 269. Man ahnt schon, was da alles fallen wird: Die Dämonologie und Angelologie, – einem Kritiker antwortet er temperamentvoll in der Vorrede zum „Versuch": „Von den Engeln hätte ich, wie leicht zu denken, eine magere Vorstellung gemacht; weil ich die Bibel nicht ganz als Gottes Wort annähme; über solche armselige Winke brauche ich nichts zu sagen; ich will dem Verfasser die gröbste Engellehre mit Uriel, Raphael, u. dgl. schenken, wenn er dieses leere Geräusch will für Gottes Wort halten. Wie lange will man aber", so lautet seine fundamentale und bis heute aktuelle Klage, „unsre Christen täuschen, mit solchen Larven, die Bibel sei ganz Gottes Wort! Schande und Sünde ist es für Lehrer, daß sie solches Stroh und Spreu noch herum tragen und Paulo und Christio ins Angesicht widersprechen." Man braucht nur an die Antithesen der Bergpredigt, an Jesu: „Ihr habt gehört, daß zu den Alten gesagt ist . . . Ich aber sage euch . . ." von Mt 5,21 ff. oder an die paulinische Gegenüberstellung von alttestamentlichem, tötendem Buchstaben und lebenschaffendem, christlichem Geist, 2.Kor 3, zu erinnern, um zu erkennen, daß der Appell, eine bestimmte Aussage stehe in der Bibel, noch längst nicht ihre Wahrheit und Gültigkeit erweist. Von der recht verstandenen Mitte der Schrift her öffnet sich die Freiheit, sich im Zusammenstoß zwischen antikem und modernem Weltbild ein eigenes Urteil vorzubehalten. Um Semlers Einstellung zum Teufel und den Dämonen kennenzulernen, bedarf es nur der Wiedergabe seiner Exklamation: „Wie könnte man Meinungen jener abergläubischen Juden zu Teilen des seligmachenden göttlichen Unterrichts machen!" ebenda.

Angesichts derartiger, uns bereits auf seine Behandlung der altkirchlichen Christologie vorbereitender Stellungnahmen entsteht erst recht die Frage, wie Semler sich das Wort Gottes positiv bestimmt dachte. Er beantwortete diese Frage im Horizont des für sein gesamtes theologisches Denken kennzeichnenden Gegensatzes zwischen öffentlicher und privater Religion, der sich in eigentümlicher Weise mit der Gegenüberstellung von natürlicher und geoffenbarter Religion, wie sie dem Aufklärungszeitalter geläufig war, und Glaube und Glaubensgedanken überschneidet. Gerade wenn man ihn auf das zuletzt genannte Gegensatzpaar zurückführt, gehört er zu den großen und unaufgebbaren Entdeckungen Semlers: Die Glaubensgedanken wandeln sich notwendig im Laufe der Zeiten und Orte, der Glaube als auf Gott selbst gerichtetes Grundvertrauen ist, sofern er nicht durch falsche Glaubensgedanken

behindert wird, der gleiche[24]. Auch hier mag man kritisieren, daß Semler
den fruchtbaren Gedanken zu sehr im Horizont öffentlichen Staats-
christentums und selbstzuverantwortender Privatreligion gesehen und
so die positiven Folgerungen für das Verhältnis zwischen Glaube und
Glaubensgedanken nicht hinreichend bedacht hat, ohne damit sein Verdienst zu schmälern[25]. Die öffentliche Religionsausübung zielt auf die
„bürgerliche Vereinigung und Sicherheit alles bürgerlichen Wohlstan-
des" ab, Glaubensbekenntnis, S. 8. Sie ist nach seiner Überzeugung gemäß der Verschiedenheit der Menschen auch notwendig verschieden,
ebenda, S. 62. Aber gerade von dem Nachdruck her, der für ihn auf der
Privatreligion liegt, verliert das im Pluralismus liegende Problem für ihn
an Interesse. Denn die „wahre christliche Religion" ist eben „durchaus
in den Gemütern aller wahrer Christen unter allen Parteien" zu finden,
ebenda, S. 61. Und entsprechend hielt er wenig von der Proselytenma-
cherei[26]. – Aber worin besteht nun eigentlich der Kern des Ganzen,
diese Privatreligion? In seinem „letzten Glaubensbekenntnis" heißt es
S. 213 f.: „. . . die ganze Lehre Christi und der Apostel gehe dahin, ein
jeder muß sich selbst auf Erkenntnis Gottes, Christi, des Geistes Gottes,
und ihre immer bessere Anwendung legen; . . . Man kann also mit Recht
sagen, Christus ist der Urheber der eigenen freien Privat-Religion aller
Christen; er lehrte eben die Unentbehrlichkeit der eigenen innern Verehrung Gottes für alle dazu fähigen Menschen, da die bessern Begriffe
von Gottes moralischem Verhältnis, das nicht bloß auf Juden ging, gerade zum neuen Grunde gehörten, weswegen eine solche Privatreligion
so gern vorgezogen wurde." So vermittelt die christliche Religion dem
Menschen ihrer Bestimmung nach auch „die würdigern Begriffe von
dem moralischen Verhältnisse Gottes", ebenda, S. 19. In der Komparа-
tion liegt bereits beschlossen, daß es in diesem Sinne echte und wahre
Religion auch außerhalb des Christentums und so auch als natürliche
und d. h. letztlich philosophische Religion gibt, S. 84 f., sofern sie eben in
dem moralischen Erkenntnisprozeß steht, der den Menschen dem vollkommenen Gott gegenüberstellt und an ihm mißt[27]. Grundsätzlich sind

---

[24] Zur Sache vgl. auch J. Chr. K. Hofmann: Der Schriftbeweis, Nördlingen 1852, S. 4:
„. . . es ist eben so wahr, daß Jeder seine eigene Theologie hat, nämlich jeder, der überhaupt eine hat, als es unwahr ist, daß Jeder seinen eigenen Glauben hat, wenn er nämlich
überhaupt einen hat."
[25] Es ist unmittelbar einsichtig, daß z.B. eine falsche Meinung über einen Freund die
Freundschaft stört. So verhält es sich auch mit unangemessenen Gedanken über Gott: Sie
wecken falsche Befürchtungen oder Hoffnungen und stören damit das auf Gott gerichtete
und in ihm gründende Vertrauen. Die „Privatreligion" fordert mithin die Anpassung der
öffentlichen Religion an ihre eigenen Erfahrungen. An dieser Stelle haben schon die Zeitgenossen die Konsequenz bei Semler vermißt, vgl. dazu Aner, S. 89 ff.
[26] Vgl. dazu seine Erzählung, Lebensbeschreibung I, S. 289 ff.
[27] Entsprechend hält er auch den Raum für die Möglichkeit und den Nutzen einer philo-

für Semler alle moralischen und d.h. die geistig-sittliche Persönlichkeit betreffenden Erkenntnisse[28] von Gott gewirkt, Abhandlung I, S. 38. Aber die christliche Religion vermittelt diese Erkenntnis am vollkommensten – solange sich die Lehre nicht vor das gemeinte Leben stellt, Letztes Glaubensbekenntnis, S. 91. Hat die christliche Lehre diese Erkenntnis vermittelt, ist es Aufgabe des einzelnen, „in unaufhörlicher innerer Verehrung Gottes" fortzuschreiten, ebenda, S. 19. „Diese innere Religion", heißt es ebenda, „ist für den Christen um seines eigenen moralischen besten Zustandes willen die Hauptsache, ist für ihn ganz frei, und hängt bloß von seiner eignen Erkenntnis alles moralisch Guten ab; oder er folgt seinem eigenen Gewissen, in seiner Privatreligion; die äußere läßt er sich gern gefallen." Wenn wir durch die Begrifflichkeit hindurchstoßen, erkennen wir das reiche, in ihnen enthaltene Leben: Wo der Mensch vor Gott steht, da ist er von allem menschlichen Dreinreden frei. Da muß er sich ganz seinem eigenen Gewissen überlassen. – Wer hier kritisieren will, darf nicht übersehen, daß es für Semler immer schon das christlich belehrte Gewissen gewesen ist. Von diesem Zentrum her ergibt sich für den einzelnen gegenüber der Bibel die Freiheit, die sich in dem Satz äußert: „. . . die Christen sind nicht um der Bibel willen da, . . ., sondern die Bibel ist um der Christen willen da, daß sie immer bessere, glücklichere Kenner des ihnen zunächst nötigen Inhalts der Bibel ganz frei werden sollen mit Unterscheidung des ihnen unnützlichen", ebenda, S. 276. So gilt denn im Blick auf das Alte Testament der Satz von 1.Thess 5,21: „Prüfet alles und das Gute behaltet!" Versuch einer freiern theologischen Lehrart, S. 244. Und von diesem Zentrum her gewinnt der Historiker auch die Freiheit, die trinitarischen und christologischen Dogmen als „nicht zum Inhalt des christlichen Glaubens, der den Grund einer christlichen Gesinnung und damit zusammenhängender eigenen geistlichen Wohlfahrt ausmacht", gehörend zu bezeichnen, „als welcher Grund des christlichen Glaubens die Gnadenwohltaten Gottes in der Zeit begreifet, nicht aber eine Historie des innern Wesens Gottes", Versuch einer freiern christlichen Lehrart, S. 307, vgl. auch S. 421, wo ähnliches ausdrücklich zur Christologie einschließlich der Vorstellung von

---

sophischen Theologie offen. Vgl. Versuch einer freiern christlichen Lehrart, S. 222 ff. und S. 226: „. . . es ist und bleibt für Menschen und für Gott möglich, daß sie ihrem innern Zustande nach dergleichen besondre unmittelbare Kenntnis Gottes überkommen haben, davon sie den Grund weder in sich noch in andern Zeitgenossen finden konnten. Wenn andre durchaus mit sich und ihrem eigenen Leben so zufrieden sind, daß sie dergleichen Beschäftigung und Regierung Gottes auch an allen andern Menschen leugnen: so haben sie nicht mehr Recht dazu, als jene, welche andre Gründe und andre Erfahrungen zu haben glauben."
[28] Zur Bedeutung des Wortes moralisch bei Semler vgl. Hirsch, S. 55 Anm. 1, der darauf aufmerksam macht, daß es im Gegensatz zu physisch steht und die Übersetzung „geistig-persönlich" bzw. „sittlich-religiös" verlangt.

der Inkarnation gesagt wird. Vermutlich würden die meisten Theologen der Gegenwart erschrecken, wenn sie bei Semler läsen, daß es keineswegs für alle Menschen heilsnotwendig ist, die Trinitätslehre anzuerkennen, ebenda, S. 203[29], oder daß die Satisfaktionslehre nicht zum unabdingbaren Kern des christlichen Glaubens gehört, ebenda, S. 195 ff. vgl. S. 562 ff. Vermutlich hat sich Semler energischer um die zeitgemäße Ausrichtung des Evangeliums gesorgt, als das heute bei manchem der Fall sein mag, der die herkömmlichen Bekenntnisse mehr oder weniger unbedacht wiederholt. Immerhin war Semler von seinem geschichtlichen Überblick davon überzeugt, daß es unbillig wäre, Menschen, denen das christliche Heilswerk in dieser oder jener Form nahegebracht worden und nahegekommen ist, auf eine andere Lehrart festlegen zu wollen. Gott kann sich dieser wie jener bedienen, um seine Wahrheit zu verbreiten. Wollte man aus dieser Toleranz im Blick auf die Lehre den Schluß ziehen, man könne sich nun gleich an eine philosophisch gereinigte Moralität halten und dem Christentum den Abschied geben, hätte man Semlers Absicht wiederum verkannt: „Und dennoch", erklärt er in seinem „Versuch" S. 260, „kann kein Christ es sich erlauben, bloß die sogenannten natürlichen Kenntnisse zu seiner moralischen Ordnung auszuwählen; er würde sich selbst einer Untreue und Hinderung der Absichten Gottes an ihm, beschuldigen müssen."[30] – Der Mann, der seine Psalmen betete[31], in seinem angefochtenen Dasein Choräle sang und in Jesus den großen, unübertroffenen Lehrer der „besseren Erkenntnis und Verehrung des höchsten Wesens" sah, Letztes Glaubensbekenntnis, S. 24, erhielt seine Freiheit von dem, vor dem sie endete, dem in der Schrift bezeugten Jesus Christus.

Es ist leicht, sich an dem sprachlichen Gewand der Gedanken Semlers zu stoßen und sich bei dem Unabgeschlossenen seiner Gedanken aufzuhalten, die am Ende konsequenter gewesen sind, als mancher seiner Kri-

---

[29] Vgl. auch das Urteil von F. Maass: Was ist Christentum?, Tübingen 1978, S. 83: „Die Dogmen können in ihrer Absicht und ihrem Ziel, ihrem Glaubensgehalt und ihrem Existenzverständnis gewürdigt werden. Ihre Sprache war den Menschen der hellenistischen Welt vertraut und verständlich, aber nicht mehr dem Menschen der Neuzeit. Er hätte die Sätze des Dogmas nicht als Ausdruck seiner Christuserfahrung und -verehrung wählen können. Er kennt die Grenze seines Wissens und versagt sich Entscheidungen über Jenseitiges."

[30] Es wäre eine Aufgabe für sich, Semlers philosophisch-theologische Meinungen darzustellen und zu zeigen, in welchem Verhältnis sie zur christlichen Offenbarung stehen. Sachlich liefe es darauf hinaus, daß die Christusoffenbarung den Glauben an Gott bereits voraussetzt, vgl. Versuch, S. 222 ff.

[31] So konnte er von ihnen urteilen: „Geist und Kraft Gottes ist in sehr vielen dieser Lieder, sie mögen Gott preisen und loben, oder Gott in eigner innerlicher oder äußerlicher Not um Hilfe und Beistand anrufen; oder die wahre Erkenntnis Gottes wider Laster und Unglauben retten; oder künftige Anstalten Gottes unter den Menschen vorhersagen", S. 114.

tiker zugestehen mag. Wir haben andeutungsweise versucht, durch die fremde Sprache zur gemeinten Sache durchzustoßen. Und vielleicht muß man dazu das Bild des gewissenhaften und geradezu skrupulösen Mannes vor Augen haben, das seine Selbstbiographie erkennen läßt. Seine Bedeutung für die Theologiegeschichte ist unbestreitbar: Die moderne Bibelwissenschaft beider Konfessionen macht von der Freiheit Gebrauch, die er ihr forschend und denkend erstritten hat. Und längst ist es zum Allgemeingut geworden, daß die biblischen Texte wie die kirchlichen Lehrsätze ihrer Zeit verpflichtet sind und vorab aus ihrer Zeit verstanden werden müssen, ehe man nach ihren Entsprechungen in der Gegenwart fragt. – Für Semler folgte daraus die Relativität der Glaubensgedanken. Worauf es in ihnen eigentlich ankommt, daß der Mensch unmittelbar zu Gott werde und sich vor ihm in seinem sittlichen Verantwortungsbewußtsein messen, demütigen und in seiner inneren wie äußeren Ausgesetztheit tragen läßt, blieb ihm als das Wesentliche zurück. Blickt man auf die ihm durch die Späteren zuteil gewordene Beurteilung, so schwankt sein Bild in der Geschichte. Je nach dem Maß der eigenen Freiheit sieht man in ihm einen Beförderer oder einen Verderber christlicher Wahrheitserkenntnis[32]. Mir selbst erscheint es billig, aus der Vorrede zu zitieren, die sein Schüler Christian Gottfried Schütz seinem „Letzten Glaubensbekenntnis" vorangestellt hat. Er findet in Semlers Theologie den Niederschlag der großen Wahrheit, die Lessing seinen Nathan aussprechen ließ:

> „Daß Ergebenheit in Gott
> Von unserm Wähnen über Gott
> So ganz und gar nicht abhängt." S. IX.

Mag Semler die Rolle der Glaubensgedanken zu sehr relativiert und ihre Aufgabe, den Raum für die Glaubensgewißheit oder das Grundvertrauen in Gott als den Garanten von Heil und Leben zu gewinnen und zu erhalten, zu beiläufig berücksichtigt haben, wird man Schütz doch zustimmen, wenn er diesen dank seines historischen Wissens und seiner persönlichen Frömmigkeit tolerant gewordenen Mann den Glaubenseiferern gegenüberstellt und dann zugunsten seiner Konzentration auf das Wesentliche dies ins Feld führt: „Wenn man niemals mehr als diesen Grundsatz, verbunden mit der höchst reinen und vernünftigen Sittenlehre Christi für nötig gehalten hätte, um jemanden einen Christianer zu nennen, was für ein Unglück, welche abscheulichen Szenen des Verfolgungsgeistes in der christlichen Kirche wären der Menschheit erspart worden." S. X. Die größte Toleranz, fügen wir hinzu, entspringt nicht der Skepsis, sondern der Gewißheit, bei Gott geborgen zu sein, bei dem Gott, dem auch der andere in seiner Eigenart und seinem Geschick gehört.

---

[32] Vgl. dazu die Übersicht bei Hornig, S. 14 ff.

Gott in Christus oder vom Sinn des Gebets[1]

Zum Gedächtnis an Johannes Klein

Soll die alttestamentliche Exegese nicht einem bloßen Historismus überantwortet werden und damit der Belanglosigkeit verfallen, muß es dem Ausleger unbenommen bleiben, über die Feststellung dessen, was da steht, hinauszugehen und die Frage zu stellen, um deretwillen recht verstanden das ganze historisch-kritische Geschäft veranstaltet wird, was uns der Text angehe. Handelt er von den Psalmen, muß er sich wohl Rechenschaft darüber ablegen, welchen Sinn das Beten selbst hat. Wenn er meinen kann, über den historischen Ort der Psalmen im israelitisch-jüdischen Gottesdienst trotz der ererbten, scharf und unausgeglichen gegeneinander stehenden Hypothesen der letzten fünfzig Jahre eher zu einer Verständigung als über den Sinn und die Bedeutung des Betens für uns zu kommen, enthüllt sich darin die Angefochtenheit, wenn nicht gar Auflösung der Theologie als Wissenschaft von *Gott*. Was hilft es ihm und denen, mit denen er sich um die Psalmen versammelt, historisch zu wissen, daß das Gebet „Herz und Mittelpunkt der Religion" ist[2], wenn dieses Herz gegenwärtig nicht mehr schlägt oder durch die permanente Infragestellung seines Sinnes außer Takt kommt?

Es mußte keineswegs die Sicherheit der beati possidentes sein, die sich im Gebet aussprach. Denn Friedrich Heiler hat in seinem letzten großen Werk kaum naiv formuliert, daß der Schrei des gottfernen Menschen nach der Gottesnähe ein Urlaut des echten Gebetes sei[3]. Mag es also sein, daß sich der Beter von Gott verlassen dünkt, daß er erschauernd fragt, ob sich Gott verborgen oder seiner vergessen habe[4], so steht doch hinter jedem Gebet die Erwartung, wenn schon nicht unbedingt, daß Gott es

---

[1] Eröffnungsvorlesung des Psalmenkollegs Sommer-Semester 1974 im Fachbereich Ev. Theologie an der Universität Marburg/Lahn.

[2] F. Heiler: Das Gebet, München 1969=1923[3], S. 2.

[3] Erscheinungsformen und Wesen der Religion, Die Religionen der Menschheit, hg. Chr. M. Schröder, 1, Stuttgart 1961, S. 319.

[4] Daß ein Germanist diese Frage als das eigentliche und zentrale Thema menschlicher Existenz erkennt, sollte eine ihrer Sache unsicher gewordene Theologie zum Aufhorchen bringen. Vgl. dazu Johannes Klein: Kampf um Gott in der deutschen Dichtung, Witten und Berlin 1974.

erhört, so doch die, daß er es *hört*[5]. Damit ist jedenfalls festgestellt, daß das Gebet von seinem Ursprung und seiner Geschichte her etwas anderes als eine Art des autogenen Trainings ist, obwohl es sicher psychologisch und psychosomatisch faßbare Effekte besitzt. Aber gerade wenn es diese behalten oder zurückgewinnen soll, dürfen sie nicht zum Selbstzweck erhoben werden, darf der Beter nicht in der Überzeugung gelassen werden, daß er in seinem Beten bei sich selbst bleibe, sondern muß er darauf vertrauen, daß er nicht zu sich selbst und nicht ins Leere spricht. Es nützt nichts, lange Umwege einzuschlagen, sondern es muß so deutlich wie nur möglich gesagt werden, daß es im Gebet um den Verkehr des Menschen mit Gott geht[6].

Nun ist es keine Frage, daß das Gebet als Akt samt seiner Geschichte, deren wohl konstantester Traditionsstrom dem alttestamentlichen Psalter entspringt, gerade deswegen unter die Verdächtigungen der Moderne gefallen ist, weil es sich an Gott wendet; ist sich diese doch weitgehend darüber einig, daß Gott eine Projektion des Menschen, Religion schwächliche Flucht vor dem Handeln[7] und das Gebet bestenfalls mit Ludwig Feuerbach Anbetung des eigenen Herzens[8] und schlimmstenfalls ein quietistischer Selbstbetrug und also schon deshalb gesellschaftlich objektiv so schädlich wie die Religion überhaupt und, da es Religion nur in konkreten Ausformungen gibt, also auch alle Religionen sind. Im Streit um den Sinn des Gebets geht es also um gar nichts anderes als um die Wirklichkeit des Gottes, der für den Menschen da ist, um Gott selbst.

Verhält es sich so, dann ist offensichtlich mit der phänomenologisch wie historisch jedenfalls problematischen Behauptung, das Christentum oder der christliche Glaube sei keine Religion, der Infragestellung Gottes und des Gebetes nicht zu entkommen[9]. Was immer sachlich Richtiges mit dieser These der zwanziger Jahre gemeint gewesen sein mag, die zwischen dem Glauben als Antwort auf die in Jesus Christus geschehene Offenbarung Gottes und der Religion als einem scheinbar dem Menschen zur

---

[5] Vgl. dazu G. Ebeling: Das Gebet, ZThK 70, 1973, S. 224: „Konstitutiv für das Gebet ist nicht, daß es *erhört*, sondern daß es *gehört* wird."
[6] Vgl. dazu schon und immer noch J. Calvin: Institutio Christianae Religionis III, 20, 2, dessen Entfaltung der mit dem Gebet verbundenen Probleme noch heute mit Gewinn zu lesen ist.
[7] Unangebrachten Gewissenstrost am Ende des Lebens, wo noch Schärfung des Gewissens angebracht wäre, nannte Kant in der „Religion innerhalb der Grenzen der bloßen Vernunft", hg. K. Vorländer, PhB 45, Hamburg 1961=1956[6], S. 84 Anm. „gleichsam Opium fürs Gewissen".
[8] Das Wesen des Christentums, hg. W. Schuffenhauser, I, Berlin (Ost) 1956, S. 206.
[9] Vgl. dazu auch Ebeling, S. 217 f. und zur Sache C. H. Ratschow: Das Christentum als denkende Religion, NZSTh 5, 1963, S. 16 ff.

Verfügung stehenden Standpunkt unterschieden wissen wollte[10], so bleibt sie mit ihrem scheinbaren Entgegenkommen gegenüber der Anthropologisierung und Soziologisierung der Religion durch die beiden entsprechenden Wissenschaften von diesen her gesehen doch auf der Strecke. Denn auch wo sie die Formel von dem Gott in Christus gebraucht, enthält diese, ist sie nicht leer, als Subjekt, das ernst genommen werden soll, Gott. Entgegen der erklärten Absicht ihrer Väter mag sich die Versuchung nahe legen, das Subjekt aufzulösen, es erst zu unterschlagen und dann zu leugnen, daß das Wort Gott hier wirklich den meint, der aller Welt und allen Menschen voraus ist, den man in der Sprache der Metaphysik als Ursprung, Urgrund und Abgrund der Welt angesprochen hat[11] und der als das Woher der uns Menschen treffenden Forderung in unaufhebbarer Distanz zu Mensch und Welt steht. Man muß bei diesem Beginnen freilich schon die mit dem Worte Christus gesetzten Konnotationen auf die Seite schieben, weil sie über die bloß humane, bloß menschliche Sphäre hinausweisen. So liegt es denn näher, statt von dem Christus von Jesus zu sprechen und dann das „Gott in Jesus" mit einem idealen Verhältnis der Menschen zueinander gleichzusetzen.

Nun ist allerdings die bloße Rede von dem Christus von ihrem Ursprung her nicht ohne Zweideutigkeiten, so daß eigentlich richtiger immer von dem Gott in Jesus Christus gesprochen werden müßte, weil damit das mit dem Prädikat Christus gemeinte Erlösungsgeschehen an den Menschen Jesus von Nazareth gebunden wird[12]. Trifft das zu, müßte in der bedachten Begegnung mit Jesus unsere Öffnung auf Gott hin erfolgen, unser atheistisches Selbstverständnis in Frage gestellt werden. Probieren wir es also mit dem „Bruder Jesus", mit „Jesus, dem Helfer der Entrechteten, dem Wahrer der Chancengleichheit und Opponenten gegen das Establishment, dem Revolutionär", oder wie all die Versuche heißen mögen, seine Gestalt in die aktuellen politisch-gesellschaftlichen Bezüge einzubringen. Daß in ihnen jeweils ein richtiges Moment zum Zuge gebracht wird, dürfte ja nicht zu leugnen sein. Und selbst dies wird der Theologe mit Helmut Thielicke zu konzedieren bereit sein, daß wirkungsvolle Predigt immer am Rande der Häresie geschieht[13]. Es soll hier also

---

[10] Es lohnt sich freilich schon wieder, aus dem Abstand nachzulesen, von welchem Anliegen Karl Barth in seinem Römerbrief bewegt wurde und dazu die Auslegung von Röm 7 zu Rate zu ziehen.

[11] Vgl. dazu auch Barth im Vorwort zur 2. Auflage des Römerbriefs, (zitiert nach dem achten Abdruck der neuen Bearbeitung, Zürich 1947) S. XIII: „Die Beziehung *dieses* Gottes zu *diesem* Menschen, die Beziehung *dieses* Menschen zu *diesem* Gott ist für mich das Thema der Bibel und die Summe der Philosophie in Einem. Die Philosophen nennen diese Krisis des menschlichen Erkennens den Ursprung", und S. Kierkegaard: Philosophische Brocken, Ges.Werke, hg. und übersetzt E. Hirsch, 10. Abtlg., Düsseldorf und Köln 1952, S. 34ff.

[12] Vgl. dazu H. Graß: Christliche Glaubenslehre I, ThW 12, 1, Stuttgart 1973, S. 79ff.

[13] In einer Tübinger Vorlesung W.S. 1947/48.

nicht über Recht und Unrecht solcher Aktualisierungen an sich gestritten, sondern vielmehr gefragt werden, ob es möglich ist, mit ihrer Hilfe das „Gott in Jesus Christus" in ein „die Menschlichkeit des Menschen in Jesus" zu verwandeln, ohne damit dem Phänomen Jesus von Nazareth Gewalt anzutun. Aber wenn das „Gott in Jesus Christus" sein Recht hat, so muß auch bei dem Durchbuchstabieren der Menschlichkeit Jesu Gott für uns aufleuchten.

Wenn heute der „Bruder Jesus", „der Vorkämpfer der Chancengleichheit" oder „der Revolutionär" in den Mittelpunkt gerückt wird, sollen wir dadurch zu brüderlicherem Leben und zu Vorkämpfern der Chancengleichheit aufgerufen werden. Daß beides sein gutes Recht und seine guten Gründe wie in jeder Zeit so besonders in dieser, ihre Weltkonflikte unheimlich zusammendrängenden Epoche hat, dürfen die folgenden Überlegungen nicht in Frage stellen. Wohl aber müssen sie um der Wahrheit willen fragen, ob sich das Phänomen Jesus von Nazareth ungekünstelt in ein bloßes Symbol erfüllter und darum mich doppelt treffender Forderung mitmenschlichen Verhaltens reduzieren läßt, ob die bisher in Kirche und Theologie beschriebene Polarität des Offenbarwerdens Gottes in Jesus Christus als Gesetz und Evangelium sich in ein, dann relativ vordergründig verstandenes „Du kannst; denn du sollst!" ummünzen läßt. – Es ist ja nur die Frage nach der Differenz, nach dem Unterschied zwischen Jesus und uns zu stellen, um die Unmöglichkeit einer banalen Anthropologisierung des Phänomens Jesus von Nazareth aufzudecken. Als bloßes Produkt seiner gesellschaftlichen Verhältnisse wird man ihn schlecht ausgeben wollen, obwohl er das in dem Maße wie jeder Mensch gewesen sein wird[14]. Als solches kann man mit einer gewissen Berechtigung nur seinen Tod, aber gerade nicht seinen vorbildlichen Charakter erklären. Andernfalls müßte man behaupten, die einzig gesunde, menschliche und also erlaubte Welt sei die eines Kleinhandwerkers auf bäuerlicher Grundlage, wie wir es für Jesu Elternhaus voraussetzen können[15].

---

[14] Vgl. dazu auch E. Troeltsch: Die Absolutheit des Christentums und die Religionsgeschichte, Tübingen 1929³, S. 20 f.: „Die wirkliche Historie setzt das Allgemein-Gesetzmäßige nur voraus in der Gestalt der physikalischen und anthropologischen Bedingungen einerseits und in der Gestalt der typischen seelischen Grundkräfte sowie soziologischer Gesetze andrerseits. Sie selbst aber beschäftigt sich überall mit dem Einmaligen und Individuellen, das sich aus diesem Stoffe und innerhalb dieses Netzwerkes gestaltet und eben dadurch lediglich historisch darstellbar wird. Der Charakter des Einmaligen und Individuellen aber, den alles Historische an sich trägt, stammt seinerseits aus einer jedesmal unableitbaren inneren Bewegung des Lebens und aus dem korrelativen Zusammenhang alles historischen Geschehens, vermöge dessen die besonderen Bedingungen der zusammenwirkenden Kräfte in jedem Fall jeder Hervorbringung . . . als eine nur an dieser Stelle so mögliche und daher innerlichst besonders modifizierte Offenbarung des Lebens, insbesondere des geistigen Lebens, erscheinen lassen."

[15] Vgl. Mk 6,3; Mt 13,55.

Aber diese Welt hat es ja zur Genüge gegeben, und wer sich in der Gegenwart umsieht, findet sie in ihrer relativen Beschaulichkeit auch heute noch. Nur: wer diese Welt kennt, mag sie in gewissen Aspekten ihrer Nachbarschaftsethik der technisch organisierten und noch nicht zu einer wahrhaft menschlichen Form durchgestoßenen neuzeitlichen Welt als die organischere vorziehen; sie als Paradies zu betrachten, wird ihm schon deshalb nicht einfallen, weil er einerseits auf die Vorzüge eines technisch erleichterten Lebens nicht verzichten möchte und andererseits auch diese Welt nur den *einen* Jesus hervorgebracht hat, – was man sagen kann, ohne damit schon unbedingt alle anderen, ihr entstammenden Heilbringer a limine zu disqualifizieren. Daß sich in dieser Welt eine Mehrheit für das „Kreuzige ihn!" fand, bleibt schließlich das Faktum, wie „die Gesellschaft" auf ihn reagierte.

Wer die Welt verändern will und aus Jesu Wort und Weg die Aufforderung zur Veränderung der Gesellschaft auf das Menschliche hin heraushört, hat offensichtlich bereits seine Absage an das Verständnis der Geschichte als eines verantwortungsfrei determinierten Geschehens erteilt; denn in ihm wäre letztlich auch die Rede vom Vorbild samt allen daraus wie aus beliebigen anderen Prämissen abgeleiteten Appellen auch nichts anderes als ein seinerseits determiniertes Gerede. Wer hier den Gedanken der Notwendigkeit konsequent zu Ende denkt, kommt an Nietzsches mathematisch notwendiger Wiederkehr des Gleichen nicht vorbei[16]. Ist es nur Schwäche, wenn sich der Mensch, wenn wir selbst uns diesem uns in den Aberwitz treibenden Gedanken verschließen, und Vermessenheit, wenn wir uns selbst gegen die Myriaden von Sternen stellen, welche den Zwangsgesetzen der Natur genannten Erscheinungswelt folgen, während wir uns verantwortlich und damit unter dem Gesetz der Freiheit wissen[17]? – Wo auch und wie auch immer am Vorbild festgehalten wird, ist jedenfalls zugleich von Verantwortung die Rede. Der Appell an die Verantwortung in jeglicher Gestalt glaubt, daß er von Menschen gehört werden kann, und setzt damit sich und die er anspricht in das Reich der Freiheit[18].

Aber gerade damit sind wir, ohne es zu bemerken, gerade auf das Problem der Differenz zwischen Jesus und uns gestoßen. Man kann es in doppelter Weise fragend aufwerfen: Warum sind wir *nicht* wie Jesus, obwohl wir verantwortlich sind, so daß wir des Verweises auf ihn bedürfen? Oder anders gefragt: Worin gründet das Anderssein*können* Jesu?

---

[16] Vgl. dazu K. Löwith: Nietzsches Philosophie der ewigen Wiederkehr des Gleichen, Stuttgart 1956, und Klein: a. a. O., S. 262 ff.

[17] Warum solle man nicht mehr an Kants berühmten Beschluß der „Kritik der praktischen Vernunft" erinnern?

[18] Vgl. dazu auch W. Weischedel: Das Wesen der Verantwortung, Frankfurt/Main 1972³, S. 110.

Vielleicht kommen wir schneller zum Ziel, wenn wir der zweiten Spur folgen und fragen: Worin gründet Jesu Andersseinkönnen? Das Problem ist offenbar nicht erledigt, wenn wir sagen: In seiner Furchtlosigkeit! – Natürlich kann Furchtlosigkeit teilweise konstitutionell, ein glücklicher angeborener Mangel an Phantasie sein. Darin könnte sie jedenfalls nicht zum Vorbild werden, weil das Konstitutionelle in seiner Konstitutionalität individualethisch nur soweit bedeutsam wird, als es von uns gestaltet wird und gestaltet werden kann. Doch steht fest, durch immer neue Erfahrung bekräftigt, daß Angst überwunden werden kann. Daß auch Jesus sie überwinden mußte, ist jedenfalls die Meinung der Evangelisten, die von der Nacht in Gethsemane erzählen[19]. Sagen wir: Jesu Andersseinkönnen, seine Freiheit von Menschenfurcht als Freiheit für den Menschen gründete in seiner Überwindung der Angst, stellte sich sofort die weitere Frage: Und worin gründete sie? Da er kein Gespenst, sondern ein wirklicher Mensch war[20], natürlich auch in seiner Konstitution. Aber da er *Mensch* war, jedenfalls auch in seiner Freiheit. Aber wenn Menschen mit ihrer Freiheit je so unterschiedlich fertig werden, ist es nicht sinnlos weiterzufragen: Und worin gründete sie?

Man verliert den Boden der Geschichte unter den Füßen, wenn man die Antwort Jesu, der neutestamentlichen Zeugen und der einen, in die vielen sichtbaren Kirchentümer zerteilten Kirche zu streichen versucht: „In Gott". – Dem Phänomen Jesus von Nazareth ist soziologisch, psychologisch, politologisch immer nur auf eine gewisse Strecke beizukommen, aber niemals in seiner Eigentümlichkeit, in dem, was die Differenz zwischen ihm und uns ausmacht[21]. In der anthropologischen Analyse erscheint er als der, der auf Gott als den Grund seiner Möglichkeit, auf den Grund unserer Möglichkeit, an seiner Freiheit zu partizipieren, verweist. So scheint dies die berechtigte Frage zu sein, ob die Anthropologie nicht notwendig einen theologischen Aspekt hat. Wenn dem so ist, hätte es seine Konsequenzen für die legitime Beziehung zwischen der Theologie und den Humanwissenschaften, zwischen der Theologie und der Medizin, der Psychologie, der Soziologie und der Politologie. Der Theologe wird dann, wenn er sich auf sie einläßt, gerade nicht darauf verzichten, unermüdlich auf den theologischen Aspekt hinzuweisen, ohne den der Mensch in seiner gefährdeten Freiheit nicht verstanden werden kann[22].

---

19 Vgl. Mk 14,32 ff.; Mt 26,36 ff. und Lk 22,39 ff.
20 Vgl. Hb 2,17; 4,15 f.
21 Daß sich die folgende Erörterung in einer gewissen Nähe zum Lehrsatz des § 94 der Glaubenslehre Schleiermachers hält, merke ich vorbeugend selbst an.
22 Vgl. dazu auch T. Rendtorff und E. Lohse: Kirchenleitung und wissenschaftliche Theologie, ThEx 179, München 1974, S. 67 f. mit dem Referat von H.-V. Herntrich über die Tutzinger Diskussion zwischen Vertretern der Kirchenleitungen und theologischen Hochschullehrern vom 17. bis 20. 9. 1973 zur Frage der „Integration der Humanwissenschaf-

Daß unsere *Vorstellungen* von unserer Erfahrung abhängig sind, ist seit Kant jedenfalls ein Gemeinplatz. Vielleicht geht es aber bei der notwendig der Erscheinungswelt verhafteten Sprache in ihrem Reden von Gott gar nicht um die Vorstellungen, sondern mit einem Wort von Ernst Fuchs um die *Ein*stellung des Menschen[23]. Um es aus der in der Isolation möglichen Zweideutigkeit herauszuhalten, seine Vereinnahmung für den Gott Feuerbachs auszuschließen, fragen wir, ob der Mensch die Einstellung Jesu gewinnt, indem er sich selbst anbetet, oder ob sich ihm die Freiheit von der Angst im Gebet erschließt oder vielmehr erschließen kann[24], im Gebet zu dem, zu dem wir immer schon waren, sind und sein werden, zu Gott. Die synoptische Erzählung läßt Jesus die Angst in Gethsemane durch das Gebet überwinden. Es gibt gewiß mannigfache Erfahrungen des Gehalten- und Geführtseins, die uns den Glauben an Gott nahe legen[25]. Aber praktisch zu werden beginnt dieser Glaube im Gebet.

Daß dieser Satz der alltäglichen Einstellung zum Gebet in der Moderne ins Gesicht schlägt, liegt offen. Falsch muß er deshalb nicht sein. Denn wenn der Grund der Jesus zu unserem Vorbild machenden Freiheit in seinem Verhältnis zu Gott liegt und Jesus diese Freiheit durch das Gebet gewann, beginnt der Glaube eben in der Tat im Beten praktisch zu werden. Das ließe sich ohne Schwierigkeit in diese wie in jene Richtung durchmeditieren und dabei präzisieren. Dabei könnte sich zeigen, daß ein rechtverstandener christlicher Quietismus gerade die Quelle der Aktivität ist[26]. Daß diese sich im Fahrenlassenkönnen vollendet, wäre paradoxes Ergebnis.

So bleibt es bei dem augustinischen „fecisti nos ad te, et inquietum est cor nostrum, donec requiescat in te". – Kein Grund demnach für den

---

ten". – Zur oben angesprochenen Sache vgl. Klein, S. 12: „Der Mensch, gottgebunden oder gottlos, greift in den Weltraum, weil er nach dem Gesetz des Über-sich-hinaus gar nicht anders kann. Danach, ob er die geistige Macht des bedrohlich schweigsam gewordenen Gottes wieder über und um sich begreift, wird sich ergeben, ob er Menschen noch einmal menschlich, Natur noch einmal natürlich und darüber hinaus: mit Ehrfurcht behandeln – und ob er überleben kann. Vielleicht könnte er das: sogar sich selber überleben. Es wäre der Ausdruck der schärfsten göttlichen Ironie."

[23] Glaube und Erfahrung, Tübingen 1965, S. 256.

[24] Auch hier ist das ubi et quando visum est Deo von CA V zu bedenken.

[25] Vgl. dazu auch Graß, S. 45 f.

[26] Vgl. dazu H. Stirnimann: Ostern, Neue Zürcher Zeitung 102, 195/1974, S. 1: „Dem bekannten Zürcher Juristen Max Huber, Mitglied und auch Präsident des Internationalen Gerichtshofes in Den Haag, wurde in den zwanziger Jahren die Frage gestellt, ob es einen Unterschied zwischen christlichen und nichtchristlichen Politikern gäbe. Seine Antwort war: Kein Unterschied im Programm, hinsichtlich politischer Optionen, wohl aber bezüglich der Art und Weise. ‚Dann nämlich, wenn die meisten anderen total entmutigt sind, kämpfen die Christen weiter, weil sie einen Auftrag haben, der von den Tagesumständen unabhängig ist.' Stimmt das, so werden sichtbare Zeichen der Hoffnung gegeben."

Theologen, sein eigenes Pfund unter dem Preis zu verkaufen, Gott zu verschweigen aus der Angst, zu den ewig Gestrigen gerechnet zu werden. Wer hier wirklich gestrig ist und wem die Zukunft gehört, hat sich geschichtlich wie eschatologisch übrigens erst zu erweisen. Es sieht vorerst nicht so aus, als sei die Sache der Menschlichkeit in einer des Gegenübers zu Gott ermangelnden Menschheit besonders gut oder gar besser aufgehoben[27]. Wo es um das Vorbild Jesu geht, ist der Mut zum Schwimmen gegen den Strom immer eingeschlossen. Wo es um das *Gott* in Jesus Christus geht, ist kein Platz für die Anpassung, sondern nur für die Entscheidung[28]. Daß jenseits ihrer die Barmherzigkeit waltet, gehört zu ihren spezifisch christlichen Implikationen, die sie nicht verleugnen darf, wenn das Evangelium das Evangelium bleiben soll. Darin liegt wie das Besondere auch das Schwierige des christlichen Engagements für die Unterdrückten und Entrechteten. Der Nächste im Sinne Jesu und des Evangeliums läßt sich nicht auf die Formeln der Klassenzugehörigkeit und des Klassenkampfes reduzieren. Darin zeigt sich die Kehrseite der Geschichte vom barmherzigen Samaritaner.

So bleibt dies der Grund auch unseres Lesens im Psalter: Das Gebet ist der Weg des Menschen im Verkehr mit Gott. Das ist seine primäre und eigentliche Funktion, die es zu bewähren gilt, wenn alles andere, was man dem Beten Gutes *auch* nachsagen kann, erhalten werden soll. Wie es mit dem Hören und Erhören steht, wäre besonderer Überlegung wert. Bedenken wir von unserem in jeder Angst vorweggenommenen Ende her[29], was uns helfen wird, wandelt sich vorschnelle Bewertung eines vermeintlich bloß hörenden Gottes. Vielleicht war der französische Flieger und Denker Antoine de Saint-Exupéry, der oft genug an der Grenze gestanden hatte, so falsch nicht beraten, wenn er in der „Citadelle", der „Stadt in der Wüste", seinen imaginären Königssohn beten läßt: „Der ist töricht, der von Gott eine Antwort erwartet. Wenn Er dich aufnimmt, wenn Er dich heilt, so geschieht es, weil Er mit seiner Hand deine Fragen gleich dem Fieber von dir nimmt. So ist es."[30] Denn damit umschreibt er, was geschieht, wenn Gott, statt uns dies oder das zu geben, sich selbst erschließt[31]. So bitten wir Gott um dieses und jenes und meinen doch letztlich ihn selbst, ihn selbst für uns *und* für die anderen. So hängen Bitte und Fürbitte ineinander, Dank und Anbetung.

---

[27] Vgl. dazu auch Klein, S. 20.

[28] Vgl. Lk 9,62.

[29] Vgl. dazu M. Heidegger: Sein und Zeit, Tübingen 1953[7], S. 251.

[30] Zitiert nach dem Auswahlband „Gebete der Einsamkeit", Düsseldorf 1954[3], S. 13 f.

[31] Dabei besteht kein Widerspruch zu der von Walter Schulz: Der Gott der neuzeitlichen Metaphysik, Pfullingen 1957, S. 54 mitgeteilten Explikation Gottes durch Rudolf Bultmann als der „Ungesichertheit des nächsten Augenblicks, die der Nichtglaubende als Daseinmüssen, der Glaubende aber als Daseindürfen erfährt".

Die Kirche hat den Psalter als Schule des Gebets betrachtet. Ihn wissenschaftlich, mit allen Mitteln der historisch-kritischen Methode zu erklären, ist gewiß die erste Aufgabe des Alttestamentlers, aber für ihn als Theologen jedenfalls nicht die letzte. Als solcher wird er sich auf das einlassen müssen, was die Psalmen lehren wollten, das rechte Beten. Daß darin für ihn als Christen ein Problem liegt, wird er nicht übersehen und um der Einweisung des Menschen in den rechten Ort vor Gott und die rechte Erwartung des Heils auch nicht übersehen dürfen[32]. Wie sich die Einheit und Geschiedenheit der beiden Testamente auch in ihrem Verkehr mit Gott ausweist, kann er freilich nicht theoretisierend vorwegnehmen, sondern nur von Fall zu Fall bedenken. Und dabei steht ihm als Christen seine Freiheit in der Gebundenheit an das Gebet zu, das Jesus seine Jünger gelehrt hat[33].

---

[32] Hier verdient noch immer Beachtung, was E. Hirsch: Das Alte Testament und die Predigt des Evangeliums, Tübingen 1936, S. 5 ff. aus seiner seelsorgerlichen Praxis berichtet.

[33] Vgl. dazu auch Joachim Jeremias: Neutestamentliche Theologie I, Gütersloh 1973², S. 167.

II.
Aufsätze zum Pentateuch und zur Redaktionsgeschichte der Prophetenbücher

Traditionsgeschichtliche Untersuchung
von Genesis 15

ALBRECHT ALT hat in seiner Abhandlung ‚Der Gott der Väter‘
die Vermutung ausgesprochen, daß es sich in Gen 15 um die Aufnahme
einer alten Bundesschlußtradition des Gottes Abrahams, der vielleicht
den Namen אברהם מגן getragen habe, durch den Jahwisten handelt.
Die kultischen und mythischen Elemente des Stückes machten einen
zu altertümlichen Eindruck, als daß sie von dem Jahwisten selbst
komponiert worden sein könnten[1]. In die gleiche Richtung geht der
Versuch von ALFRED JEPSEN, der in dem Grundbestand des Kapitels
»einen alten Bericht über die Offenbarung des ‚Gottes Abrahams‘«
sieht, der uns hier in einer jahwistischen Überarbeitung vorliege. Er
vermutet also in dem Hintergrund des Kapitels eine Erinnerung an
die Offenbarung des »Gottes Abrahams«, durch die dem Erzvater
Nachkommen und Landbesitz verheißen wurden[2]. Er scheint ferner
damit zu rechnen, daß der hier berichtete Bundesschluß ursprünglich
in Mamre lokalisiert war[3].

---

[1] BWANT III, 12 (1929) = Kl. Schriften I, S. 1—78; vgl. auch S. 66f. und
S. 48.

[2] Zur Überlieferungsgeschichte der Vätergestalten, WZ Leipzig 3, 1953/54,
S. 278f., 275.

[3] Ebenda S. 277.

Die grundlegende Bedeutung dieser Arbeiten für die Rekonstruktion der israelitischen Religionsgeschichte auf der einen und die überaus große Verschiedenheit der literarkritischen Beurteilung zumal der vv. 1-6 des Kapitels durch Anhänger wie Gegner der neueren Urkundenhypothese auf der anderen Seite lassen eine erneute Aufnahme der ganzen mit diesem Kapitel verbundenen Fragen hinreichend gerechtfertigt erscheinen[4].

---

[4] WELLHAUSEN, Composition des Hexateuch[2] rechnet mit einer elohistischen Grundlage der vv. 1-6 und einer jahwistischen des folgenden, später aber jehovistisch überarbeiteten Abschnittes. GUNKEL, Genesis[3] verteilte die vv. 1a (ohne במחזה), 1aβ, 2a. 3b. 4. 6. 9. 10. 12aα. 12b (ohne חשכה גדלה) auf Jb und 1a במחזה,. 1bα. 3a.5. 11. 12aβ. 13-16 auf E, während er den Rest für Red. ansah. SMEND, Die Erzählung des Hexateuch schrieb J₂ die vv. 2. 7-12. 17 u. 18 zu, während er den Rest auf E und Red. verteilte. EICHRODT, Quellen der Genesis, BZAW 31, J: 2. 7-17. 18; E: 1. 3-6. EISSFELDT, Hexateuchsynopse, J[2]: 1bβ. 2a. 7-12 (ohne חשכה גדלה). 17-18; E: 1abα. 3-6 (jeweils mit sekund. Jahwe). 13 (ohne die 400 Jahre). 14. (15). 16. 19-21. KÖNIG, Genesis[2-3] sucht eine elohistische Grundlage in 1aα. 9-17, sieht im übrigen JER am Werk, ohne eine Einzelanalyse zu wagen. PROCKSCH, Genesis[2-3], dem sich ALT a. a. O. S. 66, Anm. 2 im Wesentlichen anschließt, rechnet zu J: 1abα. 3. 4. 8-12a. 17-18a und zu E: 1bβ. 2. 5. 6. 12b. 13a. 14a. 16. SKINNER, Genesis[2] stellt reichlich Spuren deuteronomistischer Bearbeitung fest, sieht die Möglichkeit einer elohistischen Basis, die durch den Jahwisten oder Deuteronomisten, vermutlich R[JE], umgeformt sei, um dann nachträglich mit Auszügen aus E versetzt zu werden, wagt es jedoch nicht, diese reichlich verwickelte These durchzuhalten und versucht eine vorsichtige Aufteilung auf J und E, wobei er die Verheißung eines Erben J und die zahlreicher Nachkommenschaft E, die Bundesschlußerzählung dagegen in ihrem Grundbestand J zuschreibt. NOTH, Überlieferungsgeschichte des Pentateuch, S. 29, schreibt J unter ausdrücklicher Würdigung der Schwierigkeiten jeder Analyse des Kapitels die vv. 1abβ. 2a. 3b. 4. 6-12. 17. 18 (19-21) und E 1bα. 3a. 5. 13a (13b). 14abα (14bβ). 15f. S. 38 zu. v. RAD, ATD 2—4 weist vv. 5f. E zu, hält es darüber hinaus für möglich, daß auch die vv. 13-16 der gleichen Quelle angehören. Den wesentlichen Bestand des Kapitels schreibt er unter Beobachtung späterer Phraseologie im Gefolge NOTHS J zu. Der Aufteilung des Kapitels auf J und E haben STAERK, ZAW 19—24 und VOLZ, BZAW 63 grundsätzlich widersprochen. STAERK sieht in den vv. 1-6 eine einheitliche Legende aus älterer und in den vv. 7ff. eine aus jeremianischer Zeit stammende Bildung. VOLZ sah in den vv. 7ff. unter Ausscheidung der vv. 13-16 J am Werk, ebenso in den vv. 1-6. EERDMANS, Alttestamentliche Studien I, sah in den vv. 1-6 eine Sammelarbeit, wohl aus deuteronomistischer Zeit, während er den zweiten Abschnitt in seinem Grundbestand seinem Adambuch zuzuschreiben geneigt ist, vgl. S. 36ff. und S. 86. SIMPSON, The Early Traditions of Israel hält die vv. 1-7 für eine frühnachexilische Polemik gegen die Bevölkerung des Landes, den Kern der vv. 8-21 für eine der jahwistischen Schicht sekundär zugewachsene Erzählung. G. HÖLSCHER, Geschichtsschreibung in Israel findet in 1-2 und 4-6 E1 und in 9-18 E2 am Werk, während er den Rest als Redaktionszuwüchse und Glossen ansieht. JEPSEN a. a. O. S. 278f. hält unter den oben genannten traditionsgeschichtlichen Erwägungen die vv. 1-6 (ohne v. 3). 7-12. 17-18 für den Grundbestand, in den J die vv. 13-16 eingefügt habe.

I

Als gesichertes Ergebnis der bisherigen literarkritischen Untersuchungen darf angesehen werden, daß die beiden Abschnitte vv. 1-6
und vv. 7-21 nicht ursprünglich zusammengehören. v. 7 ist deutlich
Neuanfang einer Erzählung. Die feierliche Selbstprädikation der Gottheit befremdet hinter der ersten Jahwerede. Die zweifelnde Frage
Abrahams in v. 8 steht im Widerspruch zu der Erklärung von v. 6.
Andererseits dürfte das Urteil von NOTH, daß unser Kapitel in seiner
vorliegenden Gestalt eine literarische Einheit bildet, da die zweite
Szene ohne eine eigentliche Einleitung auf die erste zurückverweist,
allgemeine Anerkennung verdienen[5]. Mit EERDMANNS, STAERK, VOLZ,
SIMPSON, HÖLSCHER und JEPSEN vermag ich in dem ersten Abschnitt
nur einen einzigen Erzählungsfaden zu finden, da sich die doppelte
Antwort des Erzvaters in den vv. 2 und 3, von der gewöhnlich die
Scheidungsversuche ausgehen, am besten mit VOLZ so erklärt, daß
das ungewöhnliche עֲרִירִי 2a zunächst am Rande glossiert wurde (3a),
ebenso der früh verdorbene Halbvers 2 b durch 3 b, worauf schließlich
diese Glossen in den Text übernommen wurden[6]. Die Versuche von
KÖNIG, STAERK und JAKOB[7], die Aufeinanderfolge der beiden Verse
als eine besondere stilistische und psychologische Feinheit zu erklären,
scheitert mangels eines erkennbaren Gedankenfortschrittes. Der
Verweis von KÖNIG auf Gen 9 26a trägt nicht zur Festigung seiner
Ansicht bei, da es sich dort um zwei an verschiedene Adressen gerichtete Worte handelt, die zudem auch sachlich als Fluch und Segen
voneinander getrennt waren[8].

Der Abschnitt vv. 7-21 zeigt dagegen deutliche Überarbeitungs-
spuren. Die Selbständigkeit der Tradition vorausgesetzt ist der Ausfall der ursprünglichen Einleitung zu konstatieren. Das לרשתה von
v. 7 dürfte das ירש der vv. 3f. aufnehmen. v. 11 bereitet deutlich die
den Zusammenhang störenden vv. 13-16 vor. Ebenso ist die Liste der
Stämme und Völker Kanaans eine Erweiterung von zweiter Hand[9].
Die Frage nach der Quellenzugehörigkeit beider Stücke wird im Zusammenhang ihrer Traditionsgeschichte beantwortet werden.

II

Die Entscheidung über Alter und Quellenzugehörigkeit des ersten
Abschnittes kann wie die Frage nach einer ursprünglichen Lokalisierung desselben nur im Zusammenhang mit einer Untersuchung

---

[5] a. a. O. S. 29, Anm. 85.
[6] a. a. O. S. 29. Ebenso HÖLSCHER a. a. O. S. 278 und JEPSEN a. a. O. S. 279,
Anm. 25.
[7] Das erste Buch der Tora, Genesis, Berlin 1934, z. St.
[8] Vgl. auch Gen 3 14a und 3 16a.
[9] Vgl. die Zusammenstellung bei EERDMANS a. a. O. S. 37f.

von Stil und Vorstellungsmaterial erfolgen. ALT wollte im Fehlen der letzteren einen Hinweis auf die Übernahme einer älteren Tradition sehen[10]. Die entgegengesetzte Möglichkeit dürfte a priori die gleiche Wahrscheinlichkeit für sich beanspruchen.

Die Einführung der Szene mittels des unbestimmten אחר הדברים האלה bezeugt zunächst nur die lose Verknüpfung mit dem Vorhergehenden. Da ihr weder Orts- noch Umstandsangaben folgen, wirkt sie außerordentlich blaß. Das Vorkommen dieser Formel bei J wie bei E zeigt, daß sie allein keinen Rückschluß auf Alter und Herkunft der Tradition erlaubt[11]. Besondere Beachtung verdient die Fortsetzung, mit der das Gotteswort eingeleitet wird. Das היה דבר יהוה setzt stilistisch den Prophetismus voraus[12]. Da J wie E ihre Gottesreden durch ein ויאמר יהוה bzw. אלהים einzuleiten pflegen[13], ist daher nicht mit der Anwesenheit von J und wohl kaum mit der einer älteren elohistischen Schicht zu rechnen. Die Formel will wie das folgende במחזה Abraham nach dem Bilde des israelitischen Propheten zeichnen, eine Tendenz, die in der zur elohistischen Schicht zu rechnenden Erzählung Gen 20 1-17 wiederkehrt. Das Wort מחזה begegnet nur noch Num 24 4. 16 und Ez 13 7, wo es wie hier das prophetische Gesicht bezeichnet[14]. Der Sprachgebrauch von חזה verweist vornehmlich in eine spätere Zeit, in der es zu einer allgemeinen und uneigentlichen Bezeichnung prophetischen Offenbarungsempfanges verblassen konnte[15]. Diese Beobachtung wäre isoliert ohne Folgen, da sprachstatistische Ergebnisse auf einer Zufälligkeit beruhen können, gewinnt

---

[10] a. a. O. S. 48.

[11] Vgl. Gen 22 20 40 1 J; Gen 22 1 39 7 48 1 E. Dazu VOLZ a. a. O. S. 45. — HÖLSCHER a. a. O. (vgl. auch S. 21 f.) entgeht dieser Konsequenz, indem er Gen 22 20 aα wie 40 1 aα aus dem Bestand von J ausscheidet.

[12] Es begegnet zuerst, wenn auch in anderem Sinne, Jes 28 13. Als terminus techn. für den Offenbarungsempfang des Propheten erscheint es zuerst bei Jeremia 1 2. 4. 11. 13 2 2 13 3. 8 16 1 u. ö. Bei den älteren Propheten begegnet es nur in den Überschriften, vgl. Hos 1 1 Mi 1 1 Zeph 1 1. Dagegen ist es bei Ezechiel und den nachexilischen Propheten ebenso geläufig wie innerhalb des deuteronomistischen Geschichtswerkes. HÖLSCHER kommt auch hier zu einem anderen Ergebnis, da er E bis an den Schluß des 2. Königsbuches verfolgen zu können glaubt und daher Stellen wie I Sam 15 10 und II Sam 7 4 für typisch elohistisch hält.

[13] Vgl. Gen 3 9 4 9 7 1 12 1 16 11 Ex 3 5 u. ö. J; Gen 22 1 35 1 Ex 3 4 b u. ö. E.

[14] Num 24 4. 16 werden von STEUERNAGEL, Einleitung § 42, 5 E, von EISSFELDT und SIMPSON J bzw. J₂ zugeschrieben.

[15] Das Verb begegnet zuerst Mi 3 6; Am 1 1 Mi 1 1 Jes 1 1 2 1 13 1 29 10 begegnet es in sekundären Stücken. Am 1 1 könnte es jedoch noch in seinem ursprünglichen Sinne gebraucht sein. — Es häuft sich bei Ez 12 27. 28 13 6. 7. 8. 9. 16. 21. 34. Das Nomen חזון läßt sich zuerst bei Hos 12 11 nachweisen, dann Jer 14 14. 23. 16, um wieder bei Ez 7 13. 26 12 22. 23. 24. 27 13 16 gehäuft zu begegnen. Massiert tritt es Dan 1 17 8 1. 2. 13. 15. 17. 26 9 24. 31 10 14 11 14 auf.

aber im Kontext Gewicht. Die Möglichkeit, daß v. 1a seine jetzige
Gestalt einem sekundären Eingriff verdankt, bleibt bis zur Ermitt-
lung des Gesamtcharakters des Stückes offen.

Der folgende Halbvers bildet eine Einheit. Gattungsmäßig handelt
es sich um ein Heilsorakel, aus der Einleitung אל תירא und der Heilszusage bestehend, wobei innerhalb der letzteren die Selbstprädikation
der Gottheit als besonderer Teil abgesetzt werden kann. Das אל תירא
kann auf dreierlei Weise gedeutet werden. EERDMANS, GUNKEL und
GALLING beziehen es auf die Situation des Erzvaters in einem fremden
Lande[16]. PROCKSCH sah in ihm unter Hinweis auf babylonische
Parallelen das Zeichen für eine Gebetserhörung, dachte also letztlich
an ein Orakel, während es v. RAD auf die furchterregende Anrede
durch die Gottheit und also wohl letztlich auf die Theophaniesituation
bezieht. Alle drei Möglichkeiten lassen sich im AT belegen, wobei
die erste Möglichkeit aus der zweiten abzuleiten ist[17]. Da der Ort der
Gottesbegegnung in Israel die kultische Theophanie war[18], verweisen
die zweite wie die dritte Möglichkeit auf die Herkunft aus dem kultischen Bereich. Es ist nun die Frage, ob sich nicht auch eine gemeinsame Basis für die Einleitung des Heilsorakels wie der Selbstprädikation innerhalb der Theophanie eben in dieser selbst nachweisen
läßt[19].

BEGRICH erklärte in seinem Aufsatz »Das priesterliche Heilsorakel« die Worte »Fürchte dich nicht« als ein wesentliches Moment
des Heilsorakels[20]. Er belegt diese Interpretation mit Thr 3 57:

> »Du nahtest dich am Tag, da ich dich rief,
> du sprachst: Fürchte dich nicht!«[21]

Nun scheint aber der Hinweis auf das Nahen Jahwes mindest auf eine
ursprüngliche Verbindung des Heilsorakels mit der Theophanie hinzuweisen. — Zwei Beobachtungen unterstützen diese Deutung.

1. In der Theophanie gibt sich Gott in seinem heiligen Wesen
kund, vor dem der Mensch zunichte wird[22]. Aber der eigentliche
Zweck der Gotteserscheinung ist nicht diese Wesenskundgabe —
dann wäre sie ein mirakulöses, am Rande des Normalen stehendes
Erlebnis —, sondern die Kundgabe des göttlichen Willens, über dessen

---

[16] EERDMANS a. a. O. S. 38.   K. GALLING, Die Erwählungstraditionen Israels, BZAW 48, S. 45.

[17] Zu 1: Gen 46 3 Num 21 34 Jos 18 8 11 6 II Reg 1 15 Jes 7 4 10 24 37 6. Zu 2:
Gen 21 17 Thr 3 57 Jes 41 10. 13. 14 43 1. 5 44 2 51 7 54 4. Zu 3: Gen 26 24 Jdc 6 23
Jes 40 9 (Gen 28 17 32 31) Jes 6 5 Ex 3 6 33 20 I Sam 12 18). Vgl. WEISER, Psalmen⁴,
S. 18ff.; derselbe, BERTHOLET-Festschrift, Tübingen 1950, S. 513ff.

[18] WEISER, Jeremia, ATD 20/21, S. 278, Anm. 2.

[19] ZAW 1934, S. 83.

[20] Ebenda S. 88.   [21] Vgl. Jes 6 5 Ex 33 20 Jdc 6 22f.

[22] Vgl. WEISER, Psalmen⁴, S. 19f.

Tätern die Heilszusage steht [23]. Das offenbar gewordene Tremendum der Gottheit erhält erst so seinen eigentlichen Sinn: Es ruft den Menschen zum Gehorsam gegen den Willen des kraft seiner Heiligkeit überlegenen Gottes auf. So begegnet in der Sinaitheophanie neben der Gotteserscheinung in Feuer und Rauch die göttliche Willenskundgebung [24]. Vor der Gotteserscheinung weicht das Volk in Furcht zurück [25]. Aber es hört durch den Mund des Mittlers die Willenskundgebung und Heilszusage seines Gottes [26]. Die gleiche Verbindung von Gotteserscheinung und Willenskundgebung findet sich auch in der Berufungsgeschichte Jes 6. — In Jer 1 8 ist sie mit einer ausdrücklichen Heilszusage an den Propheten verbunden. Daß es bei dem zentralen Herbstfest in Israel solche Heilsorakel gegeben hat, zeigt das Orakel an den König Ps 2 7 ff., das bei der am genannten Fest gefeierten Thronbesteigung des Königs gesprochen sein dürfte. Im Mittelpunkt desselben stand aller Wahrscheinlichkeit nach die kultische Theophanie [27].

   2. Der Orakelspender vertritt die Gottheit gegenüber dem Volk [28] und weckt dadurch mit seinem Wort die Furcht des Volkes. Wie GRESSMANN gesehen hat, verbirgt sich hinter der Erzählung Ex 34 29 ff. ein wiederholter Kultbrauch [29]. Als Mose mit den Gesetzestafeln in der Hand vom Sinai herabstieg, flohen die Israeliten vor ihm, weil sein Antlitz die göttliche *kābôd* wiederspiegelnd glänzend geworden war. Mose bedeckte darauf — seltsamerweise erst nach der Mitteilung der Gottesbotschaft — sein Gesicht mit einer מסוה. Diese Überlieferung will offensichtlich erklären, warum der Sprecher nach der Mitteilung des Orakels sein Gesicht verhüllte, indem sie einen zu ihrer Zeit geübten Brauch aus der Mosezeit herleitete.

---

[23] Vgl. Ex 19 18 J, 19 16 E.

[24] Vgl. Ex 20 18 f. E.

[25] Vgl. Ex 19 18 J, 19 16 E.

[26] Vgl. Ex 20 6. 27. Den elohistischen Anteil der Sinaiperikope — die Stücke werden in ihrer vermutlichen organischen Reihenfolge genannt — finde ich in Ex 19 2 b. 3 a 10 f. 13 b. 14. 16 f. 19 20 18 21 1-18 24 3-8. 1. 9-11.

[27] Vgl. MOWINCKEL, Psalmenstudien II, S. 6 ff. WEISER, Psalmen[4], S. 24 ff., 29.

[28] Zur Frage nach den Orakelspendern vgl. BEGRICH a. a. O. S. 91; v. WALDOW, Anlaß und Hintergrund der Verkündigung Dtjes. Diss. Bonn 1953, S. 82 ff. Gegen BEGRICH a. a. O. und GUNKEL-BEGRICH, Einleitung in die Psalmen, § 6, 23, S. 246 dürfte jedoch in Israel kaum mit einem auf Grund einer Opferschau erteilten Orakel zu rechnen sein. Ps 5 4 kann die zahlreichen Bezeugungen eines technischen Losorakels nicht aufwiegen. Das hier genannte Opfer wird der Gottesbefragung vorhergegangen sein, wahrscheinlich im Sinne einer captatio benevolentiae.

[29] SAT I, 2[2], S. 72. Die dort nachgewiesene Sonderung der Erzählung in zwei Stränge, von denen einer von einem einmaligen Ereignis am Sinai und der andere von einem wiederholten und gegenwärtigen Kultbrauch spricht, kann für unsere Zwecke unberücksichtigt bleiben, da beide die gleiche Wurzel haben dürften.

Die gleiche Verbindung von Heilsorakel und Theophanietradition
läßt sich auch in Mesopotamien nachweisen. Die Gottheit enthüllt
sich, das gilt ebenso für Israel, nicht nur in der Schau, sondern auch
in dem prophetischen Wort. Das zur Einleitung des Orakels an Asarhaddon gesprochene »Fürchte dich nicht!« setzt voraus, daß der Mensch,
auch der König, bei der Anrede durch die Gottheit erschrickt, bis er
aus der Anrede und Selbstvorstellung entnimmt, daß ihm das Wort
einer gnädigen Gottheit zuteil wird:

> »Asarhaddon, König der Länder, fürchte dich nicht! ... Die große Bêltu
> bin ich. Ich bin Ištar von Arbêla, die deine Feinde vor deinen Füßen vernichten
> wird.«[30] »Fürchte dich nicht, Asarhaddon! Ich bin es, Bêl, der mit dir spricht!«[31]

Dabei läßt sich auch für diesen Raum die Verbindung von Klagelied und göttlicher Heilszusage nachweisen. Der König Assurbanipal
erzählt:

> »Die Göttin Ištar hörte meine Seufzer und 'Fürchte dich nicht!' sagte sie,
> und füllte mein Herz mit Vertrauen. Insofern als du deine Hände im Gebet empor-
> gehoben hast und sich deine Augen mit Tränen füllten, habe ich Barmherzigkeit[32].«

Die Selbstprädikation der Gottheit »Ich bin dein Schild«, die
zugleich eine Heilszusage enthält, weist zunächst ganz allgemein in den
Raum der Kriegsideologie[33]. Dabei mag fraglich bleiben, ob die Bezeichnung Jahwes als des Schildes schon in vorköniglicher Zeit in
der Tradition des heiligen Krieges beheimatet war oder erst auf dem
Wege über den Königskult in Israel eindrang, um dann von Jahwe
als dem Kriegshelfer und Schützer des Königs auf die ganze Gemeinde und schließlich auch auf den einzelnen Frommen übertragen
zu werden, ein Vorgang, der sich entsprechend der Stellung des Königs
als des primus inter pares wohl verstehen ließe[34].
Die Vorstellung, daß die Gottheit der Schild des Königs ist, läßt
sich auch für Assyrien nachweisen. So heißt es in einem Orakel der
Ištar von Arbêla an Asarhaddon: »Asarhaddon, in Arbêla bin ich
dein gnädiger Schild«[35]. — Der Befund im AT kann vielleicht in aller
Vorsicht zusammen mit dem Blick auf die Umwelt für die zweite
Möglichkeit gebucht werden[36]. Daß in den Psalmen Jahwe in beson-

---

[30] AOT², S. 281, IVR 61, Kol. I, 5 ff.; vgl. auch K 1285, 23; VAB VII, 2,
S. 347; Cyl. B. Col. V. 47 ff.; ebenda S. 117, K 2652, 23, S. 191.
[31] AOT², S. 281; Kol. II, 16 ff.   [32] ANET², pag. 451.
[33] Die von A. JEREMIAS vorgeschlagene Verbindung von מגן cf. 14 20 mit
מגן pi. 'überliefern', 'hingeben', 'beschenken' hat keinen Anhalt in der Tradition
und erscheint angesichts der Bezeugungen der Bezeichnung Jahwes als des Schildes
in der Kultlyrik als unbegründet (vgl. ATAO⁴, S. 344).
[34] Vgl. A. R. JOHNSON, Sacral Kingship in Ancient Israel, 1955, p. 127.
[35] AOT², S. 282, IVR 61, Kol. III, 18 f.
[36] Über das Alter von Dtn 33 29 läßt sich nur schwer eine sichere Entscheidung
fällen, vgl. EISSFELDT, Einleitung, 1956², S. 272 f.

derer Weise als der Schild des Königs galt, ist unmittelbar verständlich, da die Bedeutung des israelitischen Königs schon zur Zeit Davids die Rolle eines Heerführers überstieg[37]. Der König vertrat das Volk in seiner Ganzheit und in allen seinen Lebenslagen gegenüber der Gottheit[38]. Sein Heil war sowohl nach seinem Verhalten als nach seinem Ergehen von hervorragender religiöser Bedeutung. Im Kriege entschied sein Tod über Sieg oder Niederlage[39]. Führte der König den Krieg zugleich im Auftrage seines Gottes[40], so war sein Schutz durch die Gottheit einerseits Vorbedingung für den Sieg, andererseits der Ausdruck des besonderen Verhältnisses zwischen König und Gottheit, wie es in dem Glauben an die (auf einer Adoption beruhenden) Sohnschaft des Königs seinen Ausdruck fand[41]. Daher versteht sich die Anrufung Jahwes und das hymnische Bekenntnis zu ihm als dem Schild durch den König unmittelbar.

So klagt der königliche Beter in Ps 3 2 über die große Zahl seiner Feinde und ruft Gott v. 4 als seinen Schild an[42]. Deutlich wird das Bekenntnis zu Jahwe als dem Schilde Ps 28 7 dem König in den Mund gelegt, wo auf Grund des Einschnittes zwischen v. 5 und v. 6 ein Heilsorakel unmittelbar vorausgegangen sein muß[43]. Eine gleiche kultische Situation setzen Ps 18 3 und 144 2 voraus. Gott reicht Ps 18 36 dem König den Schild der Hilfe. Das Bekenntnis zu Jahwe als dem Schild aller, die auf ihn trauen, Ps 18 31, kommt aus dem Mund des Königs. Ebenso setzen die Anrufung Jahwes als 'unseres Schildes' Ps 59 12 auf Grund der vv. 6. 9 und 12 a einen königlichen Beter voraus. Ist Jahwe der Schild des Königs, so ist er damit eben zugleich der des ganzen Volkes, wie nun auch der König selbst als Schild bezeichnet werden kann[43a]. Entsprechend können nichtkönigliche Beter Gott als ihren Schild anrufen. Ps 33 20. Aber auch hier ist die Verbindung mit dem Königsheil noch in dem Gedankengefälle von v. 16 f. zu v. 18 ff. greifbar. In Ps 119 114 liegt die Demokratisierung auf der Hand, obwohl man sich fragen kann, ob das in dem Abschnitt 113-121 verarbeitete liturgische Gut nicht ursprünglich dem Königskult angehörte, indem etwa ein Unschuldsbekenntnis im Sinne von Ps 132 12 89 30 ff.

---

[37] Vgl. A. S. KAPELRUD, ZAW 67 (1955), S. 203.

[38] Vgl. JOHNSON a. a. O.

[39] Vgl. I Sam 31 4 ff. I Reg 22 35 ff.

[40] Vgl. Ps 2 und Ps 72, dazu VR Col V, 63; VAB VII, 2, S. 47; Col. VI, 125 ff., S. 59 f., Col. VII, 102—107, S. 65; Col. VIII, 73 ff., S. 71; Cyl. B. Col. III, 31—33, S. 101. Zu Ps 2 11 vgl. besonders K 1700. Col V, 11—14 (= Cyl. B). S. 153; K 228, 1, S. 159; K 228 Rs. 16 f., S. 167.

[41] Vgl. II Sam 7 14 Ps 2 7 89 27 f. (45 7); JOHNSON a. a. O. p. 121.

[42] Die Frage, ob es sich hier um ein Klagelied angesichts eines bevorstehenden oder schon ausgebrochenen Krieges oder anläßlich einer kultischen Selbsterniedrigung des Königs innerhalb des Herbstfestes handelt, vgl. JOHNSON a. a. O. p. 103, kann hier außer Betracht bleiben; vgl. zu dieser Frage auch NOTH, ZThK 47 (1950), S. 189. MOWINCKEL, He that cometh, S. 86 f.

[43] Zum Umschwung in den Klageliedern vgl. GUNKEL-BEGRICH a. a. O. S. 243 f., sowie GUNKEL, Psalmen und WEISER, Psalmen z. St.

[43a] Vgl. Ps 84 10 89 19.

nebst Bekenntnis zu Jahwe und Bitte im Hintergrund stehen. Der Eingang der Vorstellung von Gott als dem Schutz der Frommen in das Gedankengut der Weisheit wird außer durch die zuletzt genannte Stelle durch Prov 2 7 und 30 5 belegt.

Das Heilsorakel endet mit der Verheißung: »Dein Lohn ist sehr groß«. Man sieht darin gewöhnlich eine Bezeugung des israelitischen Vergeltungsglaubens: Abraham wird hier reichlicher Lohn für seinen im Auszug bewiesenen Glauben zuteil[44]. v. RAD möchte das Wort ‚Lohn' als Bezeichnung der »freien Gabe Gottes« verstanden wissen, da die Bewährung erst im Erzählungsgefälle folge[45]. Es wird sich auch hier empfehlen, zunächst ohne Rücksicht auf den Kontext nach der Bedeutung des Wortes allein innerhalb des Spruches zu fragen, in den es aus der hinter dem Orakel sichtbar gewordenen kultischen Tradition als ganzes übernommen und hier eingesetzt sein kann. שכר kann, wie Ez 29 19 zeigt, geradezu den Sold des Soldaten bezeichnen. So gewinnt auch Jahwe als Krieger seinen ‚Sold' Jes 40 10 (62 11). Auf Grund dieser Verwendungsmöglichkeiten darf in Verbindung mit dem zuvor über die Bezeichnung Gottes als des Schildes Gesagten unser Orakelspruch in der Tat als eine Einheit verstanden werden: Es handelte sich ursprünglich um das Heilsorakel an einen König, dem Jahwe Schutz im Kriege, Sieg und große Beute verheißt. Dann aber geht es nicht an, ihn einer literarkritischen Hypothese zuliebe auseinanderzureißen und auf zwei Quellen zu verteilen[46]. Mit dieser Einsicht in den ursprünglichen Charakter des Orakels ist die Vermutung A. ALTs hinfällig geworden, daß sich hinter dem »Schild Abrahams« der ursprüngliche Name eines Vätergottes verberge.

Im jetzigen Zusammenhang, das sei nachdrücklich betont, verheißt der Spruch Abraham wohl bereits in einem ganz allgemeinen Sinn den Schutz Gottes sowie reichen Besitz. Die Beziehung von שכר auf die Nachkommenschaft durch v. RAD widerspricht dem Einwand des Erzvaters. Denn dieser klagt nicht: »Ich glaube nicht, daß du mir Kinder geben kannst!«, sondern darüber, daß er ohne Leibeserben mit einer Vermehrung seiner Habe nichts anzufangen weiß.

Da der Abschnitt vv. 1-6, wie wir zu zeigen gedenken, ursprünglich weder zu J noch zu E gehörte, sondern ad hoc von einem Bearbeiter geschaffen wurde, der gleichzeitig für die jetzige Stellung des ganzen Kapitels verantwortlich ist, dürfte der ‚Lohn' auf den von Abraham in seinem Auszug bewiesenen Gehorsam zurückzubeziehen sein. Aber ganz unabhängig von jeder literarkritischen Analyse ist

---

[44] Vgl. GUNKEL und PROCKSCH z. St. Zum israelitischen Vergeltungsglauben vgl. WÜRTHWEIN, ThWBNT IV, S. 710—718. KOCH, ZThK 52 (1955), S. 1—42.

[45] z. St.

[46] HÖLSCHER a. a. O. S. 278 betonte bereits, daß ‚Schild' und ‚Lohn' nicht als Dubletten angesehen werden können.

zu konstatieren, daß das Wort שכר stets den Beiklang einer Gegen-
leistung besitzt. Will man mit v. RAD von der ‚freien Gabe Gottes'
reden, so doch nur in dem Sinne, daß Gott sich in seiner unbedingten
Freiheit bindet, ein bestimmtes Verhalten zu belohnen. Andernfalls
hätte der Verfasser unseres Abschnittes ein außerordentlich irre-
führendes Wort gewählt[47].

Die Antwort Abrahams auf die Heilszusage Gottes wurde in
ihrem Sinn bereits erklärt. Die erste Hälfte von v. 2 bietet dem Verständnis keinerlei Schwierigkeit, um so mehr aber die zweite. Deutlich dürfte sein, daß das הוא דמשק bereits Glosse zu dem nicht mehr
verstandenen משק ist. Vielleicht enthielt die Wahl des ausgefallenen
משק von Anfang an eine gegen Damaskus gerichtete Tendenz, die
festhalten wollte, daß nicht Damaskus, sondern die Abrahamskinder
das Erbe des Patriarchen antreten sollen. Damaskus könnte dabei
als Tarnbezeichnung der gerade aktuellen Fremdherrschaft gemeint
sein, wie es später, wenn auch in anderem Sinne, als Deckbezeichnung
verwendet wurde[48]. Die von ALBRIGHT vorgeschlagene und von M. F.
UNGER aufgenommene Erklärung des *ū-ben bêtî(ben) meśeq* als eines
»und der Sohn meines Hauses ist der Sohn Meśeqs«, wobei *meśeq* eine
alte Kurzform für *dammeśeq* wäre, ist geeignet, diese Annahme zu
unterstützen[49]. Der Name Eliezer ist der übrigen biblischen Abrahamsüberlieferung unbekannt. Daß er ihr erst relativ spät zugewachsen ist,
belegt die zu J gehörende Isaaks-Erzählung Gen 24[50]. Man wird
mit der Übernahme des Namens aus einer Abrahamslegende zu
rechnen haben, die mit dem steigenden Ansehen des Erzvaters mehr
und mehr zu wuchern begann[51].

Man wird aus dem Zustand des Verses und seiner notwendigen
Glossierung nicht unbedingt entnehmen müssen, daß hier eine sehr
alte Tradition vorliegt. Gegen eine sehr frühe Verderbnis und Glossierung spricht m. E. die Erwartung, daß der Text dann entweder auf
Grund weiterer Abschriften verbessert oder aber kurzer Hand ge-
strichen und durch v. 3 ersetzt wäre. Jedenfalls zeigt der Vers schon
zur Zeit der Septuagintaübersetzung seine vorliegende Gestalt.

---

[47] Daß der Vergeltungsglaube nicht grundsätzlich ‚unterchristlich' ist, wird
durch II Cor 5 10 belegt.
[48] Zu der Bedeutung des ‚Landes von Damaskus' in der Damaskusschrift
vgl. I. RABINOWITZ bei M. BURROWS, The Dead Sea Scrolls, London 1956, p. 201
und A. S. VAN DER WOUDE, Die messianischen Vorstellungen der Gemeinde von
Qumran, Diss. Groningen 1957, S. 49 ff. Anders ROWLEY, BJRL 40 (1957), S. 143.
[49] Vgl. JBL 72 (1953), pp. 51.   [50] Zum lit.-krit. Befund von
Gen 26 vgl. NOTH, Überlieferungsgeschichte S. 30, Anm. 90.
[51] Wie HÖLSCHER a. a. O. S. 276 zu der Feststellung kommt, der Name des
Knechtes sei schon dem Verfasser von Gen 14 18 überliefert gewesen, entzieht sich
meiner Einsicht.

Auffällig ist der Einsatz von v. 4: אליו יהוה־דבר והנה. Er steht
im Pentateuch völlig isoliert und hat nur Jdc 3 20 und I Reg 19 9
eine Entsprechung. Die Konstruktion (Nominalsatz mit präpositio-
nalem Prädikat)[52] und der Inhalt des Verses sind klar: Jahwe geht
auf den Einwand Abrahams ein, indem er ihm die ausdrückliche Verheißung eines Leibeserben entgegensetzt: Das Erbe Abrahams werden
nicht seine Sklaven, sondern seine Nachkommen antreten.

Aus der oben S. 108 Anm. 4 gegebenen Übersicht der literarkritischen Lösungsversuche geht hervor, daß die Mehrzahl der Ausleger v. 4 dem Elohisten zuschreibt. v. 5 läßt sich als eine direkte
Fortsetzung von v. 4 verstehen: Jahwe unterstützt seine Verheißung,
indem er Abraham die Sterne betrachten heißt. Diese gewinnen so
geradezu eine zeichenhafte Bedeutung. Der Vergleich mit den für den
Menschen unzählbaren Sternen betont nicht allein die gewaltige Zahl
der Nachkommen, sondern erinnert die antiken Hörer zugleich an
die überlegene Macht des verheißenden Gottes, der die Sterne nach
ihrer Zahl herausführt[53]. Dieser Vergleich begegnet innerhalb des
Pentateuch noch Gen 22 17, 26 4 und Dtn 10 22. Die erstgenannte
Stelle findet sich innerhalb eines in eine elohistische Erzählung ein-
gesetzten Stückes[54], die zweite in einem in die jahwistische Erzählung
sekundär eingebetteten Absatz[55]. Beide Zusätze verraten die Hand
des Deuteronomisten. Das Vorkommen Dtn 10 22 bedarf keines
weiteren Kommentares. Dieser Befund spricht, zumal unter Berücksichtigung des Gen 15 verwendeten Gottesnamens, in keiner Weise
für die Anwesenheit einer elohistischen Vorlage in unserem Verse
und damit in dem ganzen Abschnitt. Es hat vielmehr den Anschein,
als sei die Erzählung Gen 15 1-6 ein der Patriarchenerzählung sekundär
zugewachsenes Stück, das von der gleichen Hand wie Gen 22 15-18
und 26 3 b-5 eingefügt wurde. Gen 18 1-16 spricht (trotz 12 2) gegen
die Kenntnis unserer Geschichte durch den ursprünglichen jahwistischen Erzählungsfaden, Gen 16 1 ff. gegen ihre Bekanntschaft in
der jüngeren jahwistischen Schicht. Für die elohistische Erzählungs-
schicht ist das Fehlen des Motivs gerade nachgewiesen. Der Erzähler
hat es durch eine Verbindung und Ausgestaltung der Nachkommenverheißung in Gen 12 2 und der Erzählung von der Sterilität der Ahn-
frau Gen 18 1-16 sowie Gen 16 1 ff.* gewonnen. Nun fällt ins Auge,
daß der Aufbau von Gen 15 1-6 dem von 7-21* parallel ausgeführt ist:
Auf die göttliche Verheißung folgt die zweifelnde Frage des Erzvaters
sowie die erneute, durch ein Zeichen verstärkte Verheißung. Damit

---

[52] Vgl. C. BROCKELMANN, Hebräische Syntax, Neukirchen 1956, § 25d.
[53] Vgl. Jes 40 26.
[54] Vgl. WELLHAUSEN, HOLZINGER, GUNKEL, PROCKSCH, SKINNER, NOTH,
v. RAD und SIMPSON z. St.
[55] Vgl. Anm. 54, dazu den ausführlichen Nachweis bei SKINNER z. St.

dürfte der Schluß auf der Hand liegen, daß unser Stück unter Beachtung des Aufbaus des jetzt folgenden Abschnittes Gen 15 7-21* komponiert worden ist.

Der Schlußvers, für dessen Auslegung der Kürze halber auf v. RAD verwiesen sei, verrät ausgesprochene theologische Reflexion und verweist entsprechend auf eine späte Entstehungszeit.

Ich fasse das Teilergebnis zusammen: Es handelt sich in Gen 15 1-6 um ein der Pentateuchüberlieferung sekundär zugewachsenes Stück. Sein Vorstellungsmaterial entstammt einer im engeren Sinne kultischen Tradition in v. 1 b und ist in seiner Auffassung des Patriarchen in 1 a von dem Auftreten der großen israelitischen Propheten beeinflußt, deren Ansehen bereits der Fragwürdigkeit des Tages entzogen ist. Das Motiv der Nachkommenverheißung und Kinderlosigkeit ist der jahwistischen Tradition entnommen, die hier ihrerseits auf eine ursprünglich mit der Abrahamgestalt verbundene Vätergott-Überlieferung zurückgehen dürfte[56]. Die ganze Szene ist in ihrem Aufbau von Gen 15 7-21* abhängig. Die fehlende Lokalisierung ist entsprechend als ein Zeichen späterer Blässe zu beurteilen. Das Stück gehört weder der jahwistischen Quellenschrift noch der elohistischen Schicht an, sondern verweist auf eine deuteronomistisch beeinflußte Hand[57].

III

Bei der Untersuchung des zweiten Abschnittes des Kapitels besteht die erste Aufgabe wieder in der Gewinnung des ursprünglichen Bestandes. Es wurde bereits unter I festgestellt, daß die vv. 11. 13-16 sowie 19-21 einer sekundären Hand angehören. In v. 12 b sind auf Grund der merklichen Überfüllung die Worte חשכה גדלה als Einfügungen auszuscheiden[58]. Auf die Überarbeitung der Einleitung wurde ebenfalls bereits hingewiesen. Der Einsatz der Erzählung setzt in seiner vorliegenden Form die vorhergehende Szene voraus. Aus dem Ablauf der Erzählung in den vv. 9 ff. lassen sich jedoch bedingte Rückschlüsse auf den ursprünglichen Einsatz ziehen: Die Aufforderung in v. 9 kann unmöglich dessen Rolle gespielt haben. Jahwe muß durch das Verhalten Abrahams zu dieser außerordentlichen Form feierlicher Verpflichtung bewegt worden sein. Es besteht kein Grund, v. 8 in seiner vorliegenden Gestalt der Quelle abzusprechen. Die Frage Abrahams leitet die folgende Handlung organisch

---

[56] Vgl. JEPSEN a. a. O. S. 275. WEISER, Artikel ‚Abraham‘, RGG³ I, Tübingen 1956, Sp. 70.

[57] Daß in der Entstehung des deuteronomistischen Stiles und seinem Zusammenhang mit der israelitischen Bundestradition zumal elohistischer Färbung ein noch offenes Problem liegt, sei ausdrücklich angemerkt.

[58] Vgl. oben S. 108, Anm. 4.

ein[59]. Sie gibt uns zusammen mit v. 18 den Hinweis, daß ihr die Verheißung des Landbesitzes vorausgegangen ist. Diese selbst ist uns
jedoch in v. 7 nicht in ihrer ursprünglichen Form erhalten. Auffällig
ist zunächst 7 b β mit seinem לרשתה ... לתת. Der Vergleich verweist
auf einen deuteronomistischen Sprachgebrauch[60]. Aber auch die
einleitende Theophanieformel: »Ich bin Jahwe, der dich aus Ur
Kasdim geführt hat«, erweckt Bedenken. Rechnet man zunächst rein
hypothetisch auf Grund der Altertümlichkeit der folgenden Erzählung mit einer jahwistischen Herkunft, so stößt man sich an der
Nennung von Ur Kasdim, das jedenfalls in der ursprünglichen jahwistischen Erzählung nicht als die Heimat Abrahams galt[61]. Andererseits hat BUDDE darauf hingewiesen, daß mit der Möglichkeit zu
rechnen ist, daß Ur Kasdim als Klammer zwischen der ursprünglichen
Überlieferung und der Flutgeschichte bei deren Aufnahme in die
jahwistische Erzählung aufgenommen wurde[62]. Stärkeres Gewicht
besitzt die Beobachtung, daß diese Theophanieformel an die Einleitung zum Dekalog erinnert: »Ich bin Jahwe, dein Gott, der dich
aus Ägyptenland geführt hat«[63]. Die Verbreitung dieser Formel
und Vorstellung gerade innerhalb der deuteronomistischen Literatur
legt den Schluß nahe, daß die vorliegende Selbstprädikation Jahwes
nach ihrem Vorbild gestaltet wurde, eine Annahme, die durch die
Beobachtung an v. 7 b unterstützt wird. Damit ist das Urteil über
den Vers gesprochen: Er stammt von der Hand des deuteronomistischen Bearbeiters.

In den verbleibenden vv. 8-10. 12 und 17 f. handelt es sich um die
Erzählung von einer Bundesgewährung durch Jahwe an Abraham.
Bereits KRAETZSCHMAR hatte betont, daß in ihr nur eine Partei, nämlich die Jahwes, eine Leistung übernimmt[64]. BEGRICH versuchte
zu zeigen, daß das Wort *berît* ursprünglich überhaupt die Bezeichnung
des Verhältnisses zwischen einem Mächtigen und einem weniger
mächtigen gewesen sei[65]. Diese Zuspitzung ist nach den Arbeiten von
ALBRIGHT[66], NOTH[67], H. W. WOLFF[68] und E. VOGT[69] nicht länger

---

[59] Vgl. dazu die verschiedenen Bewertungen in den Analysen ebenda.
[60] Vgl. Dtn 5 28 b 9 6 19 2. 11 21 1 u. ö. Das gleiche Urteil fällt SKINNER z. St.
im Anschluß an CARPENTER und HARFORD-BATTERSBY.
[61] Vgl. GUNKEL zu Gen 11 27 ff.
[62] Bei HOLZINGER, Genesis S. 119.
[63] Ex 20 2 Dtn 5 6; vgl. Jdc 6 8 I Sam 10 18 I Reg 8 16.
[64] Die Bundesvorstellung im AT, 1896, S. 30.
[65] ZAW 1944, S. 1 ff.   [66] BASOR 141 (1951), p. 22.
[67] APHOS XIII (1955), S. 433—444 = Ges. Studien z. AT, München 1957,
S. 142—154.
[68] VT VI, 1956, S. 316—320.
[69] Biblica 36 (1955), p. 565—66.

vertretbar. Das hebräische *b*ᵉ*rît* besitzt, wie ALBRIGHT gezeigt hat, in dem akkadischen *birîtu* seine Entsprechung, das die Bedeutung ‚Bindung, Band' besitzt. Die gemeinte kultisch-rituelle Verbindung kann unter Berücksichtigung der Parallelen in den Maritexten sowohl als eine einseitige Bundesgewährung durch die Gottheit als auch als eine Bundesvermittlung zwischen zwei Partnern durch dieselbe in Erscheinung treten [70]. Berücksichtigt man, daß es in der alten Welt keine nur profane Bundesschließung gab, so wird deutlich, daß schließlich immer die Gottheit der Garant des Vertrages war. Der in v. 17 begegnende Ausdruck *kārat b*ᵉ*rît* bezeichnet, wie unsere ganze Szene verdeutlicht, ursprünglich die Zerschneidung des zum Bundesritual gehörenden Tieres, das als ‚Band' dient. Wie oft betont, begegnet der hier vorausgesetzte Brauch Jer 34 8-20 als Form eines Vertragsschlusses zwischen menschlichen Partnern, wobei Jahwe der Bundeswahrer ist [71]. Es handelt sich dort um die Bundesgewährung der Herren gegenüber den Sklaven. Die Bedeutung dieses Ritus als eines Aktes der Selbstverfluchung für den Fall des Vertragsbruches ist so unumstritten, daß sie keiner erneuten Erörterung bedarf. Das Unerhörte der vorliegenden Erzählung liegt darin, daß sie Jahwe selbst, wenn auch in verhüllter Form, durch die Gasse zwischen den zerschnittenen Tieren hindurchgehen läßt. Dieser kühne Anthropomorphismus betont die Unauflöslichkeit der göttlichen Zusage, da sich Gott schlechterdings nicht selbst zerstören kann.

Schwierig ist die Beantwortung nach der Herkunft dieser Tradition. Sie könnte auf eine freie Übertragung des ‚bürgerlich' üblichen Rechtsbrauches auf Jahwe beruhen und in diesem Sinne als eine freie Schöpfung des Erzählers gewertet werden. Dagegen scheinen mir die folgenden Beobachtungen zu sprechen, die den Ritus mit der israelitischen Theophanietradition verbinden. Die Selbstverständlichkeit, mit der Abraham den kurzen Befehl zur Beschaffung der Tiere in v. 10 in einer Weise ausführt, die über das in v. 9 Gesagte hinausgeht, läßt zunächst erkennen, daß der gleichzeitige Hörer sofort wußte, welchen Ritus die Aufforderung Gottes einleiten sollte [72]. Es ist nun weiter zu fragen, ob nicht auch die Art, in der die Gegenwart Gottes verhüllt umschrieben wird, einen ganz konkreten Brauch im Auge hatte, mit anderen Worten, ob hinter unserer Szene eine alte Form der kultischen Vergegenwärtigung des Bundesschlusses zwischen Jahwe und Israel steht, wobei weiter damit zu rechnen sein könnte, daß diese Tradition in die vormosaische Religion der Stämme oder einer einzelnen Gruppe zurückgeht.

[70] WOLFF a. a. O. S. 317.

[71] Vgl. die Kommentare z. St.

[72] Die Möglichkeit erzählerischer Breviloquenz ist allerdings zu berücksichtigen.

Es heißt, daß ein »rauchender Backofen und eine Feuerfackel« durch die Gasse zogen. Feuer und Rauch galten in Israel als die Begleiterscheinungen der Theophanie[73]. Sie kennzeichnen Jahwe weder als einen Gewitter- noch als einen Vulkangott[74], sondern sind einerseits kosmischer Reflex seines Erscheinens und verbergen andererseits Gott den Augen der Menschen. Gott will, wie es I Reg 8 12 heißt[75], im Wolkendunkel wohnen. Vor seinem Anblick würde der Mensch zunichte[76]. In diesem Zusammenhang verdienen die Stellen des AT Beachtung, die von dem Einzug der *kābôd* Jahwes in den salomonischen Tempel berichten bzw. in den der Schau Ezechiels[77]. Es ist unter Berücksichtigung von Jes 6 6 kaum anders denkbar, als daß diese Anwesenheit der *kābôd* durch eine im Kult vorgenommene Rauchentwicklung dargestellt wurde[78].

Die Wahl eines *tannūr*, eines »Backofens« und einer Feuerfackel dürften kaum zufällig sein, sondern ihre ganz konkreten kultischen Hintergründe haben. Diese k ö n n e n natürlich der salomonischen Zeit entstammen, indem sie den damals geübten Bundesschlußritus widerspiegeln. Dann stellt sich aber die Frage nach der Vorgeschichte des Ritus als ein gesondertes Problem. Solche Riten haben ihren Ursprung eher in der grauen Vorzeit als in der einer beginnenden religiösen Aufklärung. Dem Alter der israelitischen Bundestradition entsprechend wird man eher damit zu rechnen haben, daß die Geschichte eine ältere Kulttradition im Hintergrunde hat. Jdc 5 4f. belegt das hohe Alter der israelitischen Sinaitradition. I Sam 4 4 II Sam 6 2 Ex 25 22 verbinden die Vorstellung von Jahwe als dem auf seinem Wolkengefährt herbeikommenden Gott[79] mit dem vorjerusalemischen Ladeheiligtum, in dem man nach NOTH »das eigent-

---

[73] Vgl. Ex 19 18 J, 19 16 E, 20 19 E, Ex 24 16f. P, I Reg 19 11ff. Ps 18 7-13 Jes 6 6 Ez 43 1ff. 44 2ff. dazu WEISER, Bertholetfestschrift S. 519.

[74] Vgl. v. RAD, ThWBNT II, S. 242.

[75] Zur neueren Diskussion der Stelle vgl. MONTGOMERY-GEHMAN, The Book of Kings, ICC, 1951.

[76] Vgl. oben S. 111, Anm. 21.

[77] I Reg 8 10f. II Chr 5 13f. Ez 43 1ff. 44 2ff.

[78] Die Frage nach Gestalt und Ursprung des Räucheraltars bildet ein selbständiges Problem und braucht hier nicht berücksichtigt zu werden; vgl. dazu BENZINGER, KHC IX z. I Reg 6 20 und 7 48, ferner K. GALLING, Der Altar in den Kulturen des alten Orients, Berlin 1925; derselbe, BRL, Sp. 22. M. LÖHR, Das Räucheropfer im AT, SKG 4, 4, S. 179; F. NÖTSCHER, Biblische Altertumskunde, Bonn 1940, S. 296; J. DE GROOT, Die Altäre des salomonischen Tempelhofes, BWAT N. F. 6 (31), 1924, S. 11f.

[79] Vgl. WEISER, Psalmen⁴, S. 18f., 332, Anm. 2; ferner Ps 68 5. Dazu W. F. ALBRIGHT, HUCA XXIII, S. 18; GINSBERG, JBL 62 (1943), S. 112f. Der Einwand von JOHNSON a. a. O. S. 70, Anm. 1 überzeugt nicht. Die Änderung versteht sich gerade durch die v. 8 gegebene Anspielung auf den Wüstenzug.

liche Zentralheiligtum« der Zwölfstämmeamphiktyonie sehen darf[80].
Man könnte daher unter Berücksichtigung der Traditionen, die von
einem Bundesschluß in Sichem wissen[81], mit der Möglichkeit rechnen,
daß unsere Erzählung den Bundesschlußritus von Sichem wider-
spiegelt, den sie in einem Abrahambund präfiguriert sieht. Der Vorgang einer Legitimation späteren Kultbrauches mittels einer Vor-
datierung in die Väterzeit stünde in der Patriarchenerzählung der
Genesis nicht isoliert da[82]. Schließlich ist die weitere Möglichkeit
nicht auszuschließen, daß es sich hier um eine alte Abrahamstradition
handelt, die entweder, wie JEPSEN anzunehmen scheint[83], einen
hebronitischen Bundesschlußakt oder gar einen aus der Zeit vor der
Landnahme stammenden Brauch bewahrte, der aber, wie v. 18 zeigt,
jetzt gesamtisraelitischem Interesse dienstbar gemacht worden ist.

Aus der Archäologie des *tannūr* lassen sich keine zwingenden
Argumente gewinnen. Ein im Hintergrund stehender Kultgegenstand
müßte tragbar gedacht werden. Nun ist zwar nach GALLING mit der
Existenz solcher tragbaren Öfen bei halbgebundener Lebensweise
zu rechnen[84]. Aber damit ist kein entscheidender Hinweis auf das
Alter und die Herkunft des Brauches gewonnen, da man sowohl einen
noch bekannten Ofen neu für einen Kultzweck verwendet wie auf
einen bereits bestehenden, aber einem anderen religiösen Kontext
angehörenden Kultbrauch zurückgegriffen haben könnte.

Jede weitere Argumentation ist von vornherein mit den bisher
erkannten Unsicherheitsfaktoren belastet, zumal schließlich auch
die Annahme einer kultischen Repräsentation der Gegenwart Jahwes
mittels einer Raucherzeugung Hypothese ist. Dennoch seien die
folgenden Überlegungen zur Erwägung gestellt: Es wäre denkbar,
daß Israel vor der Übernahme der Keruben als der Symbolisierung
des Wolkengefährtes eine einfachere mittels der Rauchentwicklung
durch einen Backofen kannte[85]. Halten wir diese Möglichkeit offen,
so kommen wir zu der für das Gesamtverständnis des Kapitels in
seiner vorliegenden Gestalt entscheidenden Frage, ob nicht diese
Bundesschlußerzählung ursprünglich lokalisiert und ob es nicht gerade
diese Ortsangabe gewesen sein könnte, die unseren deuteronomistischen
Bearbeiter zu seinem Eingriff veranlaßte.

Entsprechend der Beurteilung Jerusalems durch das deuteronomistische Geschichtswerk ist keines Falles damit zu rechnen, daß
ihn etwa eine Verlegung der Abrahamsgeschichte nach Jerusalem

---

[80] Das System der zwölf Stämme Israels, BWANT 52 (1930), S. 95.

[81] Jos 24 Dtn 11 29 27 1 ff. Jos 8 30 ff.; dazu NOTH a. a. O. S. 66 ff.

[82] Vgl. ALT, Die Wallfahrt von Sichem nach Bethel, Kl. Schr. I, 79—88.;
G. WIDENGREN, Sakrales Königtum im AT und im Judentum, Stuttgart 1955,
S. 40.   [83] a. a. O. S. 278 f.   [84] BRL, Sp. 78.

[85] Vgl. WEISERs Hinweis auf die primitive Dramatik a. a. O. S. 332, Anm. 2.

gestört hätte[86]. Der Eingriff ist verständlich, falls sie in einem anderen Heiligtum lokalisiert war. Eine Verlegung des Bundesschlußaktes nach Jerusalem konnte der Überarbeiter angesichts der Bekanntschaft der alten Tradition nicht wagen, so tilgte er jede Ortsangabe und fügte zugleich seine Hinweise auf das Schicksal der Abrahamsnachkommen in Ägypten ein, womit er wohl einer aktuellen Anfechtung seiner Zeitgenossen an der Gültigkeit der Väterverheißung begegnen wollte[87].

Rechnen wir in dieser Weise mit einem quellenhaften und späterer Überarbeitung unterworfenen Stück, so bleibt die Frage, welcher Quelle wir es zuweisen und wo wir seinen ursprünglichen Ort suchen müssen. Da wir keine stichhaltigen Hinweise für das Vorliegen einer elohistischen Vorlage zu finden vermögen, ist kein Einwand gegen die übliche Zuweisung an J zu erheben[88].

Zwei Stellen sind für den ursprünglichen Ort des Textes vorgeschlagen worden: WELLHAUSEN wollte das Stück hinter 13 18 anschließen[89], KRAETZSCHMAR hinter Gen 12 7a[90]. Er unterstützte seinen Vorschlag durch den Hinweis darauf, daß 12 7a eine der Bundeszusage wörtlich entsprechende Ankündigung enthält. Dem wäre hinzuzufügen, daß eine feierliche Zusicherung des Landbesitzes für die Abrahamiden an einer späteren Stelle sehr an Gewicht verlöre, wäre sie bereits 12 7a vorweggenommen[91]. Nun fügt sich aber der Vorschlag KRAETZSCHMARs nahtlos mit dem zusammen, was wir über die traditionsgeschichtliche Herkunft des hier verarbeiteten Kultbrauches erwogen: Die Zusage von 12 7a ist an die Orakelstätte von Sichem gebunden. Man wird daher unter Berücksichtigung der im Laufe der Untersuchung immer wieder aufgetretenen Unsicherheitsfaktoren den Schluß ziehen dürfen, daß es sich in Gen 15 7-21 um eine ursprünglich in Sichem beheimatete Bundesschlußtradition handelte, die vielleicht schon in vordavidischer Zeit die Südstämme enger mit dem Stämmebund vereinigen sollte und daher Abraham mit dem in Sichem geübten Bundesschlußritus verband. Ihr ursprünglicher Ort ist mit KRAETZSCHMAR hinter Gen 12 7a zu suchen. Die von JEPSEN vertretene Annahme eines bereits mit der Religion der Abrahamleute verbundenen Bundesschlusses im Mamre bleibt angesichts der offensichtlich auch außerhalb Israels geübten ähnlichen

---

[86] Vgl. z. B. I Reg 12.   [87] Vgl. SIMPSON a. a. O. p. 74.
[88] Vgl. S. 108, Anm. 4.   [89] Composition S. 24.   [90] a. a. O. S. 60f.
[91] Mit dieser Einordnung entfallen auch die von HÖLSCHER a. a. O. S. 279 vorgebrachten Bedenken gegen die Zuweisung des Stückes an J, da die nun als Argument verbleibende Behauptung von der Undenkbarkeit der Opferszene bei J eben Behauptung bleibt. Ich sehe freilich die Möglichkeit, den Kern von 15 7-21 E zuzuweisen, erblicke aber in dem Einordnungsvorschlag ein plausibles Argument für J.

Riten erwägenswert, da sie wie die ALTsche These von der Väter-
gottreligion geeignet ist, den Prozeß der Traditionsbildung und -über-
tragung von innen her verständlich zu machen. Daß in späterer Zeit
die Redaktion gerade bei diesem Stück eingriff, während sie andere
unbehelligt ließ, erklärt sich hinreichend aus der Sonderstellung,
die diesem Stoffe zukommt, zumal die Betonung des Bundesgedankens
innerhalb des deuteronomistischen Schrifttums offensichtlich ist[92].

Ich breche an dieser Stelle die Untersuchung der literarkritischen
und exegetischen Probleme ab, um noch einmal den Gang der Überlieferungsgeschichte des Kapitels zu rekapitulieren: An seinem Anfang könnte eine zunächst mündliche Tradition stehen, die von einem
Bundesschluß des »Gottes Abrahams« mit den Abrahamleuten wußte
und nach der Landnahme mit Hebron verbunden wurde[93]. Als Inhalt
des Bundesschlusses wäre wie bei der vorliegenden Erzählung die
Landverheißung an Abraham anzunehmen, die zugunsten der in
Kap. 18 überlieferten Geschichte von der wohl ursprünglich mit ihr
verbundenen Nachkommenverheißung getrennt worden ist. In einer
zweiten Überlieferungsstufe, die ebenfalls noch mündlich vorzustellen
ist, wurde die Abrahamtradition mit dem sichemitischen Bundesschluß des Stämmeverbandes verschmolzen und gegebenenfalls entsprechend ausgestaltet. Als der Jahwist die Geschichte aufzeichnete,
erhielt sie einen neuen Akzent: Die mit dem Bundesschluß verkoppelte
Landverheißung wurde so überarbeitet, daß sie zu einer Legitimation
des davidischen Reiches wurde: Das Großreich Davids entspricht
der Verheißung Gottes an Abraham! In einer dritten Entwicklungs-
phase ist die Erzählung von ihrem ursprünglichen Standort gelöst,
da ihre Lokalisierung Anstoß erregte, und zugleich um eine ihrem
eigenen Aufbau entsprechende Vorgeschichte in den vv. 1-6 erweitert
worden, während sich der Kern eine Umarbeitung im Sinne des
‚Deuteronomistischen Geschichtswerkes' gefallen lassen mußte. Diese
Überarbeitung bedeutete zugleich eine Aktualisierung der alten Geschichte. Die Verbindung der Beute- oder Lohnverheißung mit der
Nachkommen- und dann der Landverheißung erweckt den Eindruck,
als wollte der Bearbeiter in einer Zeit völkischer und territorialer
Gefahr dem Zweifel seiner Glaubensbrüder entgegentreten. Entsprechend den stilistischen Eigenheiten ist die Redaktion des Kapitels
der Zeit deuteronomistischer Theologie zuzuschreiben, wofür grundsätzlich das 7. bis 5. Jh. offen steht. SIMPSON möchte in den vv. 1-7
eine Polemik aus frühnachexilischer Zeit sehen[94]. Aus einem solchen
Glaubensanliegen verstünde sich, will man nicht bereits mit einem
fast antiquarischen Interesse rechnen, der Einschub der vv. 11 und

---

[92] Vgl. EICHRODT, Theologie des AT, I, Stuttgart u. Göttingen 1957[5], S. 20ff.
[93] Vgl. WEISER, RGG [3]I, Sp. 70.   [94] a. a. O. p. 74.

13-16, der die Josephgeschichte mit ihren Folgen in die Väterverheißung einbezieht: Die Betonung des schließlich über die Unterdrücker hereinbrechenden Gottesgerichtes, in dessen Folgen die Abrahamsnachkommen mit reicher Beute ausziehen dürfen, könnte gut auf die Exilierten gemünzt sein. Der Redaktor griff bei seiner Deutung der Geschichte auf Gedanken zurück, die in der prophetischen Verkündigung gepflegt wurden und ihrerseits alter, im Kult beheimateter Bundestradition zu entsprechen scheinen[95]. Eine spätere Hand betonte, daß der gerechte Patriarch im Frieden heimging[96]. Hier verrät sich ein Hes 18 entsprechendes Anliegen[97]. Auch in den vv. 19-21 könnte sich ein kerygmatisches Motiv verbergen: Der Gott, der in der Vergangenheit in der Treue zu seiner Verheißung so viele Völkerschaften vertrieben hat, ist und bleibt mächtig, das gleiche auch heute zu tun. So wird die eidliche Versicherung des Landbesitzes an Abraham, wie sie der Jahwist erzählt hatte, zum Trost für Israel in der Stunde der Not und Unterdrückung: Gottes Verspruch bleibt, weil er sich selbst in der feierlichsten Form an ihn gebunden hat.

Der hier zum Vorschein kommende Prozeß ist paradigmatisch für das Verständnis der gesamten Traditionsbildung des ATs, einschließlich seines prophetischen Schrifttums. So wie GERHARD EBELING die Geschichte der Kirche als die Geschichte der Auslegung der Heiligen Schrift verstehen gelehrt hat[98], ist die Geschichte der alttestamentlichen Überlieferungsbildung selbst als die Geschichte der Auslegung der israelitischen Bundesideologie zu verstehen[99].

Nachtrag

J. HOFTIJZER's Studie »Die Verheißungen an die drei Erzväter«, Leiden 1956, ist mir leider erst nach Abschluß des vorliegenden Aufsatzes zugänglich geworden. Eine Stellungnahme zu seiner ganzen

---

[95] Vgl. Am 1 8—2 16 Jer 27 7 Jdc 5 31. Zum Problem: WEISER, ATD 24², S. 135; ATD 21, S. 248.

[96] Zu v. 15.

[97] Zu v. 16 vgl. die Kommentare.

[98] In seiner gleichnamigen Tübinger Vorlesung 1947, Sammlung gemeinverständlicher Vorträge und Schriften aus dem Gebiet der Theologie und Religionswissenschaft Nr. 289.

[99] Das hier in aller Kürze angedeutete Verständnis der alttestamentlichen Überlieferungsbildung findet in meiner demnächst zugänglichen traditionsgeschichtlichen Untersuchung der Ebed-Jahwe-Lieder bei Deuterojesaja seine ausführlichere Darstellung und Bestätigung. — Mit Recht hat FICHTNER, ThLZ, 1956, Sp. 437 darauf hingewiesen, daß die theologische Arbeit am Pentateuch erst eigentlich beginnen muß.

Konzeption kann in diesem Rahmen nicht meine Aufgabe sein. Ich beschränke mich daher auf den Hinweis, daß ich gegenüber seinem Versuch, die ursprüngliche literarische Einheit von Gen 15 nachzuweisen, die alte, zur Quellenscheidung den Anlaß gebende Beobachtung für ausschlaggebender halte, daß es in v. 5 schon Nacht ist, während die folgende Szene noch bei Sonnenlicht beginnt. HOFTIJZER geht m. E. auf S. 19 über die Spannung zwischen den vv. 5, 12a und 17 zu schnell hinweg. Auch wenn der Erzähler eine besondere Feierlichkeit erzielen wollte, war er in keiner Weise genötigt, die Verheißungen derartig auf verschiedene Tage zu verteilen. Damit bleibt die Frage nach der Vorgeschichte des Kapitels auch weiterhin berechtigt.

Stammesgeschichtliche Hintergründe der Josephsgeschichte

Erwägungen zur Vor- und Frühgeschichte Israels

Herrn Professor D. Artur Weiser zum 65. Geburtstag.

Die Untersuchung Sigmond MOWINCKELS über die Rahel- und Leastämme [1]) und die *Biblischen Studien* Eugen TÄUBLER's [2]) haben der alttestamentlichen Wissenschaft erneut zum Bewusstsein gebracht, welch ein dichtes Dunkel noch immer die Vor- und Frühgeschichte Israels bedeckt und wie weit wir von dem Zeitpunkt entfernt sind, an dem sich eine allgemein anerkannte Vorstellung über den historischen Quellenwert der Erzählungen des Hexateuchs wie entsprechend über die geschichtlichen, ihnen zugrunde liegenden Vorgänge herausgebildet hat. Dies tritt besonders deutlich zutage, wenn man die genannten Arbeiten mit ROWLEY's Vorlesungen *From Joseph to Joshua* [3]) und NOTH's *Geschichte Israels* [4]) vergleicht.

Als ein feststehendes Ergebnis darf man die Ansicht bezeichnen, dass die Landnahme der spätestens in davidischer Zeit zu einem Zwölfstämmeverband zusammengeschlossenen Einheiten in wenigstens zwei deutlich von einander zu unterscheidenden Etappen erfolgt ist. ALBRECHT ALT's Aufsätze über die *Landnahme der Israeliten in Palästina* [5]), über *Josua* [6]) und seine *Erwägungen über die Landnahme der Israeliten in Palästina* [7] dürfen hier neben NOTH's *System der zwölf Stämme Israels* [8]) als grundlegende Stadien der Forschung hervorge-

---

[1]) *Von Ugarit nach Qumran, Eissfeldt-Festschrift,* BZAW 77, 1958, S. 129-150.
[2]) *Biblische Studien. Die Epoche der Richter,* Tübingen 1958.
[3]) *Schweich Lectures of the British Academy* 1948, London 1952.
[4]) Göttingen 1956[3].
[5]) *Reformationsprogramm der Universität Leipzig* 1925=*Kleine Schriften zur Geschichte des Volkes Israel* I, München 1953, S. 89-125.
[6]) *BZAW* 66, 1936, S. 13-29 = *Kl. Schriften* I, S. 176-192.
[7]) *PJB* 35, 1939, S. 8-63 = *Kl. Schriften* I, S. 126-175.
[8]) *BWANT* 52, 1930.

hoben werden. Über die zeitliche Ansetzung wie über die Beteiligung und das Schicksal der Stämme bei diesen beiden Bewegungen besteht dagegen keine Einmütigkeit. Ein Überblick zeigt, dass dabei vor allem eine auffallende Meinungsverschiedenheit über das Geschick des „Hauses Joseph" und damit eng verbunden über den historischen Quelelewert der biblischen Josephsgeschichte besteht.

Ist ihre novellistische Eigenart grundsätzlich anerkannt [1]), so gehen doch die Ansichten, wie weit und ob überhaupt geschichtliche Motive an ihrem Ausgangspunkt stehen, überraschend auseinander. Bernhard LUTHER konnte geradezu eine Taktfrage darin sehen, in welchem Masse sich der Exeget des Versuches enthält, in ihr stammesgeschichtliche Erinnerungen zu finden [2]). Seine von der Annahme der südpalästinischen Entstehung der Geschichte getragene Ansicht gipfelt in der Feststellung, dass der Jahwist die Frage zu beantworten hatte, wie die Israeliten nach Ägypten kamen. „Diese Frage hatten die Mosesagen natürlich gar nicht gestellt, ebensowenig wie die Vätersagen fragten, wie denn die Ahnen nach Naharaim gekommen seien. Um diese Frage zu beantworten, erfand der Jahwist die Josephsgeschichte" [3]). Diese von HÖLSCHER aufgenommene und von NOTH ausführlich begründete Entscheidung wird grundsätzlich nicht aznutasten sein. Schon eine oberflächliche Überprüfung der Erzählung bestätigt NOTH's Urteil, dass sie „unbeschadet allerlei erzählerischer Entwicklungsmöglichkeiten im einzelnen von vornherein auf das überlieferte grosse Ganze angelegt gewesen" ist [5]).

Betrachten die Genannten damit auch die Frage nach dem geschichtlichen Hintergrund als erledigt, so steht ihnen eine ganze Reihe von Gelehrten gegenüber, die der Geschichte nun doch einen historischen Kern zuschreiben. So urteilt etwa ALBRIGHT, dass die Gestalten Abrahams, Isaaks, Jakobs und Josephs uns als wirkliche Persönlichkeiten entgegenträten, „deren jede Züge und Eigenschaften aufweist, die zu ihrem eigenen Charakter, aber nicht zu dem der andern passen," wonach wir also in Joseph eine historische Gestalt zu sehen hätten [6]).

---

[1]) Vgl. O. EISSFELDT, *FRLANT* 36 I, S. 74f.; G. v. RAD, *ATD* 2-4, Göttingen 1953, S. 379ff.; M. NOTH, *Überlieferungsgeschichte des Pentateuch*, Stuttgart 1948, S. 226ff.; J. MUILENBURG, *JBL* 75, 1956, S. 197.
[2]) In Eduard MEYER, *Die Israeliten und ihre Nachbarstämme*, Halle 1906, S. 146.
[3]) *Ebenda*, S. 142.
[4]) G. HÖLSCHER, *Geschichtsschreibung in Israel*, SVL 50, 1952, S. 53; NOTH, *Überlieferungsgeschichte*, S. 226ff.; vgl. auch MOWINCKEL, *a.a.O.*, S. 131.
[5]) *A.a.O.*, S. 227.
[6]) *Von der Steinzeit zum Christentum*, Bern o.J. (1949), S. 242.

In die gleiche Richtung wies auch das Urteil von TH. H. ROBINSON: „There is . . . no reason to suspect the substantical historicity of the narrative" [1]). Am weitesten dürften innerhalb der protestantischen Forschung [2]) gegenwärtig ROWLEY und G. E. WRIGHT gehen. Der erstgenannte möchte in Joseph einen Minister des ketzerischen Echnaton sehen, der mit der Tochter des Priesters von Heliopolis verheiratet und in dieser Stadt als Vezir tätig war [3]). WRIGHT scheint unter Hinweis auf das ägyptische Kolorit fast die ganze biblische Erzählung für geschichtlich zu halten, um sie in die Hyksos-Periode zu verweisen [4]).

Das Hauptinteresse bei diesen Untersuchungen liegt für die Rekonstruktion der Vor- und Frühgeschichte Israels in der Beantwortung der Frage, ob und wie weit die späteren Josephstämme selbst in Ägypten waren und entsprechend zu den Trägern des für den Glauben Israels grundlegenden Errettungserlebnisses am Meere wurden. Während schon Eduard MEYER entschied, dass Joseph an sich überhaupt nichts mit Ägypten zu tun hatte [5]), sind die Josephiten von WELLHAUSEN bis zu ROWLEY und JEPSEN immer wieder mit dem Kern der unter der Führung des Mose aus Ägypten entkommenen Israeliten gleichgesetzt worden [6]). Während NOTH als einzigen geschichtlichen Kern die Entstehung der Josephsgeschichte im Kreise des *Hauses Joseph* annimmt [7]), geht MOWINCKEL noch einen Schritt weiter und sucht ihren Kristallisationskern in dem in der Nähe von Sichem bezeugten Josephgrab, vgl. Jos xxiv 32 [8]). Immerhin ist es beachtenswert, dass auch er in den Josephiten den „Kern der einwandernden eigentlichen Israeliten" sieht, die aus der Gegend von Kadesch nach Ägypten und dann von dort wieder über Kadesch

---

[1]) *History of Israel* I, Oxford (1932) 1955, S. 62.
[2]) Zu der konservativen katholischen vgl. etwa P. HEINISCH, *Geschichte des Alten Testaments*, HS Ergänzungsband II, Bonn 1950, S. 52ff.
[3]) *A.a.O.*, S. 118 ff.
[4]) *Biblische Archäologie*, Göttingen o.J. (1958), S. 46ff.
[5]) *A.a.O.*, S. 288; vgl. auch GUNKEL, *Genesis, HK* I, 1910[3], S. 398; HÖLSCHER, *a.a.O.*, S. 80 n. 1.
[6]) vgl. z. B. J. WELLHAUSEN, *Israelitischen ud jüdische Geschichte*, Berlin 1958[9], S. 14; H. GRESSMANN, *FRLANT* 36 I, 1923, S. 15f.; R. KITTEL, *Geschichte des Volkes Israel* I, Gotha 1923[5-6], S. 303. 305; C. F. BURNEY, *Israel's Settlement in Canaan*, London 1921, S. 36; TH. H. ROBINSON, *a.a.O.*, S. 63; E. SELLIN, *Geschichte des israelitisch-jüdischen Volkes* I, Leipzig 1935, S. 53f.; ROWLEY, *a.a.O.*, S. 122f.; *ZAW* 69, 1957, S. 15; A. JEPSEN, *WZ Leipzig* 3, 1953/54, S. 145.
[7]) *A.a.O.*, S. 228; vgl. auch GRESSMANN, *a.a.O.*, S. 17.
[8]) *A.a.O.*, S. 143 f.

in ihre endgültigen Wohnsitze zogen [1]). Eine überraschende Wendung gibt Täubler der Frage, indem er die Josephsgeschichte mit dem Schicksal des Stammes Machir verbindet, den er als eine ursprünglich eigenständige Grösse ansieht [2]).

Die Bedeutung des hier aufgeworfenen Problems rechtfertig angesichts der angedeuteten nuancenreichen Mannigfaltigkeit der vorliegenden Antworten eine erneute Untersuchung zur Genüge. Dabei darf man vielleicht von vornherein die Frage stellen, ob mit der Zweckbestimmung der Erzählung als literarischer Brücke zwischen den Väter- und den Mosesagen bereits ein Urteil darüber gesprochen ist, ob die Geschichte stammesgeschichtliche Erinnerungen bewahrt hat oder nicht. Es könnte sein, dass die novellistischen Züge nichts anderes als eine üppige und in der Gesamtkomposition meisterhafte Ausschmückung gewisser stammesgeschichtlicher Gegebenheiten darstellen. In diesem Sinne hat sich Eissfeldt geäussert, der das Primäre in den volksgeschichtlichen Zügen und das Sekundäre in ihrer novellistischen Ausgestaltung und Erweiterung sieht [3]). Gerade wenn man sieht, wie die Josephsgeschichte mit Konsequenz zu der Vorbereitung des Exodus führt, ist es verwunderlich, wenn sie das Schicksal des Eponymus des *Hauses Joseph* ohne jeden geschichtlichen Hintergrund in dieser Weise in den Mittelpunkt stellen sollte.

Die ersten sicheren geschichtlichen Rückschlüsse lassen sich auf Grund der bereits Gen xxxvii zutage tretenden Verschiedenheit des verantwortlichen Wortführers der Brüder bei J und E über Ort und Zeit der Niederschrift ziehen [4]). Bei J erscheint Juda, [5]) bei E Ruben als Sprecher [6]). Die Bevorzugung Judas spiegelt zweifellos die Vorzugsstellung des gleichnamigen Stammes in der davidisch-salomonischen Ära wieder [7]), wie sie zugleich der judäischen Heimat des Jahwisten entspricht. Da J durchaus seine Bekanntschaft mit dem Zwölferschema verrät, spricht die Hervorhebung Judas entweder für eine bewusste, in der faktischen Gewalt begründete Massnahme oder

---

[1]) *Ebenda*, S. 142 f.
[2]) *A.a.O.*, S. 177. 192. 203.
[3]) *A.a.O.*, S. 74.
[4]) Entgegen Rudolphs Versuch, *BZAW* 63, 1933, S. 145 ff., die wesentliche Einheitlichkeit der Josephsgeschichte nachzuweisen, halte ich die von Gunkel gegebene Analyse mit geringen Abweichungen für richtig. J und E heben sich m. E. in Gen xxxvii-l deutlich durch unterschiedliche Erzählungsweise, Kompositionsgeschick und theologische Tiefe voneinander ab.
[5]) Vgl. Gen xxxvii (21). 26; xliii 3. 8; xliv 14. 16. 18; xlvi 28.
[6]) Vgl. Gen. xxxvii 22. 29; xlii 22. 37.
[7]) Vgl. auch Jepsen, *a.a.O.*, S. 142.

für eine vorhergehende mündliche Überlieferungsstufe der Geschichte im Süden. Mit Recht hat GRESSMANN hervorgehoben, es liege nahe, in dem Sprecher den Erstgeborenen zu sehen [1]). Der später und wohl im Nordreich arbeitende Elohist hielt sich dagegen an das inzwischen zu Bedeutung gelangte Zwölfstämmeschema und ersetzte Juda, sei es aus antiquarischem, sei es aus polemischem Interesse, durch Ruben.

Der ursprüngliche Haftpunkt der Josephsgeschichte geht aus den Ortsangaben in Gen xxxvii hervor. Sichem und Dothan weisen auf die Entstehung im Kreise der Josephiten [2]). Dabei erhebt sich sogleich die Frage, ob hinter der Wanderung der Jakobsöhne von Sichem nach Dothan in V. 17 geschichtliche Reminiszenzen verborgen sind. Da Jakob seinem Liebling zunächst die Weisung erteilt, nach Sichem zu ziehen, ist es deutlich, dass er selbst innerhalb der vorliegenden Erzählung nicht als dort ansässig gedacht wird. J nennt denn auch Hebron als seinen Wohnsitz. Trotz der verstümmelten Erzählung Gen xxxv 21f. ist soviel deutlich, dass Jakob bei J schon dort auf dem Wege nach Süden ist. Es ist daher nicht gerade wahrscheinlich, dass die Ortsangabe Gen xxxvii 14 mit Rücksicht auf xxxv 27 mechanisch von einem nachpriesterschriftlichen Redaktor eingesetzt worden ist [3]). STEUERNAGEL vermutete hinter der Wanderung der Brüder von Sichem nach Dothan eine Erinnerung an den Zug Issachars, Sebulons und Assers aus dem sichemitisch-mittelpalästinischen Raum nach Norden [4]), eine Lösung, die angesichts des Fehlens weiterer Nachrichten über eine derartige Episode im Leben der genannten Stämme jedes tragfähigen Fundamentes entbehrt. ROWLEY geht vorsichtiger zu Werke, wenn er in der Sendung Josephs von Hebron nach Sichem ein Zeugnis für die Verbindung zwischen einer bei Hebron und einer bei Sichem ansässigen hebräischen Gruppe während der Amarnazeit sieht. Zur Unterstützung seiner Interpretation weist er auf die in den Amarnabriefen belegte Habirutätigkeit südlich von Jerusalem wie im Gebiet von Sichem hin [5]). Aber selbst wenn man geneigt ist, die erste Einwanderungswelle der späteren

---

[1]) Gegen GRESSMANN gehört Ruben als Sprecher nicht zur älteren, sondern zur jüngeren Schicht. Zur Zeit der Niederschrift der Erzählung durch J oder ihrer mündlichen Vorstufe im Süden spielte Ruben keine Rolle mehr. Daher wurde der faktisch führende Stamm als Wortführer eingesetzt.
[2]) Vgl. NOTH, *Überlieferungsgeschichte*, S. 228.
[3]) Vgl. PROCKSCH, *KAT* I, z. St; v. RAD, *a.a.O.*, z. St.; anders LUTHER, *a.a.O.*, S. 161 n. 3; GUNKEL, *a.a.O.*, z. St.; NOTH, *a.a.O.*, S. 230 n. 569.
[4]) *Die Einwanderung der israelitischen Stämme in Kanaan*, Berlin 1901, S. 66.
[5]) *Joseph*, S. 115.

Israeliten mit den Habiru in Verbindung zu bringen, wird seine Auskunft als vorschnelle Historisierung zu bewerten sein. Die Wanderung Jakobs aus dem sichemitischen Raum nach Hebron entspringt der gleichen Tendenz des Erzählers wie die parallelen Züge innerhalb der Abrahamsüberlieferung: Es geht ihm im Interesse der Bekämpfung zentrifugaler Kräfte um eine enge Verbindung der ursprünglich von einander unabhängigen Vätertraditionen. Die Urzeit soll die in seiner Gegenwart erstrebte Einheit vor-spiegeln und also kräftigen. Deshalb berührt Abraham auf seiner Wanderung Sichem und Bethel, Gen xii 6. 8, deshalb zieht der Enkel in die schliessliche Heimat des Ahnen [1]). Die Ortsangabe in V. 14 hat also rein literarische, in den Absichten des Jahwisten verankerte Gründe, die keine weiteren Rückschlüsse zulassen als diesen, dass die Erzählung ursprünglich im Gebiet von Sichem haftete und also wohl auch dort entstand. Der ursprünglich sichemitische Wohnsitz Jakobs und seiner Söhne wird wohl auch noch Gen xxxvii 17 vorausgesetzt. Der Zug der Brüder von Sichem nach Dothan kann verschieden interpretiert werden. Einmal sollte er sicher erklären, wie es möglich war, dass Joseph unbemerkt vom Vater in die Hände der Brüder fallen konnte [2]). Zum andern benutzt er dabei das Wissen um den Verlauf der von Gilead nach Ägypten führenden und entsprechend von den Ismaeliten zu benutzenden Karawanenstrasse [3]). Schon an diesem Punkt der Untersuchung soll mit Täubler darauf verwiesen werden, dass der Stamm Machir nach dem Deboralied im nordwest-lichen Teil des samarischen Gebirges wohnte und also auch die Ebene von Dothan zu seinem Besitz gehörte [4]).

Es gilt jetzt zunächst, ein wenigstens hypothetisches Bild von dem Schicksal des *Hauses Joseph* zu gewinnen. Als erster Beitrag erweist sich die abweichende Lokalisierung Jakobs bei E. Aus Gen xlvi 1-5a geht hervor, dass E den Erzvater in Beer Seba angesiedelt hat [5]). In Gen xxxv 16ff. finden wir Jakob bei ihm auf dem Marsch nach Süden. — Berücksichtigen wir die nordisraelitische Herkunft von E so tritt uns in dieser Ortsangabe zunächst die auch Amos v 5 und viii 14 belegte besondere Verbindung der Nordstämme zu dem Heiligtum

---

[1]) Vgl. K. Galling, *Die Erwählungstraditionen Israels*, BZAW 48, 1929, S. 41 u. 44.

[2]) Vgl. Gunkel z.St.

[3]) Vgl. E. Meyer, *a.a.O.*, S. 288 n. 1.

[4]) Vgl. Täubler, *a.a.O.*, S. 176 f. 192.

[5]) Vgl. E. Meyer, *a.a.O.*, S. 288 n. 2.; Procksch, zu Gen xxxvii E; Gunkel, *a.a.O.*, S. 461; Hölscher, *a.a.O.*, S. 155; Jepsen, *a.a.O.*, S. 145.

von Beer Seba entgegen [1]). Behalten wir weiter im Auge, dass die
Josephiten die führende Gruppe des Nordreiches darstellten und eine
besondere Wertschätzung des Heiligtums von Beer Seba im Süden
in späterer Zeit nicht mehr erkennbar wird, liegt der Schluss nahe,
dass die Verbindung der Josephiten mit diesem Heiligtum stammesgeschichtliche Gründe hat. Man mag mit JEPSEN daran denken, in den
Josephiten Blutsverwandte der Isaaksippe zu sehen [2]), oder vorsichtiger damit rechnen, dass die Josephiten auf ihrer Wanderung vor
der Landnahme in eine nachhaltige Berührung mit dieser Sippe und
ihrem Heiligtum getreten sind. Auf alle Fälle dürften wir damit
einen Hinweis auf eine Station der Josephiten vor der Landnahme
erhalten haben.

Darf man JEPSEN auch weiter folgen und in Joseph die entscheidende Führergestalt dieser Gruppe sehen, die sie nach Ägypten führte
und ihre Ansiedlung in Gosen bewirkte? [3]) Damit hätte sich das
Grundskelett der ganzen Josephsgeschichte als historisch erwiesen.

Man wird zunächst fragen müssen, welche Bewandtnis es überhaupt mit dem *Hause Joseph* auf sich hat. Handelt es sich hier um einen
Stamm oder einen Sippenverband, der erst sekundär in Ephraim
und Manasse bzw. Machir auseinandergebrochen ist, oder ist das
Umgekehrte der Fall? Dabei können wir die von EDUARD MEYER
vertretene Anschauung, dass sich auch der *Stamm* Joseph erst später
aus dem Verbande des *Hauses* Joseph gelöst hat [4]), von vornherein
zurückweisen. Die Untersuchung der Landnahmegeschichten Jos
i-xi durch Albrecht ALT hat hinreichend belegt, dass die Gestalt
Josuas, des Ephraimiten, erst nachträglich mit den benjaminitischen
Landnahmeerzählungen verbunden ist und dass der Stamm Benjamin
entsprechend seine eigene, von den Josephiten unabhängige Landnahme vorgenommen hat [5]).

---

[1]) Zum theologischen Hintergrund von Amos v 5 und viii 14 vgl. A. S.
KAPELRUD, *Central Ideas in Amos*, SNVAO 1956, 4, S. 37 ff. 49.

[2]) *A.a.O.*, S. 145.

[3]) *Ebenda.*

[4]) *A.a.O.*, S. 291.

[5]) *BZAW* 66, 1936, S. 13-29 = *Kl. Schriften* I, S. 176-192. — Die Frage, ob
der biblische Stamm Benjamin mit der gleichnamigen Gruppe der Maritexte
identisch ist, können wir hier auf sich beruhen lassen; vgl. dazu MUILENBURG,
a.a.O., S. 194ff.; ROWLEY, *a.a.O.*, S. 115f.; MOWINCKEL, *a.a.O.*, S. 145 und NOTH,
Geschichte, S. 62 n. 1. — Aus Jos vi und viii dürften sich nach dem archäologischen Befund kaum Anhaltspunkte für den Zeitpunkt der benjaminitischen
Landnahme ergeben; vgl. dazu NOTH, *Das Buch Josua*, HAT 7, 1953², S. 21;
G. E. WRIGHT, *a.a.O.*, S. 72f. und TAUBLER, *a.a.O.*, S. 201 n. 1. — MUILENBURGS
Annahme einer vorjosephitischen Verbindung Benjamins mit Jakob, auf die

So verbleibt die Frage nach der ursprünglichen Zusammengehörigkeit von Ephraim und Machir, nach dem Verhältnis von Machir
und Manasse wie nach dem Alter der Bezeichnung dieses Verbandes
als *Haus Joseph*. Mit Sicherheit lässt sich zunächst nur sagen, dass
sich Ephraim und Manasse erst im Kulturland als Stämme konsolidiert
haben. Bei Ephraim liegt das angesichts der Bezeichnung mit einem
mittelpalästinischen Landschaftsnamen auf der Hand [1]). Für die
relativ späte Entstehung Manasses besitzen wir im Deboralied Jud
v wenigstens ein negatives Zeugnis: Aus seiner Nichterwähnung
darf man auf seine Nichtexistenz als selbständige Gruppe in dieser
Zeit zurückschliessen.

An seiner Stelle begegnet dort bekanntlich *Machir*. Nun ist es
ausserordentlich problematisch, ob die landläufige Ansicht, Machir
sei eine Abspaltung des *Hauses Joseph* [2]) richtig ist. TÄUBLER hat versucht, aus dem Namen des Stammes einen Rückschluss auf sein Alter
zu ziehen. Machir bezeichnet den, „der sich für bestimmte Dienste
gegen Entgelt verkauft hat" [3]). Ist es zunächst weiterhin möglich, den
Namen als eine Personenbezeichnung anzusehen und einen Sippen-
ältesten oder dergleichen in ihm zu vermuten, der ob seiner Verwai-
sung oder aus anderen Gründen als Kind verkauft war [4]), so gewinnt
doch TÄUBLER's Lösung an Wahrscheinlichkeit, wenn man sich des
parallelen Vorganges im Falle des Stammes Issachar erinnert, der
wohl während der Amarnazeit gegen die Übernahme von Frondien-
sten in der Jesreelebene siedeln durfte [5]). Man wird demnach damit
rechnen können, dass auch Machir in dieser oder jener Form etwa

---

seine Favoritenstellung Gen xlii 4. 36; xliv 20 ff. zurückzuführen sei, *a.a.O.*,
S. 198, steht NOTHs Meinung gegenüber, die ganze Sonderbehandlung Benjamins
sei eine den Bedürfnissen der Josephgeschichte entsprechende literarische
Bildung, *Überlieferungsgeschichte*, S. 288 n. 567. Will man einen geschichtlichen
Grund für die in der Erzählung zutage liegende besonders enge Verbindung
zwischen Joseph und Benjamin suchen, so reicht es aus, auf ihre benachbarte
Lage und sich daraus in Kriegs- und Friedenszeiten ergebende gemeinsame
Interessen hinzuweisen. Über die Gleichzeitigkeit ihrer Landnahme wird man
jedenfalls daraus keine Folgerungen ziehen können; vgl. NOTH, *System*, S. 37 n.
2; MOWINCKEL, *a.a.O.*, S. 145 n. 30.

[1]) Vgl. MEYER, *a.a.O.*, S. 291; NOTH, *Geschichte*, S. 60 f.; TÄUBLER, *a.a.O.*, S.
177 ff.

[2]) Vgl. MEYER, *a.a.O.*, S. 291; E. AUERBACH, *Wüste und gelobtes Land*, Berlin
1936, S. 106; NOTH, *Geschichte*, S. 61.

[3]) TÄUBLER, *a.a.O.*, S. 190.

[4]) Vgl. NOTH, *Die israelitischen Personennamen im Rahmen der gemeinsemitischen
Namengebung*, BWANT 46, S. 231 f.

[5]) Vgl. ALT, *PJB* 20, 1924, S. 39 ff.

während der gleichen Zeit in ägyptische oder kanaanäische Dienste getreten ist [1]). Damit findet der auffallende Befund, dass Ephraim und Machir im Deboralied als selbständige Einheiten erscheinen, seine beste Erklärung.

In *Manasses* Zusammenordnung mit Ephraim wird sich dagegen die echte geschichtliche Erinnerung daran erhalten haben, dass Manasse erst aus ursprünglich zu Ephraim gehörenden Sippen entstanden ist, die weiter nach Norden vorstiessen. Jetzt bleibt allerdings die Frage zu klären, wie es dazu kommt, dass Machir später als der älteste Sohn Manasses erscheint, vgl. etwa Gen l 23; Nu xxvi 29; Jos xvii 1. — TÄUBLER vermutet, dass dieser Zusammenschluss mit dem Erscheinen der Philister auf der politischen Bühne zusammenhängt. [2]) Ein Teil der ephraimitischen Sippen hätte sich gleichsam infolge des Druckes der Philister auf den Weg nach Norden begeben, der sich in dem dünner besiedelten Gebiet nicht so stark bemerkbar machen konnte. Machir wäre dann, sei es schon vorher entscheidend geschwächt, sei es jetzt in kriegerische Verwicklungen hineingezogen, in dem jugendfrischen Manasse aufgegangen. — Gen l 23 E scheint m.E. noch um diesen Vorgang zu wissen, wenn Joseph dort die "Söhne Machirs" adoptiert. Solange man die Eigenständigkeit Machirs verkannte, sah man in diesem Erzählungszug lediglich das Bestreben der Sage, Joseph Ersatz für die Adoption Ephraims und Manasses durch Jakob zu verschaffen [3]). Aber wenn dem so wäre, bliebe es doch erstaunlich, dass der Erzähler nicht weitere Enkel ausfindig machte, zumal es an Sippennamen in der Überlieferung nicht fehlte. Diese betonte Heraushebung Machirs, diese ausdrückliche Adoption weiss noch um die sekundäre Zugehörigkeit zu dem Verbande der Josephiten.

Von den später zum Hause Joseph zusammengeschlossenen Gruppen bleibt uns also für die Zeit des Deboraliedes allein *Ephraim* als ursprüngliche Grösse übrig. Damit stürzt aber die These zusammen, dass sich Ephraim und Manasse schon vor der Landnahme zum Hause Joseph zusammengeschlossen hätten [4]). Wäre der Name „Haus Joseph" eine ursprüngliche Bezeichnung der Sippenverbände, aus denen sich später Manasse herauslöste, so wäre es nicht einzusehen,

---

[1]) TÄUBLER, *a.a.O.*, S. 191.
[2]) *Ebenda* S. 188.
[3]) Vgl. etwa MEYER, *a.a.O.*, S. 516 und GUNKEL z.St.
[4]) Gegen NOTH, *Geschichte*, S. 87.

warum sich diese Gruppe nach der Landnahme nach ihrem neuen Wohnsitz benennt.

Geht man zu weit, wenn man daraus die Konsequenz zieht, dass Ephraim und Joseph ursprünglich überhaupt nichts miteinander zu tun hatten? Die Möglichkeit, dass Machir in der Gegend von Dothan sass, muss immerhin zugegeben werden. Damit bleibt aber auch die weitere diskutabel, dass die Josephgestalt von dort über Manasse zu einer „gesamtjosephitischen" Bedeutung gekommen ist. Etwas Sicheres lässt sich freilich in diesem Punkte nicht mehr ausmachen [1]).

Nachdem sich Gen 123 für unsere Fragestellung als ergiebig erwiesen hat, ist es angebracht, auch Gen xlviii in die Untersuchung einzubeziehen, zumal es deutlich ist, dass hier in einer in der ganzen Josephsgeschichte singulären Weise stammesgeschichtliche Vorgegebenheiten zum Vorschein treten [2]). Wir fragen hier, ob die Geschichte von der Segnung der Josephsöhne *nur* auf eine gleichsam „innerjosephitische" Kontroverse zurückgeht oder ob sie nicht darüber hinaus eine Erinnerung daran bewahrt hat, dass Jakob und Joseph eigentlich nichts miteinander zu tun hatten. In der Segnung der Söhne liegt, was P in V. 5 ausdrücklich betont, ihre Adoption [3]).

Man kommt in diesem Zusammenhang nicht darum herum, zunächst nach dem ursprünglichen Haftpunkt der Jakobgestalt zu fragen. Schon Eduard MEYER wollte aus der Tatsache der Verknüpfung der westjordanischen Jakobtraditionen mit den Heiligtümern von Sichem und Bethel den Schluss ziehen, dass es sich hier ähnlich wie

---

[1]) TÄUBLERS Annahme, *a.a.O.*, S. 173 f., es handle sich bei Joseph um eine ursprünglich machiritische Gestalt, gewinnt in diesem Zusammenhang an Wahrscheinlichkeit. MOWINCKEL schlägt vor, die Einwanderer hätten das Jos xxiv 32 bei Sichem bezeugte Grab Josephs bereits vorgefunden, allmählich an seinem Kult teilgenommen und ihn schliesslich den Landesbewohnern als ihren eigenen Ahnherren verehrt, *a.a.O.*, S. 133f. So wie sich neben seiner Deutung von Lea und Rahel als mittels der Umwandlungen in Ahnfrauen neutralisierter Fruchtbarkeitsgöttinnen immer noch NOTHS Erklärung, es handle sich um freie Bildungen des Erzählers, für die er die „für kindergebärende Frauen schlechthin nicht eben unpassenden Namen Lea = Kuh und Rahel = Mutterschaf" wählte, *Überlieferungsgeschichte*, S. 103, sehen lassen kann, ist es auch in diesem Falle durchaus wahrscheinlich, dass die Verbindung Josephs mit dem bei Sichem gezeigten Grabe sekundär ist. Für derartige Vorgänge lassen sich bis zu den bei Jerusalem gezeigten Königsgräbern genügend Beispiele erbringen. Aus Gründen des ursprünglichen Haftpunktes der Jakobgestalt ist es aber auch unwahrscheinlich, in diesem Grab mit TÄUBLER, *a.a.O.*, S. 203 ein eigentliches Jakobsgrab zu sehen. Vgl. auch die zurückhaltenden Urteile über die Josephgestalt bei KITTEL, *a.a.O.*, S. 303 und AUERBACH, *a.a.O.*, S. 59 n. 1.

[2]) Vgl. v. RAD, *a.a.O.*, S. 361.

[3]) Vgl. STEUERNAGEL, *a.a.O.*, S. 3.

bei der Verbindung Abrahams mit den gleichen Anlagen um einen
sekundären Übertragungsvorgang handelt. Er kam entsprechend zu
dem Ergebnis, Jakob habe ursprünglich viel fester an der Jabbokfurt
und in Gilead gehaftet als an den beiden westjordanischen Heiligtümern [1]). Dagegen ist seit ALT immer wieder die These gesetzt
worden, die Jakobgestalt sei erst sekundär durch ephraimitische
Siedler ins Ostjordanland gebracht worden [2]). Bei der Entscheidung
dieser Streitfrage macht sich uns die Lückenhaftigkeit unsrer früh-
geschichtlichen Kenntnisse Israels wieder schmerzlich bemerkbar.

Zunächst darf man wohl als sicheres Forschungsergebnis festhalten,
dass das Eindringen der „Josephiten" in den mittelpalästinischen
Raum dort ein gewisses bevölkerungsmässiges Vakuum voraussetzte.
Wenn man annehmen darf, dass Simeon und Levi zunächst in dieser
Landschaft sesshaft waren und dann durch eine Katastrophe aus
derselben herausgedrückt wurden, bleibt die Frage offen, wer den
„Josephiten" eigentlich die westjordanische Jakobtradition über-
mittelte [3]). Mit einem westjordanischen Wohnsitz Rubens wird man
nicht mit der gleichen Wahrscheinlichkeit zu rechnen haben wie im
Falle der beiden eben genannten Stämme, da man aus Jud v 15f. nicht
mit Sicherheit einen entsprechenden Schluss ziehen kann und auch
gegen die Verbindung Rubens mit dem Bohanstein Jos xv 6; xviii
17 und mit Bilha Gen xxxv 21f. schwere Bedenken vorliegen [4]).
Daher dürfte die biblische Stammesgeographie, die Ruben von
vornherein mit dem Ostjordanlande in Verbindung bringt, unser
Zutrauen verdienen. Vgl. Nu xxxii; Jos. xiii 8ff. [5])

Da die Verehrung des „Starken Jakobs" kaum den sichemitischen
Hamoriten [6]) zugewiesen werden kann und wir andererseits keine
Anhaltspuukte für die Zugehörigkeit Machirs zu einem älteren
Stämmeverband besitzen, mit den Ephraimiten aber gerade die
Verehrung des Gottes Israels ins Land kam, [7]) liegt es nahe, sie vor

---

[1]) *A.a.O.*, S. 276 f.

[2]) *Kl. Schriften* I, S. 52 f.; NOTH, *Überlieferungsgeschichte*, S. 86 ff.; TÄUBLER,
a.a.O., S. 200.

[3]) Zu den mittelpalästinischen Wohnsitzen von Simeon und Levi vgl. NOTH,
Geschichte, S. 69 f.; ROWLEY, *a.a.O.*, S. 113 f.

[4]) Gegen NOTH, *Geschichte*, S. 63 f. STEUERNAGEL, *a.a.O.*, S. 15 ff.; MAUCHLINE,
VT 6, 1956, S. 21 mit TÄUBLER, *a.a.O.*, S. 227 f.; vgl. auch JEPSEN, *a.a.O.*, S.
146 f.

[5]) Vgl. auch AUERBACH, *a.a.O.*, S. 82.

[6]) Zur Deutung des Namens vgl. ALBRIGHT, *a.a.O.*, S. 278; F. WILLESEN,
VT 4, 1954, S. 216 f.

[7]) Vgl. unten S. 12 f.

allem bei den Rubeniten zu suchen, die doch wohl nicht ohne Grund als der erstgeborene und somit eigentliche Jakobsohn in der biblischen Darstellung erscheinen. Vgl. z.B. Gen xxix 32; xlix 3f. So ergibt es sich eigentlich schon aus stammesgeographischen Gründen, dass die Jakobgestalt im Ostjordanland gepflegt wurde. Anzeichen für ihre traditionsgeschichtlich echte Verwurzelung an den westjordanischen Heiligtümern vermag ich jedenfalls nicht zu finden. Immerhin könnte man mit der Möglichkeit rechnen, dass die spätere Übertragung dieser Vätergestalt in den Westen Erinnerungen an einen älteren Stämmebund bewahrte, dem auch Simeon und Levi angehörten und der in dem ,,Starken Jakobs" seine zentrale Gottheit besass. Die unmittelbare Traditionslinie dürfte aber über die Rubeniten geführt haben, eine Annahme, die in der ostjordanischen Tradition vom Jakobsgrab Gen l 11 ihre Stütze findet [1]).

Es darf als sicher gelten, dass die Jakob- und die Israelgestalt ursprünglich nichts miteinander zu tun hatten [2]). Nun ist es auffällig, dass gerade das Heiligtum von Sichem die erste nachweisbare Verbindung zu dem Kult des Gottes Israels zeigt [3]). Trotz der dagegen erhobenen Einwände bleibt die Wahrscheinlichkeit gross, dass die biblische Tradition Josua nicht ohne Grund mit der Verpflichtung der Stämme zur Bundestreue gegenüber dem Gotte Israels in Verbindung gebracht hat [4]). AUERBACH's Hinweis, es sei ungeheuerlich und undenkbar anzunehmen, dass die Israeliten schon wenige Jahre nach dem Tode des Mose Götterbilder besessen hätten, vgl. Jos xxiv 23, geht offensichtlich von einer zu traditionellen Vorstellung von der Vorgeschichte Israels aus [5]). Aber auch sein schwerer wiegendes und von ROWLEY geteiltes Bedenken gegen ein sichemitisches Zentralheiligtum in der frühen Richterzeit ist nicht unüberwindbar. Wenn es zu einem Bundesschluss der Einwanderer mit den Bene Hamor kam, vgl. Gen xxxiv [6]) lag keine Notwendigkeit zu der Eroberung der Stadt vor. Die ,,Josephiten" konnten vielmehr auf friedliche Weise zu Werke gehen. Die enge Verbindung Gideons und Abimelechs mit den Sichemiten zeugt in späterer Zeit für diese

---

[1]) So auch JEPSEN, *a.a.O.*, S. 147.
[2]) Vgl. NOTH, *Geschichte*, S. 70 n. 1; MOWINCKEL, *a.a.O.*, S. 130 f.
[3]) Vgl. Gen xxxiii 20; Jos viii 30; xxiv 23; NOTH, *Geschichte*, S. 90.
[4]) Vgl. gegen ROWLEY, *a.a.O.*, S. 126 und AUERBACH, *SVT* I, 1953, S. 3 NOTH, *System*, S. 69 ff.; *Geschichte*, S. 91 und M. BUBER, *Der Glaube der Propheten*, Zürich o.J. (1950), S. 28 f.
[5]) *SVT* I, S. 3.
[6]) Vgl. ALT, *Kl. Schriften* I, S. 191 f.; ALBRIGHT, *a.a.O.*, S. 278.

Möglichkeit. Schliesslich ist nach Dt xxvii 4ff. und Jos viii 30f. anzunehmen, dass sich das israelitische Zentralheiligtum gar nicht im unmittelbaren Stadtgebiet von Sichem befand, sondern zwischen dem Ebal und dem Garizim seine Stelle hatte [1]). Wenn die Sichemiten dennoch an der Verehrung ihres Stadtgottes, des Baal Berit, festhielten vgl. Jud ix 4, ist es nicht ausgeschlossen, dass ihnen das durch eine einfache Identifikation desselben mit Jahwe möglich war [2]). Andernfalls könnte man damit rechnen, dass den Sichemiten eine gewisse religiöse Autonomie zugestanden worden ist, was jedoch nicht soviel Wahrscheinlichkeit für sich hat [3]). Dass die Bildung des Stämmebundes in Sichem mit der Einwanderung der israelitischen „Josephiten" zusammenhing, liegt auf der Hand. Der Ephraimit Josua, vgl. Jos xxiv 29f., spielt bei dem Bundesschluss die entscheidende Rolle.

Damit stehen wir vor der Kardinalfrage, ob man die Errettung Israels am Meer von seinem Bekenntnis zu Jahwe abtrennen kann. Mag es sich mit dem Jahwismus Judas verhalten, wie es will, [4]) so bleibt der Tatbestand unübersehbar, dass Hosea Ephraim ausdrücklich auf seine Berufung anreden kann, ein Moment, das von ROWLEY in seiner Bedeutung nachdrücklich hervorgehoben worden ist [5]). Auch bei Amos dürfte eine entsprechende Tradition vorausgesetzt sein [6]). Nun könnte man allerdings gegen die Beweiskraft dieser Stellen einwenden, es handle sich hier eben um Gedanken der Propheten, die aus der nachjahwistischen Tradition stammten und entsprechend keinerlei historischen Aussagewert besässen. Aber dieser Einwand liesse sich sofort durch den Hinweis entkräften, dass Hosea ja gerade nicht von der Berufung ganz Israels aus Ägypten, sondern von der speziellen Ephraims redet. Man wird in diesem Zusammenhang weiter die Frage stellen müssen, ob es denn überhaupt wahrscheinlich ist, dass sich unter dem Einfluss der gesamtisraelitischen Tradition in den wenigen zwischen dem Exodus und dem Jahwisten und dann den genannten Propheten liegenden Jahrhunderten jede Erinnerung an die an diesem grundlegenden Ereignis beteiligten Gruppen verloren haben sollte, so dass uns nur das skeptische Urteil übrig bleibt: *Ignoramus, ignorabimus* [7]).

---

[1]) Vgl. NOTH, *System*, S. 79 f.
[2]) Vgl. S. H. HOOKE, *Myth, Ritual and Kingship*, Oxford 1958, S. 16.
[3]) Zur verbleibenden politischen Autonomie vgl. ALT, *Kl. Schriften* I, S. 129.
[4]) Vgl. ROWLEY, *ZAW* 69, 1957, S. 14 f.
[5]) Vgl. Hos xii 9 f.; xi 3; xiii 4; dazu ROWLEY, *Joseph*, S. 142.
[6]) Vgl. Amos ii 10; iii 1 und ix 7.
[7]) Gegen NOTH, *Geschichte*, S. 113.

Wir konnten auf der einen Seite mit grosser Wahrscheinlichkeit nachweisen, dass die „Josephiten" vor ihrer mittelpalästinischen Landnahme für einige Zeit in der Gegend von Beer Seba ansässig waren [1]). Wir sahen weiter, welch eine zentrale Bedeutung der Ephraimit Josua für die Verehrung des Gottes Israels besass und schliesslich wie die Propheten Hosea und wohl auch Amos Ephraim in auffallender Weise auf seine Berufung aus Ägypten anredeten. Somit liegt der Schluss nahe, dass eben die „Josephiten" oder doch ein Teil derselben [2]) die am Exodus beteiligte Kerntruppe des jahwistischen Israel war [3]).

Wenn dem so ist, und wir halten diese Rekonstruktion bei allen aufgezeigten Unsicherheitsfaktoren für die wahrscheinlichste, so zeigt es sich zugleich, dass der stammesgeschichtliche Hintergrund der Josephgeschichte trotz aller hinter den Mann Joseph und seine spezielle Traditionsgeschichte zu setzenden Fragezeichen realer ist, als man heute weitgehend zuzugeben geneigt ist. In seiner Identifikation mit dem Stammvater von Ephraim und Manasse dürfte sich nun doch eine Erinnerung daran spiegeln, dass eben eine nicht mehr näher umschreibbare Gruppe von deren Vorfahren in Ägypten war. So wird auch, falls unsere im Anschluss an Täubler's Darstellung erwogene machiritische Vorstufe der Josephgeschichte zutrifft, die Verbindung der Josephgestalt mit Ephraim und Manasse verständlich.

Man wird die Abwanderung der „Josephiten", die wir als die eigentlichen Träger der Israeltradition anzusehen haben, aus dem Raume von Beer Seba nach Ägypten kaum auf eine Feindschaft der Leastämme zurückführen dürfen [4]). Das Feindschaftsmotiv der Brüder Gen xxxvii ist, wenn es sich bei ihm nicht überhaupt um eine literaische Bildung handelt, eher als eine Erinnerung an gewisse Spannungen zwischen den frisch eingewanderten „Josephiten" oder „Israeliten" und den älteren im Lande sitzenden Stämmen zu deuten [5]) Zum Zuge nach Ägypten könnten sie durch eine Hungersnot wie durch ismaelitischen Druck veranlasst worden sein [6]). Aber an diesem Punkte kommen wir nicht über Vermutungen hinaus. Die Abwande-

---

[1]) Vgl. oben S. 7.
[2]) Man könnte damit rechnen, dass Teile derselben nicht mit nach Gosen zogen, sondern im Raum zwischen Beer Seba und Kadesch blieben.
[3]) Gegen Noth, *Geschichte*, S. 113.
[4]) Gegen Mauchline, *a.a.O.*, S. 24.
[5]) Vgl. Steuernagel, *a.a.O.*, S. 66 f., der jedoch sicher in der Auswertung der Einzelheiten zu weit geht.
[6]) Vgl. Jepsen, *a.a.O.*, S. 145.

rung infolge einer Weidenot, die Ansiedlung in Gosen [1]), das auch in der Exodustradition vorausgesetzte Sklavenlos [2]) sind Materialien, die der Erzähler, bei seiner Aufgabe, eine Brücke zwischen der Väter- und der Auszugstradition zu schlagen, geschichtlicher Erinnerung entnahm, um sie gesamtisraelitisch und zugleich novellistisch-individuell auszuwerten. Wenn sich der Josephstoff, der seinerseits bereits von Sklavenlos und Aufstieg seines Helden erzählt haben mag, als geeignet für diesen Brückenschlag anbot, so wohl deshalb, weil sich die Erinnerung an den Aufenthalt der „Josephiten" in Ägypten erhalten hatte. In diesem eingeschränkten Sinne kann man dem Urteil EISSFELDT's zustimmen, dass die stammesgeschichtlichen Züge auch in der Josephsgeschichte das Primäre sind [3]). Oder anders und pointiert ausgedrückt: „Joseph" war in Ägypten.

---

[1]) Vgl. Gen xlvii 1. 6; ferner Ex viii 18; ix 26.
[2]) Vgl. Gen xxxvii 27 f. 36; xxxix 1 u.ö. Ex xx 1; Hos vii 13; xii 13 f.; C. R. NORTH, *The Old Testament Interpretation of History*, London o.J. (1953), S. 2.
[3]) *A.a.O.*, S. 74.

Den Erstgeborenen deiner Söhne sollst du mir geben

Erwägungen zum Kinderopfer im Alten Testament

Daß die alttestamentlichen Bestimmungen über die Behandlung der Erstgeburt eine mehrschichtige religionsgeschichtliche Dimension besitzen, ist offensichtlich. Geburt, Reife und Tod sind die kritischen Augenblicke im Leben des Einzelnen und der Gemeinschaft[1]. So kann es ernsthaft keinem Zweifel unterliegen, daß die Anschauung, die Leviten seien als Ersatz für alle männlichen Erstgeborenen in Israel von Jahwe mit Beschlag belegt und die Heiligung aller männlich-menschlichen und tierischen Erstgeburt in Israel sei in der Passanacht des Auszuges begründet, Num 3,11ff., eine späte Theorie darstellt. Lassen wir die Frage, wie urzeitliches Jägerritual und altpflanzerzeitliche rituelle Tötung als Erinnerung an die getötete Gottheit, die sich bei ihrer Tötung in die Nutzpflanzen verwandelt hat, mit dem späteren Verständnis ritueller Tötungen als Gabe zusammenhängen, außer Betracht[2],

---

[1] Vgl. G. van der Leeuw, Phänomenologie der Religion, Tübingen 1956², S. 209ff. und C. H. Ratschow, Magie und Religion, Gütersloh 1955, S. 41ff. und S. 50ff.

[2] Vgl. im erstgenannten Sinne K. Meuli, Griechische Opferbräuche, in: Phyllobolia für Peter von der Mühll, Basel 1946, S. 185ff.; W. Burkert, Homo necans. Interpretationen altgriechischer Opferriten und Mythen, RGVV 32, Berlin und New York 1972, S. 20ff. und dazu die Einschränkung der Nachwirkung des Jägerrituals auf das rein Rituelle bei A. E. Jensen, Mythos und Kult bei Naturvölkern, Wiesbaden 1962², S. 196f. — Zur Vorstellung vom Nachvollzug der Tötung der vorzeitlichen Gottheit vgl. A. E. Jensen, Hainuwele. Volkserzählungen von der Molukken-Insel Ceram, Frankfurt/Main 1939, S. 59ff.; ders., Über das Töten als kulturgeschichtliche Erscheinung, Paideuma 4, 1950, S. 23ff.; ders., Mythos und Kult, S. 107ff. und S. 185ff.; ders., Die getötete Gottheit (Das religiöse Weltbild einer frühen Kultur³), Urban 90, Stuttgart 1966, S. 125ff.; ferner H. Lommel, Mithra und das Stieropfer, Paideuma 3, 1944/49, S. 207ff. und besonders S. 212ff.; M. Eliade, Die Religionen und das Heilige, Darmstadt 1966, S. 377ff. —

bleiben immer noch genügend Probleme zu klären. Daß zwischen den Opferpraktiken der späteren Hochkulturen und jenen urzeitlichen Riten ein genetischer Zusammenhang besteht, ergibt sich allein daraus, daß die Gottheit als Geber eigentlich der Gabe nicht bedarf, teilweise nur wertlose Teile von dem Opfertier erhielt und es im Falle eines Ganz- oder Brandopfers gänzlich offen blieb, wie das Opfer der Gottheit zugute kam[3].

Beschränken wir uns auf die immanenten Probleme der alttestamentlichen Religionsgeschichte, gibt die Tatsache zu denken, daß die Bestimmungen über die Erstgeburt im Deuteronomium und im Heiligkeitsgesetz[4] auf die tierische eingeschränkt sind, Dtn 15,19ff.; Lev 27,26f., sonst aber von menschlicher und tierischer Erstgeburt die Rede ist, Ex 13,2; 13,11ff.; 22,28f.; 34,19f.; Num 3,11ff.41ff.; 18,13ff. Man erinnert sich an Ez 20,25f. mit seiner Behauptung, Jahwe habe die Israeliten durch ungute Satzungen und Rechte verunreinigt, so daß sie alle Erstgeborenen durchs Feuer gehen ließen, und fragt sich, ob die Beschränkung die Absicht verfolgt, den Gedanken auch nur an die Möglichkeit auszuschließen, Jahwe habe von seinen Verehrern die rituelle Tötung der erstgeborenen Kinder verlangt[5]. Wendet man sich den allgemein als die ältesten angesehenen Bestimmungen in Ex 22,28f. und 34,19f. zu, steht man vor einem Paradox: Ex 22,28b lautet die Forderung בכור בניך תתן־לי; dabei ist im Zusammenhang mit keinem

---

Unter dem Gesichtspunkt des Nachwirkens des altpflanzerzeitlichen Mythologems wird man die Omophagie im Dionysoskult, vgl. z. B. M. P. Nilsson, Geschichte der griechischen Religion I, HAW V, 2, 1, München 1955², S. 570, — aber auch das christliche Mysterium vom Tode Gottes unter Berücksichtigung der Einsetzungsworte des Herrenmahls bedenken müssen.

[3] Vgl. dazu Jensen, Mythos und Kult, S. 189; Burkert, Homo necans, S. 14; ferner A. Lods, Israël des origines au milieu du VIIᵉ siècle, Paris 1930, S. 331, der anmerkt, die Semiten hätten sich über die Verwendung des Kinderopfers durch die Götter keine Gedanken gemacht. — Das Verständnis des Opfers als Gabe steht in den Hochreligionen und vor allem im modernen Bewußtsein von ihnen so im Vordergrund, daß es schwer fällt, zu seinem nicht utilitaristischen Kern vorzustoßen; vgl. schon Ov. Ars Am. III, 653, aber auch Ps 50,7ff.

[4] Vgl. jetzt aber den Einspruch gegen die Hypothese von der einstigen Sonderexistenz des Heiligkeitsgesetzes durch V. Wagner, Zur Existenz des sogenannten 'Heiligkeitsgesetzes', ZAW 86, 1974, S. 307ff.

[5] Vgl. O. Eissfeldt, Molk als Opferbegriff im Punischen und Hebräischen und das Ende des Gottes Moloch, BRA 3, Halle 1935, S. 52f.

Wort von der Auslösung die Rede. Ex 34,19 f. verlangt sie dagegen ausdrücklich, geht aber von einem Rechtsgrundsatz aus, der mindest so verstanden werden kann, als reklamiere er die Erstgeburt ohne Differenzierung der Geschlechter für Jahwe[6]. Nimmt man Dtn 15,19 mit seiner Vorschrift hinzu, die erstgeborenen Rinder nicht zur Arbeit zu verwenden und die erstgeborenen Schafe nicht zu scheren, legt sich ein primär geschlechtsunspezifisches Verständnis des כל־פטר רחם לי von Ex 34,19 a bzw. eines כל־פטר־רחם ליהוה Ex 13,12* nahe[7]. Aber auch wenn man hier eine stillschweigende Eingrenzung auf die männliche Erstgeburt unterstellt, wie sie offensichtlich Num 18,15 f. vorliegt, bleibt es zunächst fraglich, ob man Ex 22,28 b mit gleicher Selbstverständlichkeit die Auslösung unterstellen darf oder hier eine ältere und radikalere Rite erfaßt, die man, da sich von einer generellen Weihung der Erstgeborenen an Jahwe in den älteren Texten keine Spur findet[8], auf ein Knabenopfer beziehen müßte. Die Auslösung wäre demgegenüber erst Folge einer jüngeren Entwicklung, die Spannung zwischen Ex 22,28 b und den übrigen Belegen religionsgeschichtlich aufzulösen[9].

Hat es auch nicht an Einsprüchen gegen eine solche Konstruktion gefehlt[10], ist sie doch mit im einzelnen unterschiedlichen Begründungen

---

[6] Vgl. weiterhin Ex 13,2.12.15; Num 3,12; 18,15; Ez 20,26; ferner Num 8,16.

[7] B. Stade, Biblische Theologie des Alten Testaments I, Tübingen 1905, S. 170; E. Dhorme, RHR 1933, S. 118 f. = Recueil E. Dhorme, Paris 1951, S. 611.

[8] Gegen I. Benzinger, Hebräische Archäologie, Tübingen 1907², S. 361; E. Mader, Die Menschenopfer der alten Hebräer und der benachbarten Völker, BSt (Bardenhewer) 14, 5/6, Freiburg i. Br. 1909, S. 121 ff., und M. Weinfeld, The Worship of Moloch and the Queen of Heaven and its Background, UF 4, 1972, S. 154. — Man braucht nur daran zu erinnern, daß sich abgesehen von der im Zusammenhang mit einem Gelübde stehenden Dedikation Samuels 1 Sam 1,21 ff., vgl. dazu auch J.-G. Février, Le rite de substituion dans les textes de N'gaous, JA 260, 1962, S. 7 f., und der, wie ich demnächst in anderem Zusammenhang zu zeigen hoffe, gänzlich unhistorischen Erzählung von der Bestimmung Simsons zum Nasiräer von Mutterleibe an Ri 13,2 ff., keine positiven Belege für diese Theorie in der Früh- und der Königszeit erbringen lassen.

[9] Ein schönes Beispiel für eine entsprechende, immerhin partiell durch die Realität abgedeckte Theorie über die Ersetzung des Menschenopfers erst durch ein Pferd, dann einen Ochsen, ein Schaf und schließlich eine Ziege, die ihrerseits durch einen Reiskuchen ausgelöst wird, aus dem Aitareyabrāhmana 2,8 teilt H. Gonda, Die Religionen Indiens I. Veda und älterer Hinduismus, RM 11, Stuttgart 1960, S. 147 mit.

[10] Vgl. z. B. B. Baentsch, Exodus-Leviticus, HK I,2,1, Göttingen 1900, S. 203; Stade, Biblische Theologie I, S. 170; A. Lods, Israël, S. 329 f.; F. Blome, Die Opfermaterie in

und Ausgestaltungen bis in die Gegenwart vertreten worden. Die bereits erwähnte Stelle des Ezechielbuches schien zu sichern, daß es das Erstgeborenenopfer als einen rituellen Brauch in Israel gegeben hat. Vor allem aber spielte und spielt die Erzählung von Isaaks Opferung Gen 22,1ff. in diesem Zusammenhang eine besondere Rolle. Unbeschadet ihrer jetzigen Absicht, von einer göttlichen Prüfung des Erzvaters zu berichten, scheint sie überliegerungsgeschichtlich vielmehr die Auslösung eines einst tatsächlich an einem israelitischen oder kanaanäischen Heiligtum praktizierten Knabenopfers zu begründen[11].

Babylonien und Israel, Rom 1934, S. 388ff.; W. Eichrodt, Theologie des Alten Testaments I, Leipzig 1933; Stuttgart und Göttingen 1957⁵, S. 89; H. Cazelles, Études sur le Code de l'Alliance, Paris 1946, S. 83; J. Henninger, Les fêtes de printemps chez les Arabes et leurs implications historique, Revista do Museu Paulista (Sao Paulo), N.S. 4, 1950, S. 389ff.; ders., Menschenopfer bei den Arabern, Anthropos 53, 1958, S. 770; R. de Vaux, Studies in Old Testament Sacrifice, Cardiff 1964, S. 70f. — Daß Ex 22,28 jedenfalls an Auslösung gedacht ist, betonten z. B. G. B. Gray, The Sacrifice in the Old Testament, Oxford 1925, S. 35f.; O. Eissfeldt, Molk, S. 54; U. Cassuto, Commentary on the Book of Exodus (1951), trl. I. Abraham, Jerusalem 1967, S. 294; M. Noth, Das zweite Buch Mose, ATD 5, Göttingen 1959, S. 80, und B. S. Childs, Exodus, OTL, London 1974, S. 195, der die Frage im Blick auf die Vorgeschichte wie G. Fohrer, Geschichte der israelitischen Religion, Berlin 1969, S. 206, offen läßt. — Vermittelnd urteilte S. Mowinckel, Religion und Kultus, Göttingen 1953, S. 104. — Für ein ursprünglich realistisches Verständnis der Forderung setzten sich ein J. Wellhausen, Prolegomena zur Geschichte Israels, Berlin und Leipzig 1927⁶, S. 85; R. Kittel, Geschichte des Volkes Israel II, Gotha 1917³, S. 133f.; R. Dussaud, Les origines cananéennes du sacrifice israélite, Paris 1921, S. 167; H. Gressmann, Die älteste Geschichtsschreibung und Prophetie Israels, SAT 2,1, Göttingen 1921², S. 232; C. Steuernagel, Das Deuteronomium, HK I, 3,1, Göttingen 1923², S. 100; O. Procksch, Die Genesis, KAT I, Leipzig und Erlangen 1924²⁻³, S. 320; P. Volz, Die Biblischen Altertümer, Stuttgart 1925², S. 178f.; A. Wendel, Das Opfer in der altisraelitischen Religion, Leipzig 1927, S. 154. Vgl. auch J. Hempel, Das Ethos des Alten Testaments, BZAW 67, Berlin 1964², S. 54 mit S. 283, Anm. 102. — W. Robertson Smith, Die Religion der Semiten, Tübingen 1899 (= Darmstadt 1967), S. 277, sah im Menschenopfer einen Ersatz für das nicht mehr verstandene Tieropfer, womit gleichzeitig eine Anerkennung ihrer Realität gesetzt ist. So dachte sich G. Hölscher, Geschichte der israelitischen und jüdischen Religion, Gießen 1922, S. 49 die Entwicklung vom Tieropfer über das Menschenopfer zurück zum Speisopfer oder stellvertretenden Tieropfer verlaufend. — Auch A. E. Jensen, Paideuma 4, 1950, S. 36f. nimmt an, daß die tatsächliche Tötung im Rahmen der altpflanzerzeitlichen Rite angesichts der Möglichkeit einer symbolischen Darstellung, wie sie z. B. den Reifezeremonien eigen ist, eine Hypertrophie religiöser Eiferer und mithin eine sekundäre Entwicklungsstufe darstellt. Vgl. auch von dems., Die getötete Gottheit, S. 148f.

[11] Vgl. in diesem Sinne schon A. Dillmann, Genesis, KeH, Leipzig 1886⁵, S. 285: »Die Erinnerung, daß die Hebräer einst bezüglich des Kinderopfers auf gleicher Stufe mit

Und selbst wenn man in ihm nur einen in Ausnahmesituationen geübten Brauch sah, hielt man es nicht für ausgeschlossen, es als ein Erbteil der Väterreligion anzusprechen[12]. Weiterhin schienen die vor allem zu Beginn dieses Jahrhunderts entdeckten und entsprechend interpretierten Krugbeisetzungen von Kindern und Beisetzungen von

anderen Semiten und Kenaanäern gestanden haben, schimmert hier noch deutlich durch . . .« Weiter führte die Vermutung Eduard Meyers, Die Israeliten und ihre Nachbarstämme, Halle 1906 (Tübingen und Darmstadt 1967), S. 255, die Geschichte beziehe sich auf die Ablösung des ursprünglich von dem Schrecken Isaaks genannten Stammesgott geforderten Erstgeborenenopfers. Am einflußreichsten erwies sich H. Gunkels, Genesis, HK I,1, Göttingen 1910³, S. 240, vgl. auch SAT 1,1, Göttingen 1920², S. 171, vorgetragene Hypothese. Von der Annahme ausgehend, das Erstgeburtsopfer sei trotz Ex 22, 28 nicht allgemeine Regel, sondern nur an manchen Orten entweder Regel oder häufiger vorgekommen, findet er im Hintergrund von Gen 22 eine ätiologische Sage für die Tatsache, daß am Heiligtum zu Jeruel statt des Kindes ein Widder geopfert wird. Diese Hypothese hat so kräftig auf die weitere Literatur gewirkt, daß es angemessener ist, ihre Opponenten als ihre Anhänger aufzuführen. So hat sich E. A. Speiser, Genesis, AB 1, Garden City/New York 1964, S. 154 entschieden dagegen ausgesprochen; vgl. auch R. de Vaux, Studies, S. 66f., und vorsichtiger dens., Histoire ancienne d'Israël des origines à l'installation en Canaan, Paris 1971, S. 270. — H. Graf Reventlow, Opfere deinen Sohn, BSt 53, Neukirchen 1968, bestreitet, daß eine ätiologische Erzählung im Hintergrund der Geschichte steht. Er sucht dort vielmehr eine folkloristische Überlieferung, ohne daß deutlich wird, wie er sich diese konkret vorstellt. Solange man an eine längere Vorgeschichte der Erzählung denkt, sollte man jedenfalls seinen Hinweis auf S. 65 und den entsprechenden von Fohrer, Geschichte, S. 51 auf ein kanaanäisches Vorbild im Auge behalten, da das Ganzopfer jedenfalls kein gemeinsemitischer Brauch gewesen ist, vgl. L. Rost, Erwägungen zum israelitischen Brandopfer, in: Von Ugarit nach Qumran, Festschrift O. Eissfeldt, BZAW 77, Berlin 1958, S. 177ff. = Das kleine Credo und andere Studien zum Alten Testament, Heidelberg 1965, S. 112ff.; de Vaux, Studies, S. 48ff.; ders., Histoire, S. 270. — R. Kilian, Isaaks Opferung, StBSt 44, Stuttgart 1970, S. 104 räumt die Möglichkeit ein, daß es sich bei dem Auslösungsmotiv um eine sekundäre Erklärung eines immer schon geübten Ersatzopfers handelt; vgl. Henninger, Anthropos 53, 1958, S. 788f. Vgl. schon de Vaux, Studies, S. 67, mit der Einräumung der Möglichkeit, Gen 22 "may have been first of all the narrative of the foundation of a sanctuary where, from the outset, only animal victims were offered, in contrast with other, Canaanite, sanctuaries, where human victims were also sacrificed". — Die Möglichkeit, aus Gen 22 irgendwelche stichhaltigen Rückschlüsse auf die Vorgeschichte des Stoffes zu ziehen, bestreitet energisch J. van Seters, Abraham in History and Tradition, New Haven und London 1975, S. 240. — Auf den spekulativen Charakter der Gunkelschen Schlüsse hatte schon J. Skinner, Genesis, ICC, Edinburgh 1930², S. 332, hingewiesen, sie aber gleichzeitig für nicht unwahrscheinlich erklärt.

[12] Vgl. z. B. Lods, Israël, S. 330f.; aber auch M. Buber, Königtum Gottes, Heidelberg 1956³, S. 57.

Erwachsenen und Kindern im Boden oder unter den Fundamenten der Häuser teils die rohe Sitte des Erstgeborenen-, teils des Bauopfers zu bestätigen[13]. Damit schien zugleich ein bezeichnendes Licht auf die an und für sich zweideutige Nachricht vom Tode des Ältesten und des Jüngsten des Hiel beim Wiederaufbau von Jericho unter Ahab zu fallen, 1 Kön 16,34[14]. Eine ähnliche Rolle spielte die Aufdeckung der großen, an der Tatsache des punischen Kinderopfers keinen Zweifel lassenden Urnenfriedhöfe in Nordafrika, Sardinien und Sizilien[15] für

---

[13] Zu angeblichen archäologischen Zeugnissen für Menschen und- Kinderopfer vgl. das Referat bei H. Vincent, Canaan d'après l'exploration récente, Paris 1907, S. 188ff.; weiter Benzinger, Archäologie[2], S. 364; R. Kittel, Geschichte des Volkes Israel I, Gotha 1916[3], S. 158; 172 und S. 204; II, 1917[3], S. 131 gibt er Zweifel an der Deutung der Kinderbeisetzungen zu erkennen, übernimmt sie dann aber S. 132 Anm. 1 unter Berufung auf Ex 22,28 doch; R. Dussaud, Origines, S. 168; R. A. St. Macalister, The Excavations of Gezer II, London 1912, S. 400ff. und S. 426ff.; Volz, Altertumskunde[2], S. 178ff.; Wendel, Opfer, S. 154f.; Lods, Israël, S. 102 und S. 112f.; Blome, S. 373ff.

[14] Zum Bauopfer vgl. Benzinger, Archäologie[2], S. 365, wo er sein zurückhaltendes Urteil über 1 Kön 16,34 aus KHC IX, Freiburg, Leipzig und Tübingen 1899, S. 105 nicht mehr wiederholt; Dussaud, Origines, S. 165; Gray, Sacrifice, S. 87; Volz, Altertumskunde[2], S. 178; Wendel, Opfer, S. 27f.; Blome, S. 377f.; R. de Vaux, RB 58, 1951, S. 401ff., widerrufen in: Studies, S. 60f.; J. Gray, I and II Kings, OTL, London 1970[2], S. 396; vgl. auch Fohrer, Geschichte, S. 46, der angesichts der hohen Kindersterblichkeit im Altertum die Verwendung bereits gestorbener Kinder erwägt. — Ohne Bezug auf die archäologischen Befunde haben die Nachricht 1 Kön 16,34 positiv gewertet G. Hölscher, Geschichte, S. 29 Anm. 7 und S. 78, sowie J. Pedersen, Israel, its Life and Culture III—IV, London und Kopenhagen 1940 (1953), S. 348. — Zurückhaltend äußerten sich z. B. R. Kittel, HK I,5, Göttingen 1900, S. 136; Eissfeldt, Molk, S. 48, Anm. 2; ders., RGG[3] IV, Sp. 868; J. A. Montgomery und H. S. Gehman, The Book of Kings, ICC, Edinburgh 1951, S. 286ff.; V. Hamp, LThK[2] VII, 1962, Sp. 296; R. de Vaux, Studies, S. 60f. und H. Gese, Religionen Altsyriens, RM 10,2, Stuttgart 1970, S. 175. — Zur Kritik an der Deutung der archäologischen Befunde vgl. unten.

[15] C. F. A. Schaeffer, Ugaritica IV, Paris 1962, S. 81f. tritt freilich für das Verständnis dieser Urnengräberfelder als Kinderfriedhöfe ein. Gegen diese Annahme und zugunsten der Deutung der Friedhöfe als Beisetzungen von Kinder- und Ersatzopfern sprechen die folgenden Tatsachen: 1. die Votivinschriften der auf ihnen gesetzten Stelen, auch wenn man die immer noch umstrittene Opferterminologie außer Betracht läßt; 2. die durchgehende Verbrennung der Kinder und Tiere im mindestens zwei Jahrhunderte währenden absoluten Gegensatz zur Inhumationspraxis bei normalen Beisetzungen, vgl. D. Harden, The Phoenicians, Ancient Peoples and Places, London 1963[2], S. 105; 3. die Tatsache, daß Urnen gefunden wurden, in denen sich lediglich Tierknochen, offensichtlich von Ersatzopfern, fanden; vgl. dazu J. Richard, Étude médico-légale des urnes sacrificielles puniques et leur contenu. Thèse, Institut Médico-Légal de Lille 1961, referiert bei de

die Stützung der Theorie vom allgemeinsemitischen Erstgeburtsopfer, wobei es ganz offensichtlich zu einem Zirkelschluß von den alttestamentlichen Legalbestimmungen auf die archäologischen Befunde und von diesen zurück auf die Texte gekommen ist[16].

Wer aus anderen, später in die Überlegungen einzubeziehenden Gründen an einem generellen Erstgeburtsopfer der Israeliten zweifelte, meinte doch, sich den Nachrichten in 2 Kön 16,3 und 21,6 beugen zu müssen, nach denen die Könige Ahas und Manasse ihren Sohn geopfert haben, und in ihnen Zeugen entweder einer Neubelebung des Kinderopfers unter phönizischem Einfluß[17] oder gar für ein uns sonst von den

---

Vaux, Studies, S. 82f.; ferner P. Cintas, Le sanctuaire punique de Sousse, Rev. Africaine 91, 1947, S. 9 mit seinen Hinweisen auf P. Pallary, Note sur les urnes funéraires trouvées à Salammbô, Rev. Tun. 1922, S. 206; R. Anthony, A propos des ossements du sanctuaire de Tanit à Carthage, Rev. Tun. 1924, S. 174; weiter Cintas, S. 10, 25, 26, 35, 78 und S. 80; 4. die Darstellung der Stele im Bardo-Museum zu Tunis C. Picard, Catalogue du Musée Alaoui. Nouvelle série (Collections puniques) I, Tunis 1957 mit der Kennzeichnung Cb 229, vgl. dazu A. M. Bisi, Le stele puniche, Stud. Sem. 27, Rom 1967, S. 70ff. mit fig. 32, auch wiedergegeben bei Harden, pl. 35, G. Picard, Carthage, London 1964, S. 20; sie zeigt einen Priester, der mit der Rechten die nicht abgebildete Gottheit grüßt und auf dem angewinkelten linken Arm ein Kleinkind trägt, offenbar eine Szene aus dem Opferritual. — Gegen die Beziehung der Tophetstelen auf einen Totenkult vgl. J. Guey, Ksiba et à propos des stèles votives, MEFR 54, 1937, S. 88. — Zu den bisherigen Fundstätten vgl. die knappe Übersicht bei S. Moscati, New Light on Punic Art, in: The Role of the Phoenicians in the Interaction of Mediterranean Civilization, ed. W. A. Ward, Beirut 1968, S. 68; vgl. auch seine Beschreibung der Tophetanlagen, Il sacrificio dei fanciulli, Rendeconti della Pontific. Accad. Rom. di Archeologia 38, 1965/66, S. 63f.; ferner L. Poinssot et R. Lantier, Un sanctuaire de Tanit à Carthage, RHR 87, 1923, S. 32ff.; Cintas, Rev. Africaine 91, 1947, S. 1ff. und besonders S. 34f.; Antonia Casca u. a., Mozia V, Stud. Sem. 31, 1969, S. 35ff.; Mozia VI, Stud. Sem. 37, 1970, S. 79ff.; Mozia VII, Stud. Sem. 40, 1972, S. 89ff.; F. Barreca u. G. Garbini, Monte Sirai I, Stud. Sem. 11, 1964, S. 21ff.; M. G. Amadasi u. a., Monte Sirai II, Stud. Sem. 14, Rom 1965, S. 123ff.; 147ff. und besonders S. 151f.; G. Pesce, Sardegna Punica, Cagliari 1961, S. 68ff.; S. Moscati, Fenici e Cartaginesi in Sardegna, Milano 1968, S. 119ff.; A. di Vita, Les pheniciens de l'occident d'après les découvertes archéologiques de Tripolitaine, in: Role of the Phoenicians, S. 78f.; A. Berthier et R. Charlier, Le sanctuaire punique d'el-Hofra à Constantine, Paris 1955, S. 221ff.

[16] Vgl. z. B. Poinssot et Lantier, RHR 87, 1923, S. 66, und P. Cintas, Manuél d'archéologie punique I, Paris 1970, S. 386; vgl. dagegen J.-G. Février, Essai de reconstruction du sacrifice molek, JA 248, 1960, S. 177f.; ders., Le rite de substitution, JA 250, 1962, S. 4; ders., Les rites sacrificiels chez les Hébreux et à Carthage, REJ ser. IV,3, 1964, S. 15.

[17] Vgl. z. B. W. W. Graf Baudissin, Adonis und Esmun, Leipzig 1911, S. 518; Blome, S. 401, für den es sich jedoch nicht um eine Wiederbelebung eines älteren Brauches

Quellen vorenthaltenes Weiterleben des von den Kanaanäern übernommenen Opfers des Erstgeborenen in besonderer Situation zu erkennen, wie es Mi 6,7; Ri 11,30ff. und — unter dieser Voraussetzung — auch Gen 22 zu belegen scheinen[18]. Hat die zuletzt erwähnte Lösung kaum Beifall gefunden[19], so schienen die Polemiken Jer 7,29ff.; 19,1ff.; 32,26ff.; Ez 16,20f.; 20,25f.31; 23,37 zusammen mit den Verboten Dtn 18,10; Lev 18,21; 20,2—5, vgl. auch Jes 66,3; Ps 106,37ff., insgesamt die Nachrichten des Königsbuches über die mit dem letzten Drittel des 8. Jahrhunderts neuerwachten Kinderopfer zu bestätigen, denen erst die josianische Reform ein Ende gesetzt hätte, 2 Kön 23,10. Dabei wäre gegebenenfalls in der Tat zu fragen, ob sie von den Darbringenden als strengere Erfüllung einer göttlichen Forderung verstanden wurden[20]. — Nimmt man 2 Kön 17,29ff. hinzu, scheint sich hier erneut der Einfluß eines westsemitischen Kinderopferbrauches in der späten Königszeit bemerkbar zu machen[21].

Es ist in der Tat unwahrscheinlich, daß sich der ganze Komplex allein als ein literarisch-theologisierendes Gebilde erweist. Es bleibt jedoch zu prüfen, in welchem Umfang und in welcher Richtung den Aussagen der Quellen ein primärer Beweischarakter zukommt. — Beginnen wir mit den archäologischen Befunden in Palästina. Schon Anfang der dreißiger Jahre war man sich weithin darüber im klaren, daß es sich bei den Krugbeisetzungen von Kindern um einen normalen Bestattungsbrauch aus der Mittleren Bronzezeit handelt. Zudem hätten

---

handelt; Eichrodt, Theologie I[5], S. 124; de Vaux, Studies, S. 74f.; H. Ringgren, Israelitische Religion, RM 26, Stuttgart 1963, S. 159. — Gegen den Versuch von Mader, Menschenopfer, S. 96, die mit dem 'Molochkult' zusammenhängenden Kinderopfer aus Ägypten abzuleiten vgl. Blome, S. 396ff. und Henninger, Anthropos 53, 1958, S. 785. Zu dem Versuch von Wendel, Opfer, S. 209, ihn von den Ammonitern zu deduzieren vgl. das zurückhaltende Urteil über das Kinderopfer bei den Ammonitern bei Henninger, ebenda, S. 777f.

[18] Eissfeldt, Molk, S. 58f., vgl. S. 60f.; ferner Gray, Sacrifice, S. 86f., und Dussaud, Origines, S. 170f.

[19] Vgl. dagegen Buber, Königtum[3], S. 174; Eichrodt, Theologie I[5], S. 90 Anm. 258; F. Nötscher, Biblische Altertumskunde, Bonn 1940, S. 269; W. F. Albright, Die Religion Israels im Lichte der archäologischen Ausgrabungen, München und Basel 1956, S. 181; ders., Yahwe and the Gods of Canaan, London 1968, S. 211.

[20] Vgl. Pedersen, Israel III—IV, S. 319.

[21] Vgl. W. Kornfeld, Der Moloch, WZKM 51, 1952, S. 308ff., und M. Weinfeld, UF 4, S. 141ff. und zur Problematik der religionsgeschichtlichen Befunde vorerst Henninger, Anthropos 53, 1958, S. 783ff.

bei einer Verbrennung ganz andere Dislozierungen und Zerstörungen der Gebeine eintreten müssen als dies der Fall ist[22]. Eine ähnliche Ernüchterung läßt sich hinsichtlich der Annahme menschlicher Bauopfer feststellen. Zum einen dürfte es sich bei den entsprechend gedeuteten Befunden um Kinderbeisetzungen im Hause aus der gleichen Epoche, zum anderen um mangelhafte stratigraphische Beobachtungen gehandelt haben[23]. Der Umstand, daß die 'Bauopfer' seit der Verfeinerung der archäologischen Methoden fast ganz aus der Literatur verschwunden und für Mesopotamien eindeutig festgestellt worden ist, daß menschliche Bauopfer hier überhaupt nicht nachweisbar sind, sollte zu genereller Vorsicht warnen[24]. Auf diesem Hintergrund verliert die Hypothese, 1 Kön 16,34 habe ein doppeltes Bauopfer im Auge, a priori an Wahrscheinlichkeit. Es dürfte sich vielmehr um den Verlust des

---

[22] Vgl. dazu P. Thomsen, Palästina und seine Kultur in fünf Jahrtausenden, AO 30, Leipzig 1931, S. 50f.; C. Watzinger, Denkmäler Palästinas I, Leipzig 1933, S. 72; K. Galling, Biblisches Reallexikon, HAT I,1, Tübingen 1937, Sp. 248ff.; F. Nötscher, Altertumskunde, 1940, S. 99f. — Zu einem möglichen Beleg für ein Menschenopfer aus dem Natufian vgl. E. Anati, Palestine Before the Hebrews, London 1963, S. 172f. nach J. Perrot, IEJ 7, 1957, S. 126. — Zum vorgeschichtlichen Menschenopfer vgl. J. Maringer, Vorgeschichtliche Religion. Religionen im steinzeitlichen Europa, Einsiedeln, Zürich, Köln 1956; hier zum Problem des Kannibalismus der Peking-Urmenschen S. 57ff. und S. 81ff., im Jungpaläolithikum S. 125ff., im Neolithikum S. 220ff. und S. 248; zu Begleitopfern S. 284f. und S. 289f. Zu den mittelpaläolithischen Schädelbefunden vgl. aber auch H. Müller-Karpe, Geschichte der Steinzeit, Becksche Sonderausgabe, München 1974, S. 253. — Mit dem Entstehen des Tötungsrituals im frühen Pflanzertum des Neolithikums rechnet Jensen, Paideuma 4, 1950, S. 25.

[23] Vgl. dazu Thomsen, S. 51f., der nebenbei nicht daran zweifelte, daß 1 Kön 16,34 ein Bauopfer meint; Watzinger, S. 72; Galling, Reallexikon, Sp. 250, hielt damals noch an der Realität der Bauopfer fest.

[24] Vgl. R. S. Ellis, Foundation Deposits in Ancient Mesopotamia, New Haven 1968, S. 35ff.; K. M. Kenyon, Digging up Jericho, London 1957, S. 193f. spricht mit aller Vorsicht eine Kinderbeisetzung der EB-MB-Periode als mögliches Bauopfer an. Unter einer Mauer fand sich »what locked like a foundation sacrifice«. — Vgl. auch den Befund bei P. L. O. Guy, Megiddo Tombs, OIP 33, Chicago 1938, S. 57. Die Kinderbeisetzung (Tomb 247) unter der Mauer von Raum 238 ist in einem Krug der MB-II erfolgt, die Keramik in dem Raum gehört der Spätbronzezeit an. Mithin spricht alle Wahrscheinlichkeit für ein zufälliges Zusammentreffen eines jüngeren Gebäudes mit einer älteren Beisetzung. Bezeichnend für den Stand der archäologischen Diskussion ist, daß Y. Yadin, Hazor, Schweich Lectures 1970, London 1972, S. 29 und S. 48 entsprechende Kinderbeisetzungen in Krügen aus der MB II unter dem Fußboden als solche behandelt, ohne die Frage nach Bauopfern auch nur noch aufzuwerfen.

ältesten und jüngsten Sohnes bei Beginn und Abschluß der Wieder-
aufbauarbeiten von Jericho handeln[25]. Ist die Ansicht Grays, die Notiz
stamme aus den Annalen Ahabs, in sich unwahrscheinlich[26], stößt die
Annahme der Historizität oder doch der historisch zutreffenden Einordnung der Nachricht im Königsbuch derzeit angesichts der Tatsache
auf unüberwindliche Schwierigkeiten, daß die Neubesiedlung Jerichos
den neuesten Grabungsergebnissen entsprechend erst für das 7. Jahrhundert nachgewiesen werden kann[27]. Damit dürfte 1 Kön 16,34 künftig
aus der Diskussion über das Kinderopfer bei den Israeliten ausscheiden.

Wir werden sogleich sehen, daß es sich mit den angeblich gesicher-
ten Belegen für das Kinderopfer in der Königszeit mit Ausnahme von
2 Kön 3,27 nicht anders verhält. Bekanntlich gehört die Konkordanz
zwischen Dtn 18,10 und 2 Kön 23,10 zu den angeblich bewährten
Argumenten für die Ansicht, das Deuteronomium sei das von König
Josia seiner Reform zugrunde gelegte Gesetzbuch gewesen[28]. Inzwischen
haben L'Hour, Merendino und Gottfried Seitz festgestellt, daß Dtn
18,10aβ mit seinem מעביר בנו ובתו באש nicht in den Kontext des Pro-
phetengesetzes paßt und daher als spätere Zufügung beurteilt werden
muß, ist doch das Kinderopfer im Alten Testament an keiner Stelle als
Mittel für die Orakeleinholung kenntlich gemacht[29]. Die Wendung
העביר בן באש als bloßen Weiheritus zu verstehen, wie es neuerdings
Moshe Weinfeld wieder geltend gemacht hat[30], scheitert schon deshalb,

---

[25] Vgl. dazu auch die oben Anm. 14 notierten zurückhaltenden Stimmen zu 1 Kön 16,34.
[26] Vgl. Gray, Kings[2], S. 396, der offensichtlich noch unter dem Eindruck der inzwischen
    widerrufenen Deutung eines entsprechenden Befundes vom Tell el-Fara[c] bei Nablus
    durch de Vaux, RB 58, 1951, S. 401ff., vgl. Studies, S. 60f., steht. — Zur literarischen
    Zuweisung an DtrP vgl. W. Dietrich, Prophetie und Geschichte, FRLANT 108, Göt-
    tingen 1972, S. 110ff., zur Problematik der Datierung dieser Schicht O. Kaiser, Einlei-
    tung in das Alte Testament, Gütersloh 1975[3], S. 155 und S. 161.
[27] Kenyon, Digging up Jericho, S. 263ff.; dies., Jericho, in: Archaeology and Old Testament
    Study, ed. D. W. Thomas, Oxford 1967, S. 274. — Zur Überlieferungsgeschichte von
    1 Kön 16,34 vgl. demnächst E. Würthwein, ATD 11,1 z. St.
[28] Vgl. Kaiser, Einleitung[3], S. 120.
[29] Vgl. J. L'Hour, Les interdits to[c]eba dans le Deutéronome, RB 71, 1964, S. 489; R. P,
    Merendino, Das Deuteronomische Gesetz, BBB 31, Bonn 1969, S. 192ff., und G. Seitz,
    Redaktionsgeschichtliche Studien zum Deuteronomium, BWANT 93, Stuttgart 1971,
    S. 235ff. — Zum sekundären Charakter von Dtn 12,31 vgl. Merendino, S. 41, und Seitz,
    S. 152.
[30] UF 4, 1972, S. 140ff. — Vgl. dagegen schon M. Buber, Königtum[3], S. 58 und S. 169,
    Anm. 34; doch kam bereits Buber unter dem Einfluß der rabbinischen Auslegung zu einem,

weil in dem Referenztext 2 Kön 23,10 die Rite mit dem Tophet verbunden wird, deren Identität mit der Jer 7,31 und Jes 30,31 vorausgesetzten unterstellt werden kann. Jer 7,31 ist eindeutig von einem שׂרף die Rede[31]; die Schilderung des Tophet Jes 30,31 fügt sich in das archäologisch gewonnene Bild der punischen Kinderopferstätten ein[32]. — Wendet man sich mit diesem Ergebnis 2 Kön 23,10 zu, wird man mit Recht bei dem Einsatz der Erzählung mit einem als tempus historicum gemeinten וְטִמֵּא stutzig, eine Erscheinung, die in V. 14 wiederkehrt, und die man mit Paul Joüon als regelwidrig und mithin als einen Hinweis auf die Hand eines durch das Aramäische oder nachbiblische Hebräisch beeinflußten Ergänzers werten darf[33]. Die Beobachtungen im Deuteronomium und im Reformbericht stützen sich wechselseitig. So ist man zu dem Schluß berechtigt, die Verunreinigung des Tophet durch Josia in den Akten der Geschichte zu streichen.

Wenden wir uns 2 Kön 21,6a zu, fällt auf, daß Manasse hier mit dem leicht gekürzten Sündenkatalog von Dtn 18,10f. charakterisiert wird. Die geringfügigen Auslassungen offenbar als tautologisch empfundener Aussagen, des letzten Gliedes von 10bβ, von 11a und bβ, sollten nicht darüber hinwegtäuschen, daß das Prophetengesetz von Dtn 18,9—12 in seiner jetzigen Gestalt für die Qualifikation des Königs verantwortlich ist; so wird ihm denn auch in V. 2 der aus Dtn 18,9b und 12b gespeiste Vorwurf der Greueltaten nach der Weise der von Jahwe vertriebenen Völker angehängt. Als einziger belangvoller Unterschied gegenüber der Vorlage ist festzustellen, daß statt von der Darbringung von Sohn und Tochter hier allein von der des Sohnes die Rede ist. — Die gleiche Auswahl trifft 2 Kön 16,3, die Ahas im Begehen derselben Sünde zum Vorläufer des Enkels macht. Aber auch hier ist

---

nun bei Weinfeld zur Eindeutigkeit gekommenen Schwanken zwischen symbolischer und tatsächlicher Tötung, zwischen Weihe und Darbringung.

[31] Vgl. auch Ex 13,12 mit seinem הַעֲבִיר כָּל־פֶּטֶר־רֶחֶם לַיהוה, Ez 23,37bβ mit seinem הֶעֱבִיר לְאָכְלָה und Num 31,23.

[32] Vgl. P. Cintas, Rev. Africaine 91, 1947, S. 34f., referiert bei de Vaux, Studies, S. 81; weiter Février, JA 248, 1960, S. 180ff.; Moscati, Rendeconti della Pontific. Accad. Rom. die Archeologia 38, 1965/66, S. 63f.

[33] Grammaire de l'Hébreu biblique, Rom (1923) 1965 § 119z; anders R. Meyer, Auffallender Erzählungsstil in einem angeblichen Auszug aus der 'Chronik der Könige von Juda', in: Festschrift F. Baumgärtel, hg. L. Rost, Erlanger Forschungen A, 10, 1959, S. 114ff. — Zur Abhängigkeit von 2 Kön 23,10 von Jer 7,31 und Lev 18,21 vgl. künftig Chr. Levin, Das Kinderopfer im Jeremiabuch.

die Abhängigkeit für V. 3b von Dtn 18,10aβ.12b zu unterstellen[34].
Ahab erhielt die schlechte Note offensichtlich im Blick auf das in 16,10ff.
Berichtete[35], für Manasse bot sich die Anknüpfung in 21,3. Historisch
dürfte er vor allem das Pech gehabt haben, das politische Erbe seines
Vaters übernehmen zu müssen und, was seinem Ruf schadete, einen in
eine zunächst günstigere außenpolitische Situation hineinwachsenden
Enkel besessen zu haben[36]. Nach dem hermeneutischen Grundsatz, daß,
wer vom Hauptgebot abweicht, auch der anderen Sünden schuldig
wird, hat ein späterer in gutem Glauben beiden Königen die rituelle
Tötung des Sohnes angehängt. Dabei stand er offenbar primär unter
dem Einfluß des zu einem ganzen Theologumenon angewachsenen
Vorwurfes der Verschuldung des vorexilischen Israel durch das Kinderopfer wie es uns im Jeremia- und Ezechielbuch begegnet; bei der
Konkretion könnte ein Seitenblick auf 2 Kön 3,27 eine Rolle gespielt
haben.

Lassen wir 2 Kön 3,27 vorerst auf sich beruhen, bleibt vordring-
lich die Frage zu beantworten, welcher historische Wert der Behauptung
von 2 Kön 17,31 zukommt, die nach dem Zusammenbruch des Nordreiches von den assyrischen Königen unter anderen dort angesiedelten
Sepharwiter hätten ihre Kinder den heimischen Göttern Adrammelek
und ʿAnnamelek verbrannt[37]. Der Vorwurf entspricht grundsätzlich
Dtn 12,31, das בניהם hier könnte das בניהם und בנותיהם dort
abdecken[38]. In dem literarisch vielschichtigen Kapitel stehen die V.
24—28, welche die Teilnahme der samarischen Mischbevölkerung am
Jahwekult erklären wollen, in Konkurrenz zu der in V. 29—34a folgenden Schilderung ihrer heidnischen Praktiken. Wie Stade gesehen hat,

---

[34] Vgl. B. Stade, Anmerkungen zu 2. Kö. 15—21, ZAW 6, 1886, S. 161 = Akademische
Reden und Abhandlungen, Gießen 1899, S. 206; Hölscher, Geschichtsschreibung in
Israel, SKHVL 50, Lund 1952, S. 404 und S. 401.

[35] Vgl. dazu zuletzt J. McKay, Religion in Judah under the Assyrians, StBTh II, 26,
London 1973, S. 7f.

[36] Vgl. die m. E. angemessene Beurteilung seiner Regierung durch M. Noth, Geschichte
Israels, Göttingen 1956³, S. 243, und A. H. J. Gunneweg, Geschichte Israels bis Bar
Kochba, ThW 2, Stuttgart 1972, S. 108.

[37] Zur Lage von Sepharwajim vgl. G. Sauer, BHW III, Sp. 1772. — Zu den Gottesnamen
vgl. O. Eissfeldt, Adrammelek und Demarus, AIPO 13, 1953, S. 153ff. = Kleine
Schriften III, Tübingen 1966, S. 335ff.; Gese, Religionen, S. 110; zu ihrem außerbiblischen
Nachweis auch K. Deller, Or 34, 1965, S. 382f.

[38] Zu Dtn 21,31 vgl. oben Anm. 29.

führt die Linie von V. 25 über V. 28 direkt zu V. 41[39]. Die Verse
29—34a dürften entsprechend als jüngerer, jedenfalls nicht der ältesten
deuteronomistischen Fassung des Königsbuches angehörender Zusatz
zu beurteilen sein. Daß man ihn keinesfalls vorexilisch ansetzen kann,
ergibt sich bereits aus der Geschichte des Deuteronomistischen
Geschichtswerkes[40], erweist sich aber auch durch die auffällige und in
dieser Weise im Alten Testament einmalige Rede von den שמרנים[41],
deren Charakter als Mischbevölkerung durch ein nachgesetztes גוי גוי
kräftig unterstrichen wird. Es liegt nahe, den Abschnitt in die fort-
geschrittene Perserzeit zu datieren, in der sich der Gegensatz zwischen
den Bewohnern der Provinzen Juda und Samaria unter dem Einfluß
der Gola zu verfestigen begann, vgl. Neh 3,34[42]. Damit wird der
Quellenwert von 2 Kön 17,31 für die Rekonstruktion der Zustände im
Gebiet des ehemaligen Nordreiches jedenfalls im Blick auf die vorexilische und selbst noch exilische Epoche problematisch. Ehe man den
Vers als Zeugen für ein in nachexilischer Zeit in Samarien geübtes
Knaben- oder Kinderopfer in Anspruch nimmt, muß man die Möglichkeit ausschließen, daß hier weder eine freierfundene Unterstellung noch
eine gelehrte, auf die Kunde von Kinderopfern in Nordsyrien zurück-

---

[39] ZAW 6, 1899, S. 167ff. = Reden, S. 211f.; vgl. auch R. Kittel, HK I, 5, 1900, S. 275;
A. Šanda, Die Bücher der Könige, EH 9,2, Münster 1912, S. 235; O. Eissfeldt, HSAT I,
Tübingen 1922², S. 570f.; Hölscher, Geschichtsschreibung, S. 401, rechnet für die V. 24
bis 34a nur mit einem einzigen, von ihm als E₂ angesprochenen Verfasser; ebenso A.
Jepsen, Die Quellen des Königsbuches, Halle 1956², Tabelle. M. Noth, Überlieferungsgeschichtliche Studien, Tübingen (und Darmstadt) 1957², S. 78, Anm. 2, denkt bei V. 29
bis 31 an einen Auszug aus den 'Tagebüchern der Könige von Israel', die er freilich für
eine nichtamtliche Bearbeitung der offiziellen Annalen hält. Ob diese Vermutung
einer tendenzkritischen Analyse standhält, ist ebenso fraglich wie die Erwägung von
Gray, Kings², S. 640, in den V. 24—33 den 17,27 genannten aus der Deportation zurück-
gekehrten israelitischen Priester von Bethel am Werke zu sehen.

[40] Vgl. dazu Kaiser, Einleitung³, S. 160f.

[41] Vgl. schon J. Wellhausen in: F. Bleek, Einleitung in das Alte Testament, Berlin 1878⁴,
S. 263. — Zur Sache vgl. H. G. Kippenberg, Garizim und Synagoge, RGVV 30, Berlin
und New York 1971, S. 33f., Anm. 1.

[42] Dabei verbietet man sich die Frage, ob sich hinter V. 29 bereits eine Polemik gegen die
Zustände in Samarien in frühhellenistischer Zeit verbirgt, in der Kinderopfer in Samarien
sowenig wie in Tyros denkbar gewesen sein dürften, vgl. Curtius, Hist. IV, III, 23. —
Zur Herkunft der Götternamen in 17,31 vgl. G. Hölscher, Das Buch der Könige, seine
Quellen und seine Redaktion, in: Eucharisterion H. Gunkel, FRLANT 36,1, Göttingen
1923, S. 197.

gehende Konstruktion vorliegt, deren Absicht nicht weniger polemisch
wäre[43].

Bei der unter den Gründen für die Preisgabe des Nordreiches durch
Jahwe erhobenen Beschuldigung, die Israeliten hätten ihre Söhne und
Töchter durch das Feuer gehen lassen, 2 Kön 17,17, brauchen wir nicht
lange zu verweilen. Die Beziehung zu Dtn 18,10 liegt auf der Hand,
auch wenn aus 10b nur das נחש aufgenommen ist. Ob man 2 Kön
17,7—17 nun mit der älteren Exegese insgesamt für jünger als V. 20—23
hält[44] oder mit Dieterich allein V. 12—19 zu der dritten und letzten

---

[43] Erst unter diesem Vorbehalt sind die Überlegungen vom Grafen Baudissin, Adonis, S. 35
Anm. 1 neu aufzugreifen und die Frage nach dem allgemein-nordwestsemitischen Sub-
strat des Kinderopfers bei den Syrern, Phöniziern, Puniern, Israeliten und Moabitern zu
stellen; vgl. auch Gese, Religionen, S. 175. — Mader, Menschenopfer, S. 96, hat den Wert
von 2 Kön 17,30f. sicher überschätzt; zu seinen auf S. 40ff. beigebrachten Belegen vgl.
Blome, Opfermaterie, S. 407ff.; de Vaux, Studies, S. 56ff.; Deller, Or 34, 1965, S. 385.
Man wird gegen Dellers Rückschluß, 2 Kön 17,31 sei als Dedikation zu verstehen, den
Einwand vorbringen dürfen, daß der keilschriftliche Befund erst nach einer gleichkritischen
Beurteilung des biblischen zu dessen Auswertung herangezogen werden kann. — Zu
שרף באש vgl. übrigens Dtn 12,31; Jer 7,31 und besonders 19,5 (im Zusammenhang
mit Kinderopfern); daß die Wendung Vernichtung durch Feuer im Auge hat, geht aus
z. B. Ri 15,6 (Menschen zusammen mit ihrem Haus); 2 Kön 25,9; Jer 52,13; Ri 9,52
(Häuser oder deren Teile); Jos 11,11 (Städte); Jes 44,16 (Holz); Jos 11,9; 2 Kön 23,11
(Wagen); Jer 36,32 (Schriftrollen bzw. deren Teile); Lev 7,17; 8,17; 9,11 (Opfer oder
dessen Teile) und Dtn 7,5.25 (Götzen) hinreichend hervor. — Ihm hat Weinfeld, UF 4,
1972, S. 144ff., beigepflichtet und auch 2 Kön 16,3; 21,10 und die übrigen Zeugnisse für
den *mlk*-Dienst in diesem Sinne interpretiert. Man hätte demnach zu unterstellen, daß
die dem Ritus unterworfenen Kinder sämtlich dem Heiligtum geweiht worden wären.
Aber vielleicht hat Weinfeld die Zuverlässigkeit der Nachrichten des Königsbuches über-
und die Beweiskraft der prophetischen Belege für die zugrundeliegende Vorstellung un-
terschätzt. — Zur Bezeugung von Kinderopfern in Syrien vgl. die bei Henninger,
Anthropos 53, 1958, S. 783f. angeführte Literatur; Luc. Syr. D. 58 und dazu C. Clemen,
Lukians Schrift über die syrische Göttin, AO 37,3/4, Leipzig 1938, S. 49; zu der in Hiera-
polis/Bambyke verehrten Atargatis und ihrer Verbindung zu Hadad vgl. auch W. Helck,
Betrachtungen zur großen Göttin und den ihr verbundenen Gottheiten, München und
Wien 1971, S. 270ff. — Zur Frage ritueller Menschentötungen im ugaritischen Kult
vgl. J. C. de Moor, The Saesonal Pattern in the Ugaritic Myth of Ba[c]lu, AOAT 18,
Kevelaer und Neukirchen 1971, S. 95; de Vaux, Studies, S. 61, und dagegen de Moor,
S. 213.

[44] Nachdem Stade, ZAW 6, 1886, S. 163ff. = Reden, S. 208ff. für das höhere Alter von 17,
20—23 gegenüber V. 7—17 (19f.) plädiert hat, läßt sich diese Hypothese von I. Benzinger,
KHC 9, 1899, S. 174, über R. Kittel, HK I, 5, 1900, S. 274; O. Eissfeldt, HSAT I², S. 569f.;
Hölscher, Eucharisterion I, S. 205; Geschichtsschreibung, S. 401; J. Debus, Die Sünde

deuteronomistischen Redaktion (Dtr N) rechnet[45], bleibt für unsere Fragestellung unerheblich: Eine Abfassung von 17,17 im 6. Jahrhundert scheidet damit jedenfalls mit einer an Sicherheit grenzenden Wahrscheinlichkeit aus[46]. Historische Erinnerung ist nicht zu unterstellen, vielmehr eine Folgerung aus dem Vorwurf der Verletzung des Hauptgebotes in V. 7 anzunehmen.

Bleiben wir bei den Belegen für das angeblich in der späten Königszeit praktizierte Kinderopfer, beanspruchen die einschlägigen Aussagen des Jeremiabuches schon aus chronologischen Gründen vorrangig unsere Aufmerksamkeit. Daß alle hier zur Debatte anstehenden Belege, Jer 7,31; 19,5 und 32,35, in den Bereich der deuteronomistisch geprägten Texte gehören, will von vornherein im Auge behalten werden, erschwert es doch angesichts der mit ihnen verbundenen ungelösten literarkritischen und -historischen Probleme die sachliche Auswertung[47]. Dabei dürfen wir mit Christoph Levin unterstellen, daß es sich bei 19,5 und 32,35 um zwei von 7,31 abhängige »Fortschreibungen schriftgelehrter theologischer Reflexion« handelt[48]. Während 7,31 davon spricht, daß die Judäer das Tophet[49] im Tal Ben Hinnom gebaut haben, um ihre Söhne und Töchter mit Feuer zu verbrennen, obwohl Jahwe dies nicht geboten hatte, spricht 19,5 von dem Bau der »Baals-Höhen« für die Verbrennung der Kinder als Brandopfer für Baal (עלות לבעל). Die nachgestellte Bemerkung, daß Jahwe dies nicht geboten habe, wirkt paradox. Gerade dadurch macht sie uns nachdrücklich bewußt, daß 7,31

Jerobeams, FRLANT 93, Göttingen 1967, S. 98ff., bis zu J. Gray, Kings², S. 645ff. verfolgen. M. Noth, Überlieferungsgeschichtliche Studien, S. 85, steht demgegenüber mit seinem Einspruch isoliert da.

[45] Prophetie und Geschichte, 1972, S. 41ff., 105 und S. 138. Darnach gehörten V. 7—11.20 zu DtrG, V. 21—23 zu DtrP und V. 12—19 zu DtrN.

[46] Vgl. dazu Kaiser, Einleitung³, S. 161.

[47] Zum Stand der Forschung vgl. Kaiser, Einleitung³, S. 221ff. — Zum dtr Charakter von 7,29—34 (8,3) vgl. zuletzt W.Thiel, Die deuteronomistische Redaktion von Jeremia 1—25, WMANT 41, Neukirchen 1973, S. 121ff. und S. 128ff.; zur Literarkritik von c. 19 mit den V. 1—2a^x.10—11a.14—15 als Grundbestand G. Wanke, Untersuchungen zur sogenannten Baruchschrift, BZAW 122, Berlin 1971, S. 8ff.; zum dtr Charakter der Ergänzungen Thiel, WMANT 41, S. 219ff.; zum dtr Charakter von Jer 32,16—44 vgl. W. Thiel, Die deuteronomistische Redaktion des Buches Jeremia, Diss. masch. Berlin-DDR 1970, S. 512ff.

[48] Vgl. dazu künftig Chr. Levin, Das Kinderopfer im Jeremiabuch.

[49] במות dürfte zum Ausgleich mit 19,5 eingetragen sein.

voraussetzt, daß die Kinderopfer im Tale Hinnom keinem anderen Gott als Jahwe dargebracht worden sind[50]. — 32,35 tauscht das שרף באש durch ein העביר למלך[51] aus und belegt mit diesem Rückgriff auf Lev 18,21 die Tatsache, daß Jahwe dies Opfer nicht verlangt hat[52]. An der Ursprünglichkeit von 7,31 in seinem Kontext wird man trotz der mit 30b einsetzenden, von 31a aufgenommenen Suffixkonjugation anders als bei 2 Kön 23,10 keinen Anstoß nehmen, weil sowohl das שמו wie das ובנו noch unter der Rektion des כי von 30a stehen dürften[53]. — Blicken wir von Jer 7,31 auf die bereits erörterten Belege des Deuteronomistischen Geschichtswerkes zurück, ist deutlich, daß wir hier die Ausgangsstelle für die in 2 Kön 23,10 aufgenommene Angabe von der im Tal Ben Hinnom liegenden Kinderopferstätte des Tophet haben, obwohl die dort und an allen deuteronomistischen Belegstellen — die über das Opfer der Vor- und der Nachbewohner des Landes in Dtn 12,31 und 2 Kön 17,31 ausgenommen — verwandte Opferterminologie der von Lev 18,21 entspricht. Da eine gewisse Ortskenntnis des Redaktors von Jer 19,2a in Rechnung gestellt werden darf, lag das Tophet in der Nähe des »Scherbentores«, das unter Umständen mit dem »Dungtor« gleichgesetzt werden kann, Neh 2,13; 3,13 u. ö.[54]. Nach Jes 30,33 handelt es sich bei dem Tophet um eine mit Stroh und Holz ausgefüllte

---

[50] Vgl. in diesem Sinn z. B. B. Duhm, KHC XI, Tübingen 1901, z. St.; Eissfeldt, Molk, S. 41; W. Rudolph, HAT I,12, Tübingen 1968³, z. St.; K. Dronkert, De Molochdienst in het Oude Testament, Leiden 1953, S. 83; R. Hentschke, Die Stellung der vorexilischen Schriftpropheten zum Kultus, BZAW 75, Berlin 1957, S. 113. — P. Volz, KAT X, Leipzig und Erlangen 1922, S. 200 und A. Weiser, ATD 20/21, Göttingen 1966⁵, S. 163 deuten 19,5 als objektives, nicht die Intention der Opfernden meinendes prophetisches Urteil; ähnlich McKay, Religion, S. 41. — Anders z. B. Blome, Opfermaterie, S. 382, und Kornfeld, WZKM 51, 1952, S. 302f.
[51] Zum Problem vgl. unten 43.
[52] Vgl. dazu auch Levin.
[53] Zum syntaktischen Phänomen vgl. H. Bobzin, Die 'Tempora' im Hiobdialog, Diss. phil. Marburg 1974, S. 43ff. und besonders S. 44 unter Ziffer 4.
[54] Zum Befund Jer 19,2a vgl. Rudolph, HAT, z. St. — Zu den topographischen Problemen und Befunden vgl. H. Kosmala, BHW II, Sp. 840 und Sp. 723; zum speziellen Problem des Mauerverlaufs in der späten Königszeit vgl. die Pläne bei K. M. Kenyon, Digging up Jerusalem, London 1974, S. 146 Fig. 26 und M. Brosh, The Expansion of Jerusalem in the Reign of Hezekiah and Manasse, IEL 24, 1974, S. 24 Fig. 1. — Vgl. aber auch R. P. S. Hubbard, The Topography of Ancient Jerusalem, PEQ 98, 1966, S. 141, Fig. 4, und S. 145, Fig. 5 mit Kenyon, S. 186, Fig. 28, und R. Grafman, Nehemiah's Broad Wall, IEJ 24, 1974, S. 50f. mit Fig. 1.

Brandgrube[55]. — Da Jer 7,32ff. die Ereignisse bei der Belagerung und Eroberung Jerusalems 588/87 unter anderem als Strafe für die Kinderopfer angesehen wissen will[56], wird man unbeschadet der offenen Probleme der Datierung von 7,29ff. den Schluß ziehen dürfen, daß dem Verfasser eine Überlieferung von dem im Hinnomtal gelegenen Tophet und in ihm geübten Brauch, Kinder beiderlei Geschlechts Jahwe als Brandopfer darzubringen, zur Verfügung stand. Da Jer 7 keine Datierung enthält, bot Jer 1,1 dem Verfasser von 2 Kön 23,10 die Möglichkeit, Josia auch die Entweihung des Tophet zuzuschreiben.

Die Belegstellen für das Kinderopfer in Ez 16,20f.; 20,25f.31 und 23,37 dürften, wie die neuesten Untersuchungen gezeigt haben, sämtlich dem im 6. Jahrhundert wirkenden Propheten Ezechiel abzusprechen sein. Zu unterschiedlichen, aber wohl insgesamt späten Stufen der literarischen Fortschreibungen des zu Beginn des 5. Jahrhunderts konzipierten Prophetenbuches gehörend[57], sind sie demnach primär als Zeugnisse für das spätere Verständnis der Kinderopfer als Mitursache für den Zusammenbruch des judäischen Reiches relevant. Wenn 16,20 die geopferten Knaben und Mädchen den Götzen als Fraß zukommen läßt und V. 21 betont, daß die Kinder erst geschlachtet wurden, ehe man sie den Idolen mittels des העביר באש übereignete, wird vorab deutlich, daß letzteres nicht als Weiheritus verstanden wurde[58]. Weiter-

---

[55] Vgl. auch die Beschreibung der Opferbrandgrube, die P. Cintas in Sousse gefunden hat Rev. Africaine 91, 1947, S. 34f. — Zur Datierung von Jes 30,33 vgl. einerseits H. Barth, Israel und das Assyrerreich in den nichtjesajanischen Texten des Protojesajabuches, Diss. Hamburg 1974, S. 78f., der den Abschnitt nach 621 und vor dem Untergang des assyrischen Reiches ansetzt, und andererseits O. Kaiser, ATD 17, Göttingen 1973, S. 243f., der für nachexilische Plazierung plädiert.

[56] Zur Chronologie vgl. E. Kutsch, Das Jahr der Katastrophe: 587 v. Chr., Bib 55, 1974, S. 520ff.

[57] 16,20f. werden von W. Zimmerli, BK XIII,1, Neukirchen 1969, S. 365 und J. Garscha, Studien zum Ezechielbuch, Europäische Hochschulschriften XXIII,25, Bern und Frankfurt/Main 1974, S. 272 als sekundärem Kontext angehörend betrachtet. 20, 26.31 werden von Zimmerli, S. 493 für ezechielisch gehalten; doch scheint mir der sekundäre Charakter der ganzen Schicht durch H. Schulz, Das Todesrecht im Alten Testament, BZAW 114, Berlin 1969, S. 184 und J. Garscha, S. 113ff. erwiesen. Zum sekundären Charakter von 23,37 vgl. Zimmerli, S. 553f.; Schulz, S. 184 und Garscha, S. 54f. — Garscha, S. 308, gelingt es nicht, auch nur einen dieser Belege mit einer der drei, von ihm im wesentlichen für das Entstehen des Buches verantwortlich erkannten Schichten zu verbinden.

[58] Vgl. dazu oben S. 26 mit Anm. 8, S. 33 mit Anm. 30 und S. 36f. mit Anm. 43.

hin dürfen wir die Angabe, die Kinder seien vor der Verbrennung geschlachtet, auch dann als sachlich zutreffende Ergänzung unserer Kenntnis des Vollzuges der primär Jer 7,31 und Lev 18,21 bezeugten Rite gelten lassen, wenn es sich dabei um einen exegetischen Schluß des für den Eintrag verantwortlichen Schriftgelehrten handeln sollte. Unbeschadet der Poesie der Stelle dürfen wir Gen 22,10f. und die entsprechende phönizisch-punische Opferpraxis als Zeugen für die der Verbrennung vorausgehende Schlachtung der Kinder aufrufen[59]. — 23,37—39 wirkt, wovon ein Vergleich schnell überzeugt, wie ein Kommentar zu Lev 20,3b[60]. Indem der hier tätige Schriftgelehrte das נתן למלך von Lev 20,3b unter Rückgriff auf 16,20f. durch das העביר לגלולים לאכלה ersetzte, bezeugt er, daß man das מלך in seiner Zeit personal verstand. — Am bedeutendsten in unserem Zusammenhang ist zweifellos 20,25f., findet man doch hier bis in die Gegenwart einen vermeintlich sicheren Beleg für die Annahme, das spätvorexilische Kinderopfer sei als buchstäbliche Auslegung von Ex 22,28 zu verstehen[61]. Es kann keinem Zweifel unterliegen, daß der für die Einfügung des בהעביר באש בניכם in 20,31 verantwortliche Lehrer die V. 25f. auf das Kinderopfer bezogen wissen wollte und in der Tat meinte, sie seien die Folge eines unguten, zweideutigen Jahwegebotes. Hätte er damit die Absicht von 20,25f. getroffen, besäßen wir angesichts der literarischen Qualität der Bezugsstelle allein eine späte Kombination, die sich die Nachrichten im Deuteronomistischen Geschichtswerk, im Jeremiabuch und in den Legalpartien des Pentateuch, und hier besonders Ex 34,19a; 13,2.12 und Lev 20,1—5, entsprechend zurechtlegte. Aber selbst das ist nicht ausgemacht. Jörg Garscha hat darauf hingewiesen, daß man 20,25f. im Blick auf V. 28 und V. 40 auch auf ein unter gewissen Umständen nicht durchführbares oder angesichts partiell mangelnder Präzision der Bestimmungen am falschen Ort dargebrachtes Tieropfer beziehen kann[62], eine Hypothese, die mindestens der Beachtung wert ist.

---

[59] Vgl. J. Guey, Ksiba et à propos de Ksiba II, MEFR 54, 1937, S. 95; J. G. Février, JA 248, 1960, S. 179f.; ders., REJ ser. IV,3, 1964, S. 16, dazu Plut. de superstit. 171 C—D; Diod. XVIII, 86, 3; Porph. de abst. II,27; Min. Fel. Oct. XXX,3; Tert. Apol. 9 gegen Kleitarch, Schol. Pl. Resp. 337a (FGHist Jac II B 137 F 9) und St. Gsell, Histoire ancienne de l'Afrique du Nord, Paris 1924² (Osnabrück 1972), S. 410.

[60] Vgl. dazu auch unten S. 42.

[61] Vgl. in diesem Sinne noch Zimmerli, S. 449, vgl. auch S. 357.

[62] S. 119ff.

Wenden wir uns endlich den mehrfach aufgerufenen Belegen Lev 18,21 und 20,2—5 zu, können wir 20,2—5 vorab als formgeschichtlich geurteilt späte Komposition einer durch und durch literarischen Kasuistik charakterisieren, bei der es nicht einmal ausgemacht ist, ob ihr ein alter, hier nur in Formauflösung erscheinender Todessatz zugrunde liegt oder ob es sich bei ihm um eine freie Bildung des Verfassers handelt[63]. Damit ist, gleichgültig ob wir den Abschnitt in seiner gegenwärtigen Gestalt als Einheit betrachten[64] oder seine materiellen Überschneidungen und verbalen Differenzen zum Anlaß literarkritischer Erwägungen machen[65], festgestellt, daß wir von diesem Text keine Primärinformation zu erwarten haben. Ob 3bβ in Ez 32,39 richtig interpretiert ist, so daß hier lediglich an eine mittelbare Verunreinigung des Heiligtums durch die Vollzieher des Kinderopfers gedacht ist, was ich für das wahrscheinlichste halte, braucht daher nicht ausführlich erörtert zu werden. Fest steht jedenfalls, daß 1. die Wendung נתן למלך aus 3bα nicht zum ursprünglichen Formelbestand der Opfersprache gehört und 2. V. 5b mit seinem im Zusammenhang mit der durch Eissfeldt ausgelösten Kontroverse über מלך als Opferbegriff oder Gottesnamen viel zitierten לזנות אחרי המלך keinen Rückschluß auf die primäre Bedeutung des מלך erlaubt, sondern wie Ez 23,37—39 lediglich bezeugt, daß man in der fortgeschrittenen Perserzeit Lev 18,21 personal interpretierte[65a]. Lev 18,21 besitzt seine eigenen Schwierigkeiten. 21b

---

[63] Zur Formauflösung des môt-Satzes vgl. H. Schulz, Todesrecht, S. 46f.; zum Fehlen eines entsprechenden môt-Satzes in der Ex 21 und Lev 20 verarbeiteten Reihe vgl. V. Wagner, Rechtssätze in gebundener Sprache und Rechtssatzreihen im israelitischen Recht, BZAW 127, Berlin und New York 1972, S. 16ff.

[64] So K. Elliger, HAT I,4, Tübingen 1966, S. 265ff.

[65] So M. Noth, ATD 4, Göttingen 1962, S. 127.

[65a] Seit der von St. Gsell vorgelegten Mitteilung von Jeanne und P. Alquier über die Stelenfunde von N'gaous mit dem Opferterminus molchomor, CRAI 1931, S. 21ff., der Interpretation von J. Carcopino, Survivances par substitution des sacrifices d'enfants dans l'Afrique romaine, RHR 106, 1932, S. 592ff., der die Vermutung von R.-B. Chabot, Punica, JA 10, 1917, S. 160 bestätigte, und dem Brückenschlag von O. Eissfeldt, Molk, 1935, vom punischen zum alttestamentlichen Opferbegriff, — vgl. weiter W. v. Soden, ThLZ 1936, Sp. 45f.; J. Guey, Ksiba et à propos de Ksiba II. 'Moloch' et 'Molchomor'. A propos des stèles votives, MEFR 54, 1937, S. 83ff.; A. Alt, WO 1, 1946, S. 282f.; R. Dussaud, Précisions épigraphiques touchant les sacrifices puniques d'enfants, CRAI 1946, S. 371ff.; J. G. Février, Molchomor, RHR 143, 1953, S. 8ff.; ders., Le vocabulaire sacrificiel punique, JA 243, 1955, S. 49ff.; J. Hoftijzer, Eine Notiz zum punischen Kinderopfer, VT 8, 1958, S. 288ff.; F. Barreca, La civiltà di Cartagine, Cagliari 1964,

dient offensichtlich als Begründung und gehört als solche nicht ursprünglich zum Prohibitiv in 21 a[66]. In diesem überrascht das vorgezogene Objekt מַזְרַעֲךָ; doch mag eine Umstellung im Interesse einer Unterstreichung der Stichwortverbindung zu V. 20 (לְזָרַע) vorliegen. Die Zuordnung zum Kontext der sexuellen Prohibitive in 17b—23 ist lose, es sei denn man wollte die unbeweisbare Hypothese ins Spiel bringen, es habe sich bei den geopferten Kindern um die Frucht eines kultischen Beilagers gehandelt[67]. Aber angesichts des literarisch späten Charakters des ganzen Abschnittes[68] wäre das wiederum zunächst nichts anderes als eine Vermutung des Sammlers und Bearbeiters! Da 2 Kön 23,10 wie Jer 32,35 auf Jer 7,31 und Lev 18,21a zurückweisen, und Lev 20,2ff. keinen sicheren Anhaltspunkt für ein weiteres, uns sonst nicht tradiertes Material zu bieten scheint, werden wir Lev 18,21a als Grundstelle für die Wendung הֶעֱבִיר לַמֹּלֶךְ betrachten. Dabei können wir unter-

---

S. 52, 134 und S. 155; H. Donner und W. Röllig, KAI II, Wiesbaden 1964, S. 76, und M. G. G. Amadasi, Le iscrizioni fenicie et puniche della colonie in occidente, Stud. Sem. 28, Rom 1967, S. 22f. —, haben sich gegen einen punischen Opferbegriff molk ausgesprochen M. Buber, Königtum³, S. 170ff.; W. Kornfeld, Der Moloch, WZKM 51, 1952, S. 287ff.; R. Charlier, La nouvelle serie des sacrifices dits 'Molchomor', en relation avec l'expression 'BSRM BTM', Karthago 4, 1953, S. 3ff.; vgl. A. Berthier und R. Charlier, Le sanctuaire punique d'el-Hofra à Constantine I, Paris 1955, S. 29ff. und M. Weinfeld, The Worship of Molech and of the Queen of Heaven, UF 4, 1972, S. 133ff. — Die Stimmen zur Bestreitung der Eissfeldtschen Hypothese von der Wiederkehr des punischen Opferbegriffs im alttestamentlichen מֹלֶךְ notiert J. Henninger, Les fêtes de printemps chez les Arabes et leurs implications historique, Revista do Museu Paulista N.S. 4, 1950, S. 419, Anm. 139. Ich füge ohne Anspruch auf Vollständigkeit hinzu M. Buber, Königtum Gottes (Berlin 1936²) Heidelberg 1956³, S. 58 und S. 170ff.; J. Pedersen, Israel III—IV, 1940 (1953), S. 697; K. Dronkert, De Molochdienst in het Oude Testament, Leiden 1953, S. 27ff.; W. Eichroft, Theologie I, 1957⁵, S. 89f.; J. Henninger, Anthropos 53, 1958, S. 772ff.; M. Noth, ATD 6, Göttingen 1962, S. 127f.; K. Elliger, HAT I,4, Tübingen 1966, S. 273; W. Rudolph, HAT I, 12, Tübingen 1968³, S. 212 (sub 32,35, Anm. b); W. Zimmerli, BK XIII,1, Neukirchen 1969, S. 357. — Eissfeldts Hypothese ausdrücklich angeschlossen haben sich z. B. H. Cazelles, Artikel 'Molok', DBS V, 1957, Sp. 1337ff.; K.-H. Bernhardt, BHW II, 1964, Sp. 1232; H. Gese, Religionen, 1970, S. 175ff. Vermittelnd äußert sich jetzt de Vaux, Studies, S. 89f., dem sich Kaiser, ATD 18, 1973, S. 246f. anschloß. Vgl. auch H. Ringgren, Israelitische Religion, 1963, S. 160. — Ich behalte mir vor, auf das Problem gesondert zurückzukommen.

[66] Vgl. auch W. Richter, Recht und Ethos, StANT 15, München 1966, S. 115f.

[67] Vgl. K. Elliger, Das Gesetz Leviticus 18, ZAW 67, 1955, S. 18 = Kleine Schriften zum Alten Testament, ThB 32, München 1966, S. 249f.; HAT I,4, S. 241.

[68] Vgl. Elliger, ZAW 67, S. 15f. = ThB 32, S. 248f.; HAT I,4, S. 232f.

stellen, daß der Prohibitiv die Opfersprache aufgriff, um so gegen das Kinderopfer Front zu machen. Erinnern wir daran, daß man solche Opfer nach Jer 7,31 Jahwe darbrachte, kann immerhin vermutet werden, daß es sich um ein Verbot post festum handelt. Vergegenwärtigen wir uns gleichzeitig den Charakter von Jer 7,29 ff. und das damit gesetzte überlieferungsgeschichtliche Problem, ob und in welcher Weise diese Predigt mit der Verkündigung Jeremias zusammenhängt, stellt sich die Frage nach der Aktualität solcher Predigt wie des ausdrücklichen Verbotes. Vielleicht fragte man sich in der exilischen und in der frühnachexilischen Gemeinde des Mutterlandes, ob sich die Not des Einzelnen wie des Volkes nicht durch ein außerordentliches Opfer wenden lasse, wie es das Alte Testament selbst für den moabitischen König Mescha im 9. Jahrhundert bezeugt und wie es in Tyros vielleicht bis ins 6. Jahrhundert gepflegt worden ist[69]. Mi 6,7 kann mit seiner berühmten Frage als entsprechender Beleg gewertet werden[70]. Von 2 Kön 3,27 und Mi 6,7 her ist jedoch bereits entschieden, daß weder die Nachbarn Israels noch dieses selbst ein generelles, sondern nur ein exzeptionelles Erstgeborenenopfer kannten[71]. Gleichzeitig ist es jedoch bei den jedenfalls in Rechnung zu stellenden Votivopfern nicht ausgemacht, daß das zum Opfer bestimmte Kind immer das erstgeborene und nicht das beste gewesen ist[72]. Daß nach Jer 7,31 auch Mädchen geopfert wurden, sei angemerkt[73]. Im übrigen tut der Exeget wohl daran, nicht mit Flaubert

---

[69] Curt. Hist. IV, III, 23. Vgl. auch Just. Epit. XIX,1,10, nach dem Dareios I. den Puniern das Menschenopfer untersagt hätte.

[70] Zur Datierung vgl. Kaiser, Einleitung³, S. 211; zur Sache auch Gray, Sacrifice, S. 87 f.

[71] Zu 2 Kön 3,27 vgl. H. Chr. Schmitt, Elisa, Gütersloh 1972, S. 32 ff.; de Vaux, Studies, S. 62 mit Anm. 49. — Zum Ausnahmecharakter der Opfer vgl. Philo Byb. (Euseb, Praep. Ev. IV,16,11; FGR Hist Jac III C 790 F3 b, vgl. F2 (C. Clemen, Die phönikische Religion nach Philo von Byblos, MVAG 42,3, Leipzig 1939, S. 31 f.); Porph. de abst. II,56. Auf die Tatsache ist mit ihren Konsequenzen wiederholt hingewiesen; vgl. z. B. Gray, Sacrifice, S. 88; Eichrodt, Theologie I¹, S. 69; I⁵, S. 89; Carcopino, RHR 106, 1932, S. 599; Kornfeld, WZKM 51, 1952, S. 305; Février, JA 248, 1960, S. 177 ff.; REJ N.S. IV,3, 1964, S. 15; V. Hamp, LThK² VII, 1962, Sp. 296.

[72] Anders Cazelles, DSB VI, Sp. 1342. Vgl. aber Porph. de abst. II, 56 und Février, REJ N.S. IV,3, 1965, S. 15.

[73] Zu den literarischen und sachlichen Problemen von Ri 11,30 ff. vgl. W. Richter, Die Überlieferungen um Jephtah, Bib 47, 1966, S. 503 ff. und besonders S. 512 ff. Nach ihm wäre die Erzählung aus einer in ein Menschenopfer ausmündenden Geschichte von einem Gelübde und einer anderen, die einen Jungfrauenbrauch mit einem Mädchenopfer verbindet, komponiert, ohne daß der fragmentarische Charakter der Überlieferungen einen

in Konkurrenz zu treten. Daß man von dem Kinderopfer je nach Anlaß sühnende oder gnädig wirkende Kraft erwartete, liegt nach dem eben Gesagten ohne Spekulationen auf der Hand.

Kehren wir abschließend noch einmal zu unserer Ausgangsfrage zurück, welchen religionsgeschichtlichen Hintergrund die Erstgeburtsbestimmungen Ex 13,2.11 ff.; 22,28 f. und 34,19 f. besitzen, steht aufgrund unserer bisherigen Untersuchung fest, daß es in Israel so wenig ein generelles Erstgeborenenopfer gegeben haben kann wie bei den Phöniziern und Puniern. Daß dies in geschichtlicher Zeit nicht der Fall war, ist wiederholt unter Verweis auf die faktische Rolle des Erstgeborenen im Alten Testament betont worden[74]. Daß es etwa in der nomadischen Zeit anders gewesen sein könnte, hat Joseph Henninger mit dem Vermerk ausgeschlossen, daß sich ein derartiges Opfer weder in irgendeinem auf nomadischer Kulturstufe stehenden semitischen noch bei irgendeinem anderen nomadischen Hirtenvolk nachweisen läßt[75]. Da die Darbringung der Erstlinge der Herden dagegen sehr wohl in die nomadische Welt gehört[76], bleibt bei unserer derzeitigen Kenntnis der kanaanäischen Religion[77] nur der Schluß, daß die Einbeziehung der

---

stichhaltigen Rückschluß auf ihren Hintergrund erlaubt. Vgl. auch seine Kritik an W. Baumgartner, Zum Alten Testament und seiner Umwelt, Leiden 1954, S. 152 ff. auf S. 511, Anm. 1. Richter betont die Nähe zu Gen 22 und anderen elohistischen Texten. — Zum Jungfrauenopfer vor dem Auszug zu Fischfang, Jagd und Krieg vgl. Burkert, Homo necans, S. 76 ff.; zu solchen im Zusammenhang mit der Initiation von Knaben K. Kerényi, Die Jungfrau und Mutter in der griechischen Religion, Albae Vigiliae NF 12, Zürich 1952, S. 36 f.

[74] Vgl. die oben S. 26, Anm. 10 an erster Stelle gegebenen Nachweise. — Zur Rolle des Erstgeborenen in Israel vgl. mit J. Scharbert, LThK² III, Sp. 1052 f. z. B. Dtn 21,17; Gen 27,30 ff.; 49,3;48; vgl. auch Ps 78,51; Sach 12,10, ferner Ex 4,22; Sir 36,14; Jer 31,9; Ps 89,28 und Hb 1,6; zur Sache auch M. Tsevat, Artikel »bekôr«, ThWAT I, Sp. 643 ff. — Vgl. ferner A. v. d. Selms, Marriage and Family Life in Ugaritic Literature, POS 1, London 1954, S. 140 f.; R. Levy, The Social Structure of Islam, Cambridge 1969², S. 91 f.; A. Musil, The Manners and Customs of the Rwala Bedouins, New York 1928, S. 243.

[75] Les fêtes de printemps chez les Arabes, Revista do Museu Paulista N.S. IV, 1950, S. 419; ähnlich Anthropos 53, 1958, S. 757; vgl. auch R. Ryckmans, Les religions arabes préislamique, Bibliothèque du Muséon 26, Louvain 1952², S. 31 ff. und Maria Höfner, Die vorislamischen Religionen Arabiens, RM 10,2, Stuttgart 1970, S. 333 f.

[76] Vgl. J. Wellhausen, Reste arabischen Heidentums, Berlin 1961², S. 121 und jetzt Henninger, Fêtes de printemps, S. 412 ff.

[77] Ist das pṭr CTA 41,9 vom Kontext her kaum zu deuten, vgl. J. Gray, The Legacy of Canaan, SVT 5, Leiden 1957, S. 145, hat es Ugaritica V, Text 8,34 vermutlich eine

menschlichen, männlichen Erstgeburt eine sekundäre, rationalistische Erweiterung der von der alten Rite geforderten Darbringung der Erstlinge des Klein- (und sekundär des Rind-)viehs darstellt[78]. Bei der Erklärung der Bevorzugung der männlichen Tiere wird man vorsichtig sein müssen und die naheliegende soziologisch-ökonomische Deutung vielleicht doch zugunsten der Annahme zurückstellen, daß sich darin eine uralte männliche Schutzgottheit der Nomaden spiegelt[79].

Ohne uns auf die von Jörn Halbe gezogenen Konsequenzen einzulassen, meinen wir seiner Feststellung des gegenüber Ex 34,19f. jüngeren Alters von Ex 22,28f. unbedingt zustimmen zu müssen[80]. Die Verbindung einer vermutlich als pars pro toto gedachten Bestimmung über die Abgabe landwirtschaftlichen Ertrages in 22,28a mit der im Stil der Gottesrede gebildeten privilegrechtlichen Bestimmung über den Erstgeborenen in 28b; die auf dem Wege des Rückverweises erhobene Heischung der Erstgeburt von Rindern und Kleinvieh in 29a samt der

---

ähnliche Konnotation wie Ps 22,8, vgl. Chr. Virolleaud, ebenda, S. 578. — Zum Opfer in Ugarit vgl. auch die Texte Ug. V Nr. 9; 11; 12 und 13. — Zur Bedeutung des Esels bei den Kleinviehnomaden vgl. J. Henninger, Über Lebensraum und Lebensformen der Frühsemiten, AFLNW 151, Köln und Opladen 1968, S. 30ff. Zur kultischen Unreinheit des Esels bei Ägyptern, Kanaanäern und in Mesopotamien vgl. E. Nielsen, Ass and Ox in the Old Testament, Studia Orientalia J. Pedersen, Kopenhagen 1953, S. 268ff.; H. Bonnet, Reallexikon der ägyptischen Religionsgeschichte, Berlin und New York 1971², Sp. 171ff.; zur Rolle der Eseltötung in einem Fluchsetzungsritus in Mari vgl. zuletzt E. Kutsch, Verheißung und Gesetz, BZAW 131, Berlin und New York 1973, S. 12f. (ARM II,37,9ff.), zu einem weiteren Beleg aus Mari G. Dossin, Syria 19, 1938, S. 108 und Kutsch, S. 45, Anm. 28. Zu einer vermuteten entsprechenden Rolle in einem altsüdarabischen Bundesformular vgl. Maria Höfner, WZKM 54, 1957, S. 77ff. und besonders S. 82f. Zur Bedeutung des Esels in der griechisch-römischen Religion vgl. Will Richter, KP II, 1967, Sp. 370ff.

[78] Vgl. Eissfeldt, Molk, S. 52; ferner Pedersen, Israel III—IV, S. 318f.

[79] Vgl. einerseits Février, JA 1248, 1960, S. 176 und andererseits Blome, Opfermaterie, S. 155 und K. Latte, Römische Religionsgeschichte, HAW V, 4, München 1967², S. 210, nach denen in Babylonien wie bei den Römern männliche Gottheiten bevorzugt männliche und weibliche Gottheiten weibliche Tiere geopfert bekamen. Vgl. auch b. Pes. VIII, II.

[80] J. Halbe, Das Privilegrecht Jahwes Ex 34,10—26, FRLANT 114, Göttingen 1975, S. 444f. und S. 448f. Anders zuletzt F.-E. Wilms, Das jahwistische Bundesbuch in Exodus 34, StANT 32, München 1973, S. 164f. — Gegen den zuletzt von A. Jepsen, Untersuchungen zum Bundesbuch, BWANT 41, Stuttgart 1927, S. 11 und S. 50f. vorgetragenen Versuch, das ganze uns beschäftigende Problem von Ex 22,28b aus der Welt zu schaffen, vgl. H. Cazelles, Études sur le Code de l'Alliance, Paris 1946, S. 83b.

den Termin der Übereignung der Tiere festhaltenden Ergänzungs-
bestimmung in 29b läßt weder vom Inhalt noch der Art der Formulierung und Komposition einen Zweifel an dem m. E. literarisch späten
Charakter des ganzen Abschnitts[81]. So besteht weder ein religions- noch
ein literargeschichtlicher Grund, Ex 22,28b als Zeugen für ein vor-
oder nach der Landnahme allgemein geübtes Erstgeborenenopfer in
Anspruch zu nehmen. Hinter die Ex 34,19a[82], vgl. 13,2, als Gebot
überlieferte und aus 13,12a als Rechtsgrundsatz auszuziehende[83] privi-
legrechtliche Bestimmung kommen wir nicht zurück. Dabei dürfen wir
unterstellen, daß sie der Praxis der nomadischen Vorzeit Israels entspricht und notwendig und selbstredend den Menschen und den Esel
ausschließt[84].

Hat Israel, wenn es die Erstlinge von Pflanze, Tier und Mensch
seinem Gotte weihte, noch darum gewußt, daß um sie »das Geheimnis
der Fruchtbarkeit sowohl in gesammelter Energie wie in der Potenz des
fortsetzenden Fruchtbarseins« west[85] oder hätte es mit dem berühmten
Diktum Rabbi Jochanan ben Zakkais in der Reinheitsfrage alle Begrün-
dungsversuche abwehrend geantwortet: »Der Heilige, gepriesen sei er,
hat gesagt: Eine Satzung habe ich gegeben, einen Beschluß gefaßt;
kein Mensch soll meinen Beschluß übertreten«[86]? Das נתן in Ex 22,28b
scheint auf ein Verständnis der Erstlingsdarbringung als Gabe hinzuweisen; aber generalisieren dürfte man es im Blick auf die Primitialopfer

---

[81] Läßt man die Verwendung von נתן in der Priestersprache zur Bezeichnung von allerlei
Manipulationen außer Betracht, vgl. z. B. Lev 2,1; 4,7 u. ö., fällt auf, daß das Verb im
Kontext hier zu berücksichtigender Belege außer in den von uns als exilisch-nach-
exilisch beurteilten Stellen Lev 18,21; 20,4 nur im Zusammenhang von Ablösungsbestim-
mungen vorkommt, vgl. Lev 27,23; Num 3,48 und 5,7. So bleibt Ex 22,28b eigentümlich
isoliert. Vielleicht ist es nicht zu kühn zu vermuten, daß Ex 22,28b bereits die von Num 3,
11ff.40ff. vertretene Theorie im Auge hat.
[82] Vgl. zum literarischen Befund Halbe, S. 176ff.
[83] E. Otto, Das Bundes-Mazzotfest in Gilgal, Diss. Hamburg 1973, S. 302 sucht hinter
Ex 13,12 und 34,19 eine beiden gemeinsame Überlieferung. Ob sich seine Zuweisung
von Ex 13,3—16 S. 340ff. an den Jahwisten gegenüber der zuletzt von W. Fuß, Die
deuteronomistische Pentateuchredaktion in Exodus 3—17, BZAW 126, Berlin und
New York 1972, S. 289f. vertretenen Ansicht einer deuteronomistischen Bearbeitung
durchzusetzen vermag, bleibt abzuwarten.
[84] Vgl. in diesem Sinne schon B. Stade, Biblische Theologie I, S. 170.
[85] C. H. Ratschow, Artikel »Erstlinge«, RGG³ II, 1958, Sp. 608.
[86] Bei A. Nissen, Gott und der Nächste im antiken Judentum, WUNT 15, 1974, S. 172.

nicht, zeigt doch Dtn 26,10, daß man Gott als den Geber der Gabe wußte, vgl. auch Ps 50,7ff. So möchte man, von Spr 3,8f. geleitet, auf Anerkennung des Gebers als primäres und Dankbarkeit als sekundäres Motiv plädieren, vgl. Ps 111,1 und 5[87]. Aber das כל־פטר־רחם לי von Ex 34,19a weist auf eine tiefere Schicht hin, in der die Erstlinge wesenhaft zu Jahwe gehören, ihre Heiligkeit als Grund der Primitialopfer erscheint[88]. In der späten Theorie lösen die Leviten als Diener im Heiligtum die Erstgeborenen des ganzen Volkes ab, vgl. Num 3,5ff. mit 10ff. und 40ff. In dieser Zusammengehörigkeit von Gottheit und Erstlingen klingt das altpflanzerzeitliche Mysterium der Zusammengehörigkeit von Gottheit und Leben, Gottestod und Leben nach, ein ursprüngliches Wissen darum, daß Leben nicht in sich selbst gründet und nur durch das Sterben anderen Lebens wach bleibt[89]. Daß der Mensch sich darein geben und schicken muß, wenn er Fülle erfahren will, klingt im Alten Testament nach, wenn es die pflichtgemäße Abgabe befiehlt, לְהָנִיחַ בְּרָכָה אֶל־בֵּיתֶךָ, Ez 44,30. Daß in diesem Geheimnis auch die Hingabe des Liebsten beschlossen ist, bezeugt auf seine urtümliche Weise das in Israel offenbar überaus selten geübte Knaben- und Kinderopfer. Dem Verfasser von Gen 22 war es nicht zweifelhaft, daß Gott es vom Menschen fordern könnte; wohl aber war er davon überzeugt, daß Gott es als des Menschen Tat nicht verlangt.

---

[87] Vgl. auch C. Westermann, Genesis, BK I, 1, Neukirchen 1974, S. 402.

[88] Vgl. Gray, Sacrifice, S. 34.

[89] Vgl. A. E. Jensen, Die getötete Gottheit, S. 125f. und S. 142ff. und nicht zuletzt C. H. Ratschow, Von der Religion in der Gegenwart, Kirche zwischen Planen und Hoffen 6, Kassel 1972, S. 14: »Das Leben nämlich, und das ist das eigentliche Wissen von Religion in den Religionen, das Leben bleibt nur durch das Sterben wach.«

Geschichtliche Erfahrung und eschatologische Erwartung

Ein Beitrag zur Geschichte der alttestamentlichen Eschatologie
im Jesajabuch

I

Es darf als ein feststehendes Ergebnis der alttestamentlichen Forschung der zurückliegenden zweihundert Jahre angesehen werden, daß
die Prophetenbücher ihre letzte Gestalt nicht den Männern verdanken,
deren Namen sie tragen. Sie sind vielmehr das Ergebnis eines von Fall zu
Fall unterschiedlich vielschichtigen Redaktionsprozesses. Auch über die
weitere Feststellung sollte sich breitere Übereinstimmung erzielen lassen:
Bei der im Jesaja-, Jeremia- und Ezechielbuch intendierten Dreigliederung in Gerichtsankündigungen gegen das eigene Volk, Fremdvölkersprüche und Verheißungen handelt es sich um eine eschatologisch gemeinte Komposition[2]. Aus beiden Prämissen ergibt sich folgerichtig, daß
sich hinter der Redaktionsgeschichte der Prophetenbücher die Geschichte
der alttestamentlich-jüdischen Eschatologie verbirgt. Dabei verstehen wir
unter Eschatologie im Alten Testament nicht einen mit den Vorstellungen
vom Weltende und der Welterneuerung zusammenhängenden Ideenkomplex[3], wie er in der sogenannten spätjüdischen Apokalyptik auftreten kann, sondern die Erwartung eines den Lauf der Geschichte des
Gottesvolkes, der Gottesstadt und der Menschheit entscheidend bestimmenden Eingreifens Gottes in der Zukunft[4], wie sie in der Prophetie

---

[1] Vortrag, gehalten auf Einladung der Theologischen Fakultät der Christian-
Albrechts-Universität Kiel am 19. Juni 1973.

[2] Vgl. dazu (E. Sellin-) G. Fohrer: Einleitung in das Alte Testament, Heidelberg
1965[10], S. 407 und O. Kaiser, Einleitung in das Alte Testament, Gütersloh 1970[2],
S. 240, aber auch schon B. Duhm: Israels Propheten, Lebensfragen 26, Tübingen
1922[2], S. 149.

[3] Vgl. H. Gressmann: Der Ursprung der israelitisch-jüdischen Eschatologie, FRLANT
6, Göttingen 1905, S. 1.

[4] Aus der ausgedehnten Diskussion über Sinn, Recht und Grenze der Rede von einer
alttestamentlichen Eschatologie greife ich heraus J. Lindblom: Gibt es eine Eschatologie bei den alttestamentlichen Propheten?, StTh 6 (1952) 1953, S. 79 ff.; Th. C.
Vriezen: Prophecy und Eschatology, SVT 1, Leiden 1953, S. 199 ff.; S. Mowinckel:
He that cometh, tr. G. W. Anderson, Oxford 1956, S. 125 ff.; G. v. Rad: Theologie
des Alten Testaments II, München 1960, S. 125 ff.; 1968[5], S. 121 ff.; G. Fohrer: Die
Struktur der alttestamentlichen Eschatologie, ThLZ 85, 1960, Sp. 401 ff. = Studien

jedenfalls seit Deuterojesaja nachweisbar ist[5]. — Freilich, wenn man von einer Geschichte der alttestamentlich-jüdischen Eschatologie spricht, scheint man alsbald zu dem Eingeständnis genötigt zu sein, daß abgesehen von den am Rande des Alten Testamentes zu beobachtenden Übergängen zur Apokalyptik die sie gestaltenden Ideen und Motive jedenfalls schon in der mittleren Königszeit auftreten und bereits bei dem Propheten Jesaja nachweisbar sind. Daher könnte man ihn geradezu den Vater der alttestamentlichen Eschatologie nennen, — jedenfalls solange man das herkömmliche Bild seiner prophetischen Wirksamkeit zugrunde legt.

II

Mag diese These auf den ersten Blick überraschen, so läßt sie sich doch mühelos belegen, wenn man das heute weithin dem Propheten zugeschriebene Gut auf seine eschatologischen Züge hin überprüft. Greifen wir als ersten Text die Heilsbeschreibung von Befreiungsnacht und Krönungstag heraus, bei dem es für unsere Betrachtung unerheblich ist, ob man ihn mit 8,23 oder erst mit 9,1 einsetzen läßt: solange man 9,1—6 dem Propheten Jesaja zuweist[6], müßte man ihm auch die Erwartung einer entscheidenden, durch einen unmittelbaren Eingriff Jahwes bewirkten Wende im Geschick seines Volkes und der Völker der Welt zuweisen, einer Wende, die — ausschließlich durch Jahwe herbeigeführt — in ein Reich des ewigen Friedens und der Gerechtigkeit ausmündet. — Besonders deutlich treten die eschatologischen Züge in einer

zur alttestamentlichen Prophetie, BZAW 99, Berlin 1967, S. 32 ff.; derselbe: Geschichte der israelitischen Religion, Berlin 1969, S. 335 ff. und H.-P. Müller: Ursprünge und Strukturen alttestamentlicher Eschatologie, BZAW 109, Berlin 1969, S. 1 ff. und S. 222 ff.

[5] Dies Urteil hängt u. a. mit meiner Skepsis gegenüber dem Ezechielbuch zusammen. Zu seiner Problematik vgl. künftig auch J. Garscha: Studien zum Ezechielbuch, Frankfurt und Bern 1974. — Zur Sache vgl. Fohrer: Geschichte, S. 331 ff.

[6] Vgl. dazu: A. Alt: Jesaja 8, 23—9, 6. Befreiungsnacht und Krönungstag, in: Festschrift A. Bertholet, Tübingen 1950, S. 29 ff. = Kl. Schriften II, München 1953, S. 206 ff. und z. B. J. Lindblom: A Study of the Immanuel Section in Isaiah, Scripta Minora Regiae Societatis Humaniorum Litterarum Lundensis 1957/58, 4, Lund 1958, S. 33 ff.; H.-P. Müller: Uns ist ein Kind geboren. Jesaja 9, 1—6 in traditionsgeschichtlicher Sicht, EvTh 21, 1961, S. 408 ff.; H. W. Wolff: Frieden ohne Ende. Eine Auslegung von Jesaja 7, 1—7 und 9, 1—6, BSt 35, Neukirchen 1962, S. 53 ff.; S. Herrmann: Die prophetischen Heilserwartungen im Alten Testament, BWANT 85, Stuttgart 1965, S. 130 ff.; K. Seybold: Das davidische Königtum im Zeugnis der Propheten, FRLANT 107, Göttingen 1972, S. 79 ff.; W. Zimmerli: Grundriß der alttestamentlichen Theologie, ThW 3, Stuttgart 1972, S. 171 sowie Eichrodt, Kaiser und Wildberger z. St. — Für nachjesajanische Verfasserschaft votieren bei unterschiedlicher zeitlicher Ansetzung Mowinckel, a. a. O., S. 102 ff.; Fohrer z. St. und J. Vollmer: Zur Sprache von Jesaja 9, 1—6, ZAW 80, 1968, S. 343 ff. und künftig auch Kaiser, ATD 17[4], z. St.

Reihe von Worten hervor, die man heute teils den Jahren des Philister-
aufstandes 715—711, teils den Jahren des von Hiskia von Juda ange-
führten südsyrischen Aufstandes zwischen 703 und 701 v. Chr.[7] zuzuweisen pflegt. Eindeutig in diese Zeit gehören Drohworte wie 30,1—5;
30,6—7; 31,1—3 und 22,1—14*. Ihnen fehlt das Eschatologische durchaus. Statt dessen wird der Prophet nicht müde, der antiassyrischen, sich
auf ägyptische Hilfe verlassenden Bündnispolitik seines Volkes einen
totalen Fehlschlag und diesem selbst den Untergang anzusagen:

> „Denn die Ägypter sind Menschen und nicht Gott,
> und ihre Rosse sind Fleisch und nicht Geist.
> Wenn Jahwe seine Hand ausstreckt,
> strauchelt der Helfer, fällt der, dem er hilft,
> gehen sie alle zusammen zugrunde!",

heißt es in 31,3[8]. — Aber vorher und nachher hätte der Prophet nach
herrschender Ansicht eine ganz andere Überzeugung von den Absichten
Gottes vertreten. Die Erkenntnis der Selbstherrlichkeit und Grausamkeit
der Assyrer hätte ihn zu der Überzeugung gebracht, vgl. 10,5—15*,
Jahwe führe sie diesmal nur heran, um sie auf den Bergen seines Landes
zu verderben, heißt es doch in 14,25 f. entsprechend:

> „Zerschlagen will ich Assur in meinem Lande
> und es auf meinen Bergen zertreten.
> Das ist der Plan, geplant wider die ganze Erde,
> und das ist die Hand, ausgestreckt wider alle Völker".

Allein diese zwei Zeilen zeigen, daß es bei dem Gericht an Assur
zugleich um ein universales Handeln Jahwes an den Völkern geht.

Und schließlich wären beide Linien, die der Gerichtsankündigung
gegen das eigene und die der Gerichtsankündigung gegen das fremde
Volk, in der Erwartung konvergiert, Jahwe selbst werde die vor den
Toren Jerusalems versammelten Völker durch sein unvermitteltes Eingreifen in der Stunde der höchsten Not zerschlagen, eine Vorstellung,
die sich in 29,1—8; 30,27—33 und 31,4—9 besonders deutlich zu erkennen gibt, aber auch im Hintergrund von 17,12—14 steht[9]. — Greifen

---

[7] Zur Chronologie der Jahre 705 bis 701 vgl. S. Smith, CAH III, Cambridge 1929
(1960), S. 61 ff. und S. 71 ff. sowie J. Lewy: The Chronology of Sennacherib's
Accession, AnOr 12, 1935, S. 225 ff.

[8] Die Übersetzungen sind weiterhin aus: Der Prophet Jesaja Kapitel 13—39, ATD
18, Göttingen 1973, entnommen. Dort finden sich auch die Begründungen für die
literarkritischen Urteile.

[9] Vgl. aber Fohrer, der sich z. St. gegen die Herleitung von Jesaja ausgesprochen
hat; ebenso G. Wanke: Die Zionstheologie der Korachiten, BZAW 97, Berlin 1966,
S. 116 f. — Dagegen sind B. S. Childs: Isaiah and the Assyrian Crisis, StBTh II, 3,
London 1967, S. 50 ff.; H.-M. Lutz: Jahwe, Jerusalem und die Völker, WMANT 27,
Neukirchen 1968, S. 155 f.; H.-P. Müller: Ursprünge, S. 86 f. und F. Stolz: Struk-
turen und Figuren im Kult von Jerusalem, BZAW 118, Berlin 1970, S. 88, vgl.
S. 86, zu der traditionellen Ansicht zurückgekehrt.

wir aus der genannten Textreihe 29,1—8 heraus, so fällt einerseits auf, daß für die kommende Bedrohung des kryptisch »Ariel« genannten Jerusalem durch die Völker keine Begründung gegeben wird, andererseits, daß die Wende durch ein unmittelbares Eingreifen Jahwes bewirkt werden soll, so daß wir uns an 9,1—6 erinnert fühlen:

> »Wehe dir, Ariel, Ariel,
> du Stadt, da David gelagert.
> Füget Jahr zu Jahr!
> Wenn die Feste wiederkehren,
> Werde ich Ariel bedrängen —
> dann wird Trauer und Traurigkeit herrschen.
> Dann wird sie mir wie ein Opferherd. —
> und werde dich ringsum belagern,
> Dich mit Wällen einschließen
> und Schanzen wider dich errichten!
> Dann wirst du am Boden kauernd reden,
> aus dem Staub ertönt gedämpft dein Wort.
> Geistergleich kommt deine Stimme aus der Erde
> und deine Worte zwitschern aus dem Staube.
> Dann wird wie feiner Staub der Schwarm der Fremden,
> wie fliegende Spreu der Schwarm der Tyrannen sein.
> Aber dann geschieht es ganz plötzlich:
> Du wirst von Jahwe heimgesucht
> mit Donnern und Beben und lautem Gebrüll,
> mit Sausen und Brausen und fressender Lohe!
> Und wie ein Traum, wie ein Nachtgesicht
> wird der Schwarm aller Völker sein, die Ariel bekriegen,
> Aller, die es bekriegen und es umschanzen
> und es bedrängen . . .«

Blicken wir vom Text auf[9a], wird uns deutlich, daß sich hier der entscheidende Abschnitt des eschatologischen Dramas vor den Toren Jerusalems entrollt hat. Auf die Befreiungsnacht könnte nun der Krönungstag folgen, an die Besiegung der Völker und die damit erfolgte Verherrlichung des Zion könnte sich die Völkerwallfahrt zum Zion anschließen, vgl. 2,2—5. Und daß es in diesen Texten letztlich um eine nächtliche Rettung der Gottesstadt geht, läßt uns nicht nur die Anspielung auf die Nacht der Festweihe in 30,29 vermuten, sondern das wird uns in 17,14 prägnant gesagt:

> »Zur Abendzeit: siehe da, Schrecken!
> Vor dem Morgen ist es vorbei! —
> Das ist der Anteil derer, die uns plündern,
> und das Los derer, die uns berauben«. —

[9a] H. Donner: Israel unter den Völkern, SVT 11, Leiden 1964, S. 155, meldet immerhin Bedenken gegen die jesajanische Verfasserschaft an.

Das von Jesaja erwartete Eschaton aber, so sagt man uns, sei nicht eingetreten, weil König Hiskia nach dem Einschluß seiner Hauptstadt Jerusalem und der Eroberung seiner befestigten Städte durch das assyrische Heer im Jahre 701 eben statt auf Jahwe zu vertrauen in der höchsten Not kapitulierte und sich so einen Sanherib auch aus anderen Gründen gelegen kommenden Abzug der Belagerer erkaufte. Die annalistischen Notizen 2 Kö 18,13—16 und die Angaben des Siegers Sanherib in seinen eigenen Annalen stimmen in den Grundzügen zu deutlich überein, als daß man sie zugunsten der jüngeren, alsbald in unsere Überlegung einzubeziehenden, legendären Überlieferung beiseite schieben könnte, wie sie 2 Kö 18,17 ff. par Jes 36,1 ff. bewahrt ist[10]. — Der Prophet hätte nun angesichts des ebenso ausgelassenen wie frivolen

»Lasset uns essen und trinken,

denn morgen sind wir tot!«,

mit dem die Überlebenden fröhlich den Abzug der Belagerer feierten, seinem Volk erneut den Untergang verheißen, hätte es sich doch jetzt endlich vor Jahwe beugen und Buße tun müssen, 22,1—14*. Mit dem letztgenannten Wort stehen wir sicher auf dem Boden der Geschichte. Den Ausgleich zwischen dem hier ausgesprochenen

»Führwahr, diese Schuld wird euch nicht vergeben,

bis das ihr sterbt!«

und den auf einen König der Heilszeit hinausblickenden Worten aber hätten wir uns so vorzustellen, daß diese gleichsam zu einer Geheimlehre für seine Jünger geworden wären, wenn sie nicht gar von vornherein als solche gedacht waren.

III

Das eben skizzierte Bild der Verkündigung des Propheten Jesaja zumal während der Jahre des von Hiskia geleiteten Aufstandes gegen Sanherib basiert im wesentlichen auf den literarkritischen Entscheidungen des Jesajakommentares von Bernhard Duhm. Wenn es sich trotz der kritischen Einwände von Karl Marti und neuerdings auch der, freilich partiellen von Georg Fohrer bei allen Abwandlungen im einzelnen im großen und ganzen in der deutschen alttestamentlichen Forschung behauptet hat, liegt das sicher nicht zuletzt daran, daß die von Sigmund Mowinckel begründete kultgeschichtliche Deutung und die mit

---

[10] Vgl. dazu K. Galling: Textbuch zur Geschichte Israels, Tübingen 1968², S. 67 ff. mit der Übersetzung des Annalenabschnittes durch R. Borger und zur Sache zuletzt in gewohnter Zurückhaltung W. Zimmerli: Jesaja und Hiskia, in: Wort und Geschichte. Festschrift K. Elliger, AOAT 18, Kevelaer und Neukirchen 1973, S. 205 ff. — Wenn A. H. J. Gunneweg: Geschichte Israels bis Bar Kochba, ThW 2, Stuttgart 1972, S. 107 davon spricht, daß Sanherib unverrichteter Dinge abzog, ist das mindestens mißverständlich ausgedrückt.

ihr verbundene Frühdatierung der Psalmen unbeschadet aller Einwände gegen Einzelheiten der Konzeption so stark auf die weitere Forschung eingewirkt haben, daß sie sich in der Lage glaubte, das eben umrissene Bild der Verkündigung Jesajas traditions- und institutionsgeschichtlich abzusichern[11].

Sehen wir die eschatologischen Vorstellungen des Alten Testaments traditionsgeschichtlich als von den Motiven des Tages Jahwes, der Kulttheophanie und der Zionsideologie mit ihren letztlich kanaanäisch-jebusitischen Wurzeln abhängig an[12], ist nicht zu übersehen, daß sämtliche damit angesprochenen Komplexe in den zurückliegenden anderthalb Jahrzehnten alttestamentlicher Forschung in ihrer Ableitung kontrovers geworden sind. War der Tag Jahwes wirklich ursprünglich ein bestimmter, kultisch verankerter oder jeder Tag seines Eingreifens? Hat die Kulttheophanie ihre Farben vom Tage Jahwes oder umgekehrt der Tag Jahwes die seinen von der Kulttheophanie entlehnt? Und wenn sich schon nicht daran zweifeln läßt, daß es eine jebusitische Kulttradition und eine vorexilische David- und Ziontradition gegeben hat, — ist es dann sicher, daß alle in den Zionsliedern begegnenden Vorstellungen bereits im vorexilischen Kult Jerusalems beheimatet waren? Oder ist etwa das für die jüdische Eschatologie so kennzeichnende Motiv des Völkersturms auf Jerusalem, das Völkerkampfmotiv, erst eine relativ junge, vielleicht erst dem 4. Jahrhundert v. Chr. angehörende Bildung[13]?

[11] Hier ist vor allem E. Rohland: Die Bedeutung der Erwählungstraditionen für die Eschatologie der alttestamentlichen Propheten, Diss. Heidelberg 1956, zu nennen, eine Arbeit, die ungeachtet der sich abzeichnenden Verlagerungen in der Prophetenforschung als forschungsgeschichtliches Dokument ersten Ranges endlich gedruckt und damit uneingeschränkt zugänglich gemacht werden sollte.

[12] Daß auch der judäischen Königstraditionen zu gedenken ist, sei der Vollständigkeit halber angemerkt und dazu paradigmatisch auf G. v. Rad: Das judäische Königsritual, ThLZ 72, 1947, Sp. 211 ff. = Gesammelte Studien zum Alten Testament, ThB 8, München 1958, S. 205 ff. verwiesen.

[13] Zur Diskussion über den Tag Jahwes vgl. vor allem G. v. Rad: The Origin of the Concept of the Day of Yahweh, JSS 4, 1959, S. 97 ff. und M. Weiss: The Origin of the Day of the Lord-Reconsidered, HUCA 27, 1966, S. 29 ff. sowie die Diskussion bei Lutz, a. a. O., S. 130 ff.; Müller, a. a. O., S. 69 ff. und F. Stolz: Jahwes und Israels Kriege. Kriegstheorien und Kriegserfahrungen im Glauben des alten Israels, AThANT 60, Zürich 1972, S. 158 ff. — Zum Problem der Beziehungen zwischen Kulttheophanie und Tag Jahwes vgl. J. Jeremias: Theophanie. Die Geschichte einer alttestamentlichen Gattung, WMANT 10, Neukirchen 1965; W. H. Schmidt: Alttestamentlicher Glaube und seine Umwelt, Neukirchen 1968, S. 148 ff. und wiederum Stolz: Jahwes und Israels Kriege, S. 158 ff. Zur Kulttheophanie selbst bleibt immer noch A. Weiser: Zur Frage nach den Beziehungen der Psalmen zum Kult: Die Darstellung der Theophanie in den Psalmen und im Festkult, in: Festschrift A. Bertholet, Tübingen 1950, S. 513 ff. = Glaube und Geschichte im Alten Testament und andere ausgewählte Schriften, Göttingen 1961, S. 303 ff. zu berücksichtigen. — Zur Diskussion über das Alter der Vorstellung vom Völkerkampf vgl. Wanke, S. 74 ff. und S. 106 ff., vgl. S. 31; Lutz, S. 147 ff.; Müller, S. 38 ff. und Stolz: Strukturen, S. 86 ff.

— Kann zu den damit angeschnitteten Problemen in diesem Rahmen keine nur halbwegs zureichende, geschweige gar endgültige Stellung bezogen werden, weil zu ihrer Lösung weitläufige Untersuchungen inner- und außerhalb des Alten Testaments notwendig sind, so soll doch in entsprechender Vorläufigkeit angedeutet werden, daß mir die Preisgabe der Ableitung der Vorstellung vom Tage Jahwes aus dem Herbst- oder Neujahrsfest in der teilweise innerhalb der kultgeschichtlichen Forschung vertretenen Einlinigkeit wahrscheinlich erscheint; ich der Ansicht zuneige, daß sich die Vorstellung vom Tage Jahwes mit solchen der Jerusalemer Kulttheophanie angereichert hat und nach einer Einsicht die Akten über die von Gunther Wanke vorgeschlagene Spätdatierung des Völkerkampfmotives trotz der umstandsbedingt knappen Zurückweisungen durch Hanns-Martin Lutz, Hans-Peter Müller und Fritz Stolz noch nicht als geschlossen betrachtet werden können[14]. Mit Wanke und Müller teile ich die Meinung, daß sich das Völkerkampfmotiv in der spezifischen Form, wie es in den Zionsliedern und in den oben angesprochenen Abschnitten des Jesajabuches begegnet, außerhalb des Alten Testamentes in seiner Umwelt nicht nachweisen läßt[15]. Vermutlich wird eine strenge traditionsgeschichtliche Untersuchung der deuterojesajanischen Prophetie am ehesten in der Lage sein, in diesen Streitfragen zu einem neuen Konsens zu führen. — Allein die Tatsache, daß die vermeintlich sicheren Grundlagen der traditionsgeschichtlichen Beurteilung des Propheten Jesaja in Fluß geraten sind, gibt dem Ausleger die Freiheit, eine früher auch von ihm vertretene Anschauung[16] kritisch auf ihre Tragfähigkeit hin zu überprüfen.

IV

Dabei haben wir ein wichtiges Argument bei der Darstellung des herkömmlichen Jesajabildes eigentlich bereits vorweggenommen. Blicken wir auf die oben zusammengestellten Texte zurück, scheint sich ja die eingangs erwähnte Schwierigkeit zu ergeben, daß die alttestamentliche Eschatologie eigentlich schon im 8. Jahrhundert in allen wesentlichen Zügen vorhanden gewesen wäre. — Ist denn eine solche Erwartung endgültigen Heils überhaupt vor der Erfahrung der Endgültigkeit der Unheilsgeschichte denkbar, einer Unheilsgeschichte, auf die man als eine abgeschlossene Größe zurückblicken kann und die doch gleichzeitig unaufhebbar die Existenz der jüdischen Gemeinde als ganzer und die jedes

---

[14] Vgl. dazu Lutz, S. 213 ff.; Müller, S. 44 Anm. 78 und S. 47 Anm. 96 sowie Stolz: Strukturen, S. 88 Anm. 69.
[15] Vgl. Wanke, S. 72 ff. und Müller, S. 44 Anm. 78.
[16] ATD 17$^{1-3}$.

einzelnen bestimmt[17]? Mit anderen Worten: Ist es denkbar, dem Propheten Jesaja und damit der Zeit lange vor dem Zusammenbruch des judäischen Staatswesens und dem Einbruch des Exils eine derartige Eschatologie zuzuschreiben? — Zu diesen grundsätzlichen Überlegungen kommen andere, wenn man so will, mehr psychologischer Art, mutet doch das herkömmliche Jesajabild dem Propheten ein eigentümliches Schwanken in seiner Verkündigung zwischen unbedingten Heilszusicherungen und unbedingten Gerichtsankündigungen zu. Es scheint nur deshalb erträglich, weil man in den Propheten überhaupt teils unreflektiert und teils reflektiert Rufer in die Entscheidung und Bußprediger sieht[17a]. Dieses Prophetenverständnis entspricht gewiß der deuteronomistischen Prophetentheologie, wie sie sich in den Prosatexten des Jeremiabuches, vgl. etwa Jer 18,7 ff.[18], und sonstwo niedergeschlagen hat. Ansätze zu diesem Prophetenverständnis lassen sich selbst in der exilisch oder frühnachexilisch anzusetzenden Ausgabe der Jesajaworte mit ihren Hinweisen auf die versäumte Entscheidung für Jahwe in 28,12—16 und 30,8 bis 17 nachweisen[19]. — Aber es bleibt zu fragen, ob das Verständnis der vorexilischen prophetischen Gerichtsankündigungen als Bußpredigten nicht erst den Jahrzehnten nach der Katastrophe von 587 entstammt und einfach die Funktion beschreibt, die jetzt der prophetischen Überlieferung zukam.

Gegen die Hypothese von dem seelsorgerlich bedingten Wechsel des Tenors der jesajanischen Verkündigung machen einige Beobachtungen skeptisch, die für ihn jedenfalls in der von uns in den Mittelpunkt der Betrachtung gestellten letzten Periode seiner Wirksamkeit[20] eigentlich keinen rechten Raum lassen. In 30,6—7, einem zunächst änigmatischen, rätselhaften Wort, wird beschrieben, wie eine nicht näher bezeichnete Gruppe Schätze auf gefahrvollem Weg nach Ägypten bringt, zu dem Volk, des Hilfe eitel und nichtig ist. Deute ich es recht, stammt es aus der Zeit, als die Via maris, die unmittelbar an Judäa vorbei nach Ägypten führende Küstenstraße bereits von den Assyrern gesperrt war, so daß nur noch der gefahrvolle Weg durch die Sinaihalbinsel offen stand[21]. Mithin dürfte der einzige, uns bekannte Entlastungsversuch des ägyptischen Pharao Schabako bereits fehlgeschlagen, die Schlacht bei Eltheke verloren gewesen sein[22]. Mit anderen Worten: Kurz ehe sich der Ring

---

[17] Vgl. dazu H. Schulz: Das Buch Nahum, BZAW 129, Berlin 1973, S. 58 f.

[17a] Vgl. dazu Fohrer: Geschichte, S. 258 mit S. 275: »Das Thema der prophetischen Botschaft war die mögliche Rettung des schuldigen und eigentlich dem Tode verfallenen Menschen«.

[18] Vgl. dazu S. Herrmann, S. 189 f. und auch E. W. Nicholson: Preaching to the Exiles. A Study of the Prose Tradition in the Book of Jeremiah, Oxford 1970.

[19] Vgl. dazu ATD 18, S. 196, 199 und 233 f.

[20] Vgl. dazu Kaiser, Einleitung², S. 178.

[21] Zu ihrem Verlauf vgl. Y. Aharoni: The Land of the Bible, London 1968, S. 41 ff.

[22] Vgl. dazu Galling, Textbuch, S. 68.

um Jerusalem schloß, hat Jesaja seine Unheilsbotschaft bekräftigt. Wann hat er dann seine Verheißungen von der Rettung in höchster Not vorgetragen? Verlegen wir 29,1—8 mit Fohrer um ein gutes Jahrzehnt zurück, ist in Wahrheit nichts gewonnen, wird die Ankündigung eher unverständlicher, weil der Prophet nun einerseits in noch unbestimmter, aber absehbarer Zeit die Gefährdung und Errettung des Zion, andererseits aber die Besiegung der Ägypter durch die Assyrer vorausgesagt hätte, letzteres aber, um die Judäer vor einer Beteiligung am Philisteraufstand zu warnen, vgl. Jes 20. Die Erwartung der sich um Jerusalem zusammenziehenden, aber im letzten Augenblick von Jahwe beseitigten Gefahr scheint sich so eigentümlich vom Boden der Geschichte zu lösen, während sich gleichzeitig wieder jenes eigenartige Schwanken zwischen Gerichts- und Heilsverkündigung ergibt. Wenn aber das Prophetenwort gleichzeitig als schaffendes, das angesagte Ereignis heraufführendes Wort verstanden werden soll[23], kommt man in weitere Schwierigkeiten, es sei denn, man wollte zu einem vorwissenschaftlichen Prophetenbild zurückkehren, wie es etwa Dan 7 ff. zugrunde liegt. Läßt man Jesaja ernstlich meinen, was er nicht nur einmal, sondern wieder und wieder, vor und nach der Kapitulation Jerusalems 701 vor Sanherib gesagt hat, wird seine Gestalt strenger, unerbittlicher, wenn man so will: archaischer, so daß man sich an die Sehergestalten gleichzeitiger griechischer Dichtung erinnert fühlt. Und vielleicht dürfen wir zugunsten dieses Prophetenbildes die letzte Frage stellen, ob es wirklich denkbar ist, daß ein Prophet in einem noch aktiv an der Gestaltung seines politischen Schicksals beteiligten Volke in der Zeit der Gefahr eine Rettung durch den mit Blitz und Donner eingreifenden Gott in Aussicht stellen konnte. Eines ist es, geschichtliches Geschehen mittels mythischer Farben als Handeln Gottes zu interpretieren, ein Anderes, sich Geschichte kosmisch entschieden zu denken.

Wenn man so fragt, rücken die oben flüchtig betrachteten Texte des Jesajabuches in eine eigentümliche Nähe zu den jüngeren Erzählungen, die den Propheten seinen Königen ein Zeichen aus dem Himmel oder aus der Unterwelt anbieten lassen, vgl. Jes. 7,10 ff. und 2 Kö 20,1 ff. par Jes 38, 1 ff. — Unterstellen wir dagegen einen Augenblick, daß die vorexilischen Propheten ernsthaft meinten, was sie sagten, entfaltet sich vor unseren Augen bei kritischer Durchsicht der Prophetenbücher nicht nur eine Geschichte der mit dem Exil einsetzenden Prophetentheologie, sondern zugleich auch der Eschatologie; denn damit rücken jene Abschnitte im Jesajabuch, aus denen wir eingangs das eschatologische Drama zusammenstellten und deren Geschichtstheologie offensichtlich auch der

---

[23] Vgl. dazu z. B. G. Fohrer: Prophetie und Magie, in: Studien zur alttestamentlichen Prophetie, BZAW 99, S. 252 f. oder J. Lindblom: Prophecy in Ancient Israel, Oxford 1962, S. 117 ff.

Komposition des Jesajabuches zugrunde liegt, zeitlich mit dieser selbst näher zusammen.

V

So kommt es darauf an, den Weg der Glaubensgedanken zu verstehen, der dazu führte, daß auf der einen Seite neue Weissagungen von der künftigen Rettung der Gottesstadt aus höchster Gefahr als Auftakt zum Anbruch der Heilszeit gewagt wurden und auf der anderen Seite das Prophetenbuch mit seinem dreigliedrigen eschatologischen Schema geschaffen wurde. Dabei tut man gut, sich vorweg gegenwärtig zu halten, daß der vorgriechischen Welt in der Regel ein eigentlich antiquarisches Interesse fehlte und also im Überlieferungsprozeß als solchem ein Aktualitätskriterium waltete. Die formale Autorität eignet dem Überlieferten erst in der Spätzeit, nicht aber in schöpferischen Perioden. Und wahrscheinlich war es mehr das Auseinanderfallen des Judentums in mehrere miteinander rivalisierende Richtungen als ein wirkliches inneres Erstarren, was schließlich den so bestimmten Traditionsprozeß stoppte und eine Kanonisierung der überlieferten Schriften im klassischen Sinne bewirkte[24].

Wie war es also möglich, daß im Judentum die Erwartung von einem erneuten Ansturm der Völker auf Jerusalem und zugleich von einem endgültigen, rettenden Eingreifen Jahwes entstand? — Daß mit einer derartigen Frage grundsätzlich der Raum des Erklär- und Ableitbaren überschritten ist, weil sie in den Bereich menschlicher Freiheit und göttlicher Wahl hineinreicht, sei ausdrücklich angemerkt, um uns später den Vorwurf eines dem Menschlichen prinzipiell unangemessenen Determinismus zu ersparen. Denn wenn wir alle Traditionen aufzählen können, die glaubendem Denken bei der Bewältigung einer Unheilssituation geholfen haben, bleibt die Tatsache, daß die Tradition so die bestimmte Situation auslegen konnte, unableitbar. Doch sollte gleichzeitig zugestanden werden, daß wir keine andere Methode zum Verständnis geschichtlicher Ereignisse und in Sonderheit zum Verständnis der Zeugnisse des Glaubensdenkens besitzen als die, welche fragt, von welchen selbstverständlichen Denkvoraussetzungen her eine bestimmte Herausforderung durch die Situation angenommen und beantwortet worden ist[25].

Hält man sich das eschatologische Mythologem von der Gefährdung und Errettung Jerusalems gegenwärtig, muß einem bei einer weiteren Umschau im Jesajabuch auffallen, daß in dieser Erwartung die bei-

---

[24] Vgl. dazu Kaiser: Einleitung, S. 325 ff. und ATD 18, Göttingen 1973, S. 145.

[25] Daß hinter diesen Überlegungen die von Kant durchreflektierte Unterscheidung zwischen theoretischer und praktischer Vernunft steht, wird dem Kenner nicht verborgen geblieben sein.

den, durch die Tradition herausgehobenen Ereignisse des 8. und 6. Jahrhunderts, das Geschick Jerusalems im Jahre 701, seine schließlich doch seinen Bestand sichernde Kapitulation vor dem Assyrer Sanherib, und das Geschick Jerusalem 587, seine Eroberung und Zerstörung durch den Babylonier Nebukadnezar, in eigentümlicher Weise zusammengeschaut und in die Zukunft verlegt worden sind. Daß wir es dabei nicht mit dem Geschick Jerusalems zu tun haben, wie es moderne Forschung für das Jahr 701 rekonstruiert und wie es 2 Kö 18,13—16 in der Bibel gerade noch hindurchblickt, liegt allerdings auf der Hand. Beide Ereignisse sind vielmehr theologisch gedeutet und dabei gegeneinander abgesetzt worden. Im Blick über die bereits in Anknüpfung an das prophetische Erbe als Strafe Gottes gedeutete und angenommene Katastrophe von 587 auf das Davongekommensein Jerusalems im Jahre 701 zurück wandelte eben das zuletzt genannte Ereignis sein Gesicht. Dabei kam die in 2 Kö 18,17 ff. par Jes 36 f. enthaltene Tradition insofern der Umdeutung, deren Ergebnis nun in den genannten Texten vorliegt, entgegen, als die hinter der älteren Erzählung von der Rettung Jerusalems im Jahre 701 stehende, vom Forscher gerade noch faßbare Geschichtserzählung bereits über die Mitteilung des bloßen, überraschenden Abzuges Sanheribs hinausgegangen zu sein scheint. Die in ihr spürbare Unschärfe der historischen Erinnerung, der Sanherib und Asarhaddon, Schabako und Taharqa zusammenfließen und die zwei zwischen Sanheribs Abzug und seiner Ermordung liegenden Jahrzehnte in ein Nichts schrumpfen, läßt vermuten, daß diese Erzählung bestenfalls gegen Ausgang des 7. Jahrhunderts fixiert worden ist[26]. Blicken wir auf die Endgestalt der Jes 36, 1 ff. einsetzenden älteren der beiden hier zusammengefügten Erzählungen, die mit der Verhandlung des Rab-Schaqe mit der von Hiskia vor die Tore Jerusalems geschickten judäischen Delegation einsetzt und über die Rede des assyrischen Offiziers an das Volk auf der Mauer, die Rückkehr der Gesandtschaft zu Hiskia und ihre erneute Entsendung zu Jesaja nebst seinem Heilswort zum Abzug Sanheribs und seiner Ermordung in Ninive weiterführt[27], wird uns deutlich: In ihrem Zentrum steht die These, daß Jahwe den, der auf ihn vertraut, auch errettet. Nicht weniger als siebenmal fällt das Stichwort »Vertrauen« und elfmal das andere »Erretten«. Weil Hiskia und die Seinen auf Jahwe vertrauten, wurde Jerusalem 701 errettet. Das Ereignis aus dem 8. Jahrhundert ist im Lichte des glaubend gedeuteten des 6. Jahrhunderts zu seinem Antitypos geworden. Damit weist es bereits den Weg in die Zukunft, fordert es dazu auf, auch jetzt, in der Zeit nach der Katastrophe, auf Jahwe zu vertrauen und auf seine Hilfe zu hoffen. Man möchte geradezu das viel jüngere eschatologische Danklied zitieren, um die Tendenz der

---

[26] Vgl. Jes 36, 1—37, 9 a und 37, 37 aα b. 38.
[27] Vgl. auch ATD 18, S. 301 ff.

Erzählung zu fassen: »Vertraut auf Jahwe immerdar...«, 26,4. — Die Rückwendung in die Vergangenheit geschieht um der Bewältigung der durch die Katastrophe des eigenen Volkes bestimmten Gegenwart willen. Eigentlich mythische Züge sind der Erzählung fremd. Jahwe handelt nicht mittels kosmischer Eingriffe[28], sondern als der heimliche Lenker der irdischen Geschichte.

Das ändert sich, wenn wir uns der zweiten, nach meiner Einsicht von vornherein als Überbietung der ersten Erzählung konzipierten Geschichte zuwenden[29]. Nach dem Abzug des Rab Schaqe soll der Großkönig an Hiskia einen Brief geschrieben haben, den dieser vor Jahwe im Tempel ausbreitete. Ohne daß es nötig geworden wäre, eine Delegation zu Jesaja zu senden, hätte der Prophet dem König die göttliche Antwort auf sein Gebet geschickt, die sich alsbald im nächtlichen Eingreifen des Engels bewahrheitete, so daß am nächsten Morgen das gewaltige Heer der Assyrer erschlagen vor den Toren Jerusalems lag. — Wer weiß sich hier nicht an Jes 31,8 erinnert, wo angesagt wird, daß Assur durch »Nichtmanns Schwert« sein Ende finden wird. Mit 17,14 könnte man sagen:

> »Zur Abendzeit: siehe da, Schrecken!
> Vor dem Morgen ist es vorbei!«

Doch noch ein Satz fällt dem nachdenklichen Leser der Erzählung auf: Hiskia schließt sein Gebet in 37,20 mit dem Satz: »Nun denn, Jahwe, unser Gott, rette uns aus deiner Hand, damit alle Königreiche der Erde wissen, daß du, Jahwe, allein Gott bist.« — Der Leser stutzt: Angeblich ist doch das rettende Ereignis bereits geschehen, die Erhörung erfolgt. Und doch wäre die Bekehrung der Völker ausgeblieben. Bei aller Vorsicht darf man wohl sagen, daß die zweite Erzählung dem Ereignis des Jahres 701 die Farben der eschatologischen Erwartung der künftigen Rettung des Zion geliehen hat und es damit auf sie hin transparent machen wollte.

Tragen wir nach, daß sich in der ersten, um das Thema von Vertrauen und Errettung kreisenden Erzählung neben Anspielungen, die ihre nachdeuteronomische Entstehung verraten, in 36,9 ein deutlicher Rückgriff auf 31,1 und damit ein Wort genuiner Jesajaüberlieferung findet, und erinnern wir uns noch einmal, daß die jüngere Erzählung auf 31,4—9 und damit auf einen eschatologischen Text anspielte, stellt sich die Frage, ob das Wachstum der Prophetenerzählung nicht parallel zu der eschatologischen Bearbeitung und Erweiterung der prophetischen Überlieferung verlaufen ist. Dabei könnte es durchaus so sein, daß der

---

[28] Daß solche z. B. in Gestalt von Dürre oder Gewitter grundsätzlich zum Repertoire göttlichen Wirkens im Alten Testament gehören, wird natürlich nicht bestritten, ebenso gesehen, welche Ausweitungsmöglichkeiten hier vom Rettungsereignis bei der Ausführung aus Ägypten grundsätzlich gegeben waren.

[29] Vgl. Jes 37, 9 b-10-21. 33—36. 37aβ.

ältere, unseres Erachtens frühnachexilische Erzähler das Mythologem
vom Völkerkampf vor Jerusalem noch nicht kannte, während es der
jüngere, den man kaum vor dem 4. Jahrhundert ansetzen könnte, zu-
rückspiegelnd verarbeitete[30].

Weil es für das Judentum nach 587 Heil im Vollsinn des Wortes
nur geben konnte, wenn die Völker der Welt, die nach einer nach Jahrhunderten währenden Erfahrung einen Zwingherrn nach dem anderen
stellten, besiegt und die Besiegten zugleich Jahwes alleinige Gottheit
anerkennen würden, bot sich angesichts des Glaubens an ·die göttliche
Erwählung Israels und des Zions und der gedeuteten Erfahrung der
Jahre 701 und 587 der Gedanke an einen neuen Völkersturm auf Jerusalem an, in dem Jahwe die Sache seines politisch ohnmächtig gewordenen Volkes selbst vertreten würde. Bleibt die Rolle der speziellen Zions-
traditionen in diesem Rahmen unbestritten, wenn auch weiterer Präzisierung bedürftig, sollte man darüber den Beitrag nicht übersehen, der
den Gerichtsworten des Propheten bei der Bildung dieser Erwartung
zukam: Gewiß wurden sie nach 587 zunächst verlesen, um die Existenz
im Schatten der Katastrophe als Konsequenz der Sünde der Väter und
längst von Jahwe vorausgesagte und also auch gewirkte Strafe verstehen und also anzunehmen zu lehren. Was aber geschah, wenn man im
Spiegel der Prophetenworte die Sünden der eigenen Zeit erkannte[31]?
Mußte dann nicht auch aus diesem Grunde ein neues Gericht über Jerusalem hereinbrechen? Und erklärt sich damit nicht zugleich, warum uns
in den großen Prophetenbüchern der Dreischritt von Gerichtsankündigungen gegen das eigene Volk, Fremdvölkersprüchen und Verheißungen
begegnet? Die Komposition, sagten wir eingangs, sei eschatologisch gemeint. Das gilt nun überraschend neuartig auch für die Worte gegen das
eigene Volk[32].

VI

Wir blicken zurück: Was der prophetischen Verkündigung ihr über-
zeitliches Gewicht zu geben scheint, der Verweis, daß der Weg zum Heil
für den Menschen und die Menschheit durch das Gericht Gottes führt,
erweist sich unserer Nachprüfung als Ergebnis einer mehrere Jahrhunderte umspannenden geschichtlichen Erfahrung und eines nicht minder
langen glaubenden Nachdenkens über die Wege Gottes mit Jerusalem,
der Gottesstadt, und mit seinem Volk. Dabei wurde das Heil schließlich

---

[30] Vgl. auch Wanke, S. 106 ff.
[31] Daß hinter der Frage mehr als eine textferne Rekonstruktion steht, vermag ein
Blick auf Jes 56, 6—59, 21; Sach 5, 1 ff.; 5, 5 ff.; Mal 1, 6 ff.; 2, 10 ff.; 2, 17 ff.
und 3, 6 ff. und nicht zuletzt Neh 5, 1 ff. zu zeigen.
[32] Daß die literarkritische Beurteilung der Gerichtsworte gegen das eigene Volk von
diesen Überlegungen aus schwieriger wird, bestätigt ein kurzes Nachdenken.

im Gegenzug zu jeder menschlichen Aktivität allein von einem Handeln *Gottes* erwartet. Mancher könnte heute dazu neigen, in dieser Erwartung und damit im eschatologisch ausgelegten Glauben überhaupt einen dem Menschen unerlaubten Quietismus zu sehen. Aber wer so argumentierte, hätte übersehen, daß dem Heil das Gericht vorausgeht. Und am Ende wäre zu fragen, ob es denn ausgemacht ist, daß es gerade die Aufgeregten in der Weltgeschichte ein wenig besser machen als die Gelassenen, — und um dieses »ein wenig besser« geht es wohl, wo von des Menschen Tun die Rede ist.

Der geknickte Rohrstab

Zum geschichtlichen Hintergrund der Überlieferung und Weiterbildung
der prophetischen Ägyptensprüche im 5. Jahrhundert

Wenn es als ausgemacht gelten darf, daß es weder im vorexilischen Israel noch im nachexilischen
Judentum ein eigentlich antiquarisches Interesse an den Zeugnissen der Vergangenheit gegeben hat, bedarf
die Tatsache, daß es über den Zeitpunkt der unmittelbaren Aktualität hinaus zu einer Tradierung der gegen
Ägypten gerichteten und der vor dem Vertrauen auf es warnenden Prophetenworte aus vorexilischer und
frühexilischer Zeit gekommen ist, einer ausdrücklichen Erklärung. Kann man dabei in Rechnung stellen,
daß sich die negativen Erfahrungen, die man in Juda zwischen 705 und 701 wie zwischen 601 und 586 mit
allen auf Ägypten gesetzten Hoffnungen gemacht hatte, tief in das Bewußtsein des Volkes einprägten und
gleichzeitig die warnende Stimme der Propheten bestätigten, so bleibt doch darüber hinaus zu fragen, ob
und in welchem Umfang im weiteren Verlauf der Geschichte Situationen auftraten, in denen national ge-
sinnte Kreise in Jerusalem wiederum die Befreiung von der Fremdherrschaft von Ägypten erhoffen moch-
ten oder angesichts der eigenen politischen Ohnmacht in Erinnerung an das Versagen der Pharaonen in der
Vergangenheit ihre Unterwerfung in der Gegenwart erwarteten. In welchem Umfang sich die Späteren mit
Ägypten und den Ägyptensprüchen der Vergangenheit beschäftigt haben, zeigt ein kurzer Überblick. Im
Jesajabuch ist längst erkannt, daß J s 1 9 , 1 - 1 5 . 1 6 - 2 5 keinesfalls von dem Propheten des 8. Jahrhunderts stammen können, sondern frühestens aus dem 4. Jahrhundert zu erklären sind[1]. Daß auch das Äthio-
pienwort 1 8 , 1 - 7 eine in sich geschlossene protoapokalyptische Bildung ist, läßt sich nachweisen[2]. Mit
2 0 , 1 - 6 und 3 6 , 1 - 3 7 , 9 a . 3 7 f. wird man schon ob ihres Charakters als Fremdberichten bei der zeitlichen Ansetzung behutsam vorgehen. Daß sie nicht jesajanisch sind, bedarf keiner Erörterung. Vor ihrer zu
raschen vorexilischen Ansetzung sollte allein die Tatsache warnen, daß man sich, wie I s 4 3 , 3 und 4 5 ,
1 4 zeigen, noch in spätexilischer Zeit seine Gedanken über das Schicksal Ägyptens machte. So bleiben
3 0 , 1 - 5 . 6 - 7 und 3 1 , 1 - 3 als unangefochten jesajanisch übrig; doch mag man wenigstens bei 3 1 , 1 - 3
fragen, ob die Gegenüberstellung von Geist und Fleisch so in das 8. Jahrhundert paßt. Im Jeremiabuch haben
Ausleger wie Duhm, Giesebrecht und Volz die Unechtheit von 4 6 , 3 - 1 2 und 4 6 , 1 3 - 2 8 vertreten[3],

---

[1] Vgl. dazu B. Duhm, HK III,1, 1892[1]; 1922[4] (=1968[5]) z.St.; Th.K.Cheyne: Introduction to the Book
of Isaiah, London 1895, S. 99ff.; K. Marti, KHC 10, 1900, z.St.; G.B. Gray, ICC, 1912 (1956) und G.
Fohrer, ZB I, 1966[2], z.St.

[2] Vgl. dazu in absehbarer Zeit ATD 18.

[3] B. Duhm, KHC 11, 1901; F. Giesebrecht, HK III,2,1, 1907[2] und P. Volz, KAT 10, 1928[2] z.St.

während andere wie Weiser, Bright und Rudolph jedenfalls 4 6 , 2 5 - 2 8 als spätere Zusätze ausscheiden[4]. Daß 4 2 , 1 3 bis 1 8 . 1 9 - 2 2 ; 4 3 , 8 - 1 3 ; 4 4 , 1 1 - 1 4 . 2 6 - 3 0 der nachträglichen Beschäftigung mit der Gestalt und Botschaft des Propheten entsprungen sind, erscheint mir angesichts der in den letzten Jahren immer deutlicher gesehenen Problematik der Fremdberichte im Jeremiabuch sicher[5]. Wenden wir uns den Ägyptensprüchen des Hesekielbuches E z 2 9 - 3 2 zu, so kann man mindestens feststellen, daß die Diskussion über das Ausmaß ihrer Bearbeitungen seit Hölschers radikalen Eingriffen nicht mehr zur Ruhe gekommen ist[6]. Ob und in welchem Umfang sich bei weiteren Untersuchungen das Urteil Siegfried Herrmanns bestätigen wird, daß uns Hesekiel in seinem Buch ebenso nahe und ebenso fern wie der historische Jesus im Johannesevangelium steht[7], bleibt abzuwarten. Grundsätzlich wird man die Möglichkeit nicht ausschließen können, daß sich die Tradition schon deshalb erweiternd und umdeutend der gegen Ägypten gerichteten Worte eines Jeremia und eines Hesekiel zuwandte, weil man in dem gegen das Nilland heranrückenden Nebukadnezar den persischen Großkönig der eigenen Zeit wiederentdeckte. – Von diesen Überlegungen her ist es gerechtfertigt, wenn an dieser Stelle dem Manne zu Ehren, der den Verfasser vor zweieinhalb Jahrzehnten in die Geschichte Israels eingeführt hat, eine Skizze der ägyptischen Geschichte in der ersten Hälfte der Perserherrschaft vorgelegt wird[8].

Bekanntlich gelang Kambyses im Jahre 525 v.Chr. die Eroberung Ägyptens[9]. Seine Herrschaft über das Land haben die Ägypter und der von ihnen schließlich abhängige Herodot in den dunkelsten Farben gemalt[10]. Ursprünglich scheint der Großkönig die Absicht besessen zu haben, den besiegten Pharao Psammetich III. als Vasallen mit der Verwaltung des Landes zu beauftragen. Erst der Versuch des Königs, die Ägypter zum Abfall zu verleiten, führte zu seiner Beseitigung und der Annahme des Pharaonentitels durch Kambyses[11]. Als die magische Revolte des Frühjahrs 522 den Großkönig zum Rückmarsch aus Ägypten nötigte[12], scheint das Land bei den seinem Tod folgenden Thronwirren von keiner Unruhe ergriffen wor-

---

[4] Vgl. dazu A. Weiser, ATD 20/21, 1966[5]; J. Bright, AB, Garden City, New York 1965 und W. Rudolph, HAT I,12, 1968[3] z.St.; ferner O. Eißfeldt: Jeremias Drohorakel gegen Ägypten und gegen Babel, Kl. Schr. IV, 1968, S. 32ff.

[5] Vgl. dazu O. Kaiser, Einleitung in das Alte Testament, 1969, S. 187f. und S. 192.

[6] Vgl. dazu G. Hölscher: Hesekiel. Der Dichter und das Buch, BZAW 39, 1924, S. 144ff.; G. Fohrer, HAT I,13, 1955 und W. Zimmerli, BK 13,2, 1969 z.St.

[7] Die prophetischen Heilserwartungen im Alten Testament, BWANT 85, 1965, S. 281f.

[8] Zu den vorexilischen Beziehungen zwischen Israel und Ägypten vgl. A. Alt: Israel und Aegypten. Die politischen Beziehungen der Könige von Israel und Juda zu den Pharaonen nach den Quellen untersucht, BWAT 6, 1909, und O. Kaiser: Israel und Ägypten. Die politischen und kulturellen Beziehungen zwischen dem Volk der Bibel und dem Land der Pharaonen, ZMH NF 14, 1963.

[9] Zum Problem der Dauer der Herrschaft Kambyses' über Ägypten vgl. W. Helck: Geschichte des Alten Ägyptens, HO I,I,3, 1968, S. 259, der außer auf Manetho auf die bei H. Gauthier: Le livre des rois d'Égypte IV, Cairo 1915, S. 138 gegebenen inschriftlichen Belege für ein 6. Regierungsjahr des Königs über Ägypten verweist.

[10] Vgl. Hdt. III, 1ff. und dazu kritisch F.K. Kienitz: Die politische Geschichte Ägyptens vom 7. bis zum 4. Jahrhundert vor der Zeitwende, 1953, S. 55ff; É. Drioton und J. Vandier: L'Égypte, Les peuples de l'orient méditerranéen II, Paris 1962[4], S. 600f. und A. Gardiner: Egypt of the Pharaohs, Oxford 1961, S. 364f. – Zu den Quellen Herodots vgl. jetzt K. v. Fritz: Die griechische Geschichtsschreibung I,1967, S. 184 und 206f., vor allem S. 298ff., wo seine Tendenz, das negative Prinzip des orientalischen Despotismus herauszuarbeiten, nachgewiesen wird.

[11] Vgl. dazu Hdt. III,15 und H. Bengtson, Gnomon 1937, S. 118f.

[12] Begründete Zweifel an der Richtigkeit der offiziellen Darstellung der Revolte in der Bisutun-Inschrift Dareios I. meldet A.T. Olmstead: History of the Persian Empire, Chicago 1948, S. 107ff. an. Vgl. dazu Bisutun-Inschrift Elam. Fassung § 10ff. bei F.H. Weissbach: Die Keilinschriften der Achämeniden, VAB 3, 1911 (= 1968), S. 15ff. und Hdt. III,30.61ff.88 mit Xen.Cyrop.VIII,8,2 und Aesch.Pers. 774ff.

zu sein[13]. Dareios hatte den Osten des Reiches bereits im November 521 wieder fest in der Hand[14]. Der Selbständigkeitsbestrebungen des sardischen Satrapen Oroites, der nicht nur Polykrates von Samos, sondern auch den Satrapen von Daskyleion Mitrobates hatte umbringen lassen, wurde der Großkönig ebenfalls rasch und gleichsam auf dem Kabinettswege Herr[15]. Immerhin haben diese Wirren insgesamt die Hoffnungen eines Haggai und eines Sacharja auf die Erneuerung der davidischen Dynastie unter Serubbabel und auf den Anbruch der Heilszeit im Zusammenhang mit der von ihnen betriebenen Wiederaufnahme der Arbeiten am zweiten Tempel entzündet[16].

Zeichnete sich die Ägyptenpolitik des Dareios durch eine kluge, die Gefühle der Unterworfenen berücksichtigende Verwaltung aus, die das Land faktisch unter seiner Herrschaft als Pharao ein Eigenleben führen ließ[17], so kam es dennoch nach Herodot VII,1 ein Jahr vor seinem Tode zu einem Aufstand (486), der aber offensichtlich auf das Deltagebiet beschränkt blieb[18] und wohl wie die späteren von den Libyern im Westdeltagebiet ausging[19]. Vermutlich fühlte sich die libysche Kriegerkaste durch den von Herodot zi-

---

[13] Vgl. aber Bisutun-Inschrift El. § 21 und dazu kritisch E. Meyer: Die Entstehung des Judentums, Halle 1896 (= Hildesheim 1965), S. 82 Anm. 3, dem Kienitz, S. 60 Anm. 4 in der Annahme beitritt, es handle sich hei der Erwähnung Ägyptens in der Aufzählung der aufständischen Völker um einen Übersetzungsfehler, durch den Armenien mit Ägypten vertauscht wurde. – R.A. Parker, AJSL 58, 1941, S. 373f. und E.G. Kraeling: The Brooklyn Museum Aramaic Papyri. New Documents from the Jewish Colony at Elephantine, New Haven 1953 (1969), – Texte daraus künftig als KP zitiert –, S. 29 beziehen die Erwähnung Ägyptens an der genannten Stelle auf die Hdt. IV,166 erwähnte Illoyalität des Satrapen von Ägypten Aryandes. Vgl. dazu auch Th. Nöldeke: Aufsätze zur persischen Geschichte, 1887, S. 33. – Anders P.J. Junge: Dareios I. König der Perser, 1944, S. 88f., der an einem ägyptischen Aufstand festhält, ohne Einzelheiten zu diskutieren.
[14] Zur Chronologie der Aufstände und ihrer Niederwerfung vgl. W. Hinz, ZDMG 92, 1938, S. 136ff.
[15] Vgl. Hdt. III,120ff. und dazu E. Meyer: Geschichte des Altertums III³, hg. H.E. Stier, 1954, S. 736 und Junge, S. 72f. – Olmstead, S. 110f., ordnet die Ermordung des Oroites noch vor die endgültige Niederwerfung der Aufstände im Osten an.
[16] Das auffällige Nachhinken der Prophezeiungen der beiden Propheten hinter den Wirren im Perserreich sucht L. Waterman, JNES 13,1954,S. 76ff., mittels der Annahme auszuschalten, Haggai und Sacharja hätten das Anfangsjahr des Dareios als sein erstes Regierungsjahr gerechnet. Zu der grundsätzlichen Unsicherheit in der Beurteilung der Ursprünglichkeit der chronologischen Angaben in den beiden Prophetenbüchern vgl. P.R. Ackroyd, JJS 2, 1951, S. 172ff. – J. Morgenstern, HUCA 27, 1956, S. 170, rechnet bei der konventionellen Interpretation der chronologischen Angaben damit, daß die jüdischen Nationalisten damals zulange warteten und erst verspätet, zu spät, handelten. – Zur Sache vgl. zuletzt P.R. Ackroyd: Exile and Restoration. A Study of Hebrew Thought of the Sixth Century B.C., 1968, S. 153ff. – Olmstead, S. 141f., vermutet, daß Dareios den Serubbabel auf seinem Zug nach Ägypten im Winter 519/18 zur Rechenschaft gezogen und exekutiert hat.
[17] Vgl. dazu Junge, S. 88ff.; Olmstead, S. 145ff.220ff.; H.H. Schaeder: Der Mensch in Orient und Okzident, hg. G. Schaeder u.a., 1960, S. 70f.; Kienitz, S. 61ff.; Gardiner, S. 365ff.; Drioton und Vandier, S. 601f. und Helck, S. 259f.; ferner E. Meyer: Geschichte des Altertums IV,1⁵, hg. H.E. Stier, 1954, S. 150ff. – Auf die Möglichkeit einer nachträglichen Idealisierung der Herrschaft des Dareios durch ägyptische Priesterkreise weist Kraeling, S. 30, hin.
[18] Für die Aufrechterhaltung der Perserherrschaft in Oberägypten sprechen die folgenden Belege: 1. zwei Inschriften des persischen Gouverneurs von Koptos aus dem Wadi Hammamat bei G. Posener: La première domination perse en Égypte, Recueil d'Inscriptions Hiéroglyphiques, Cairo 1936, S. 117ff. (zitiert nach Kienitz, S. 67 Anm. 4 und 5, da mir das Werk leider nicht zugänglich war) und 2. das Schreiben eines Ägypters aus Elephantine an den in Memphis residierenden Satrapen Pherendates bei W. Spiegelberg: Drei demotische Schreiben aus der Korrespondenz des Pherendates, des Satrapen Darius' I., mit den Chnumpriestern von Elephantine, SPAW 1928, S. 614ff., alles aus dem 36. Jahr des Dareios oder dem Jahre 486/85 nach R.A. Parker und W.H. Dubberstein: Babylonian Chronology 626 B.C. – A.D. 75, Brown University Studies 19, Providence/Rhode Island 1956.
[19] Vgl. dazu Meyer, IV, 1⁵, S. 155 und Kienitz, S. 68.

tierten Rekrutierungserlaß des Großkönigs in ihren Privilegien geschädigt[20]. Daß die persische Niederlage bei Marathon im September 490 auch in Ägypten den Stein ins Rollen brachte[21], liegt insofern auf der Hand, als die Vorbereitungen eines neuen Vorstoßes gegen den Westen ein Nachlassen der Kontrolle über Ägypten mit sich bringen konnte, von dem psychologischen Moment der persischen Niederlage ganz zu schweigen. Ein Erfolg war dem Aufstand nicht beschieden. Herodot läßt es VII,7 bei der knappen Feststellung, daß Xerxes (485-465) das abtrünnige Ägypten in seinem zweiten Jahr unterwarf, dem Lande ein drückenderes Joch als Dareios auferlegte und seinen Bruder Achaimenes als Statthalter einsetzte. Mithin wurde Ägypten 484 in aller Form zu einer eroberten Provinz[22]. Immerhin könnte diese schließlich erfolglose Revolte auch in Jerusalem gewisse Hoffnungen erweckt haben, wie die in den Anfang der Regierung des Xerxes (Ende 486 bis Anfang 485)[23] datierte, E s r 4 , 6 leider ohne Inhaltsangabe bleibende Erwähnung einer Anklageschrift gegen die Bewohner von Juda und Jerusalem zu erkennen gibt[24].

Wohl im Zusammenhang mit Xerxes' Ermordung im Sommer 465 und den Auseinandersetzungen zwischen seinem Nachfolger Artaxerxes I. Longimanus (464-424) und dem Wesir Artabanos kam es nicht nur in Baktrien[25], sondern auch in Ägypten zu einer zweiten Erhebung[26]. Der von Diodor in das Jahr 463/62 angesetzte Aufstand[27] ging von dem libyschen Dynasten Inaros aus, der von der nordwestlichen

[20] Vgl. dazu H.W. Haussig in: Herodot Historien, üb. A. Horneffer, neu hg. und erklärt H.W. Haussig, 1959, S. 722 Anm. 2. – Für eine Unterstützung des Aufstandes durch die Priesterschaft spricht sich Helck, S. 261, aus.
[21] Meyer, IV, 1[5], S. 155. – Vgl. auch Junge, S. 135; Kienitz, S. 67; Gardiner, S. 368f.; Drioton und Vandier, S. 603, ferner Helck, S. 260f. – Olmstead, S. 227, vermutet unter Berufung auf Diod.I,46,4 Unzufriedenheit der Ägypter mit den ihnen auferlegten Tributen und der Ausplünderung des Landes, mit dessen Schätzen nach ihrer Ansicht Persepolis, Susa und Ekbatana erbaut seien. Aber die Notiz bei Diodor bezieht sich auf angebliche Maßnahmen des Kambyses.
[22] Vgl. dazu Meyer, IV,1[5], S. 156; Olmstead, S. 234f.; Kienitz, S. 68 und Gardiner, S. 368ff.
[23] Vgl. dazu M. Noth: Überlieferungsgeschichtliche Studien, SGK, 1967[3], S. 151 Anm. 5.
[24] Mit Unruhen rechnet Olmstead, S. 234. Für die Vermutung könnte sprechen, daß der Inhalt der Beschuldigungen nicht mitgeteilt wird. Man kann aber auch umgekehrt mit K. Galling, ATD 12, 1954, S. 197 gerade aus dem Schweigen entnehmen, daß dem Kontext entsprechend von einem Versuch des Mauerbaus die Rede war; vgl. auch A. Gelin, Jerusalem-B, Paris 1960[2], S. 65 Anm. d z.St. – Galling: Syrien in der Politik der Achaemeniden, AO 36,3/4, 1937, S. 38f., rechnet damit, daß Xerxes aufgrund dieser Anklage die von Dareios I. gewährten fortlaufenden Subventionen für den Kult des Jerusalemer Tempels eingestellt hat. Am weitesten gehen die mit dem Jahr 485 verknüpften Vermutungen bei J. Morgenstern, der mit einer am Ende gescheiterten Inthronisation des Davididen Menachem, Sohn Serubbabels, rechnet und die Gottesknechtslieder Deuterojesajas auf ihn bezieht, vgl. HUCA 27, 1956, S. 167ff.; 28, 1957, S. 15ff. und VT 11, 1961, S. 292ff.; 406ff.; 13, 1963, S. 321ff. Zur Kritik an diesen, von Morgenstern auch schon früher vertretenen Hypothesen vgl. H.H. Rowley: Nehemiah's Mission and its Background, BJRL 37,2,1955, S. 556ff. = Men of God. Studies in Old Testament History and Prophecy, London 1963, S. 211ff. Gegenüber derartigen Auswüchsen mag man sich auf das zurückhaltende Urteil von W. Rudolph, HAT I, 20, 1949, S. 41 zurückbesinnen: "Über Anlaß und Inhalt der Anklage nachzugrübeln ist zwecklos." Ähnlich urteilten schon A. Bertholet, KHC 19, 1902, S. 13; R. Kittel: Geschichte des Volkes Israel III, 2, 1929, S. 485 und später Rowley, S. 227 Anm. 1 sowie L.H. Brockington, CB (NS), London 1969, S. 73 z.St. – Ch.H.Torrey: The Composition and Historical Value of Ezra-Nehemia, BZAW 1, 1896, S. 5 Anm. 1, hält E s r 4 , 6 für eine chronistische, der geschichtlichen Kontinuität der Erzählung dienende Erfindung, der gegenüber sich alle historischen Rückfragen verbieten.
[25] Vgl. dazu Meyer, IV,1[5], S. 551f. und Olmstead, S. 232.
[26] So ausdrücklich Diod.XI,71,3. – Zu Didodors Abhängigkeit von Ephoros vgl. grundsätzlich E. Schwartz, RE 9, 1903, Sp. 679, zu Ephoros denselben, RE 11, 1907, Sp. 1ff.
[27] Diod.XI,71,3ff. Darüber, daß Diodor die Ereignisse des Aufstandes unzutreffend unter die Jahre 463/62 bis 460/59 subsumiert, vgl. Diod.XI,71,3-6; 74,1-6 und 77,1-5, kann angesichts der von Thuc.I,110,1 genannten Frist von sechs Jahren, die sich wohl nur auf die Länge der athenischen Expedition bezieht, kein Zweifel herrschen. Bei der zeitlichen Rekonstruktion gehen die Ansichten heute jedoch auseinan-

Grenzfestung Marea her Unterägypten in seine Gewalt zu bringen vermochte[28]. In der Schlacht bei Papremis[29] schlug er das persische Heer des Satrapen Achaimenes, der selbst im Kampfe fiel[30]. In Erwartung
eines persischen Gegenstoßes rief Inaros 460 die Athener um Hilfe an, die vermutlich im folgenden Jahr
ihre bei Cypern operierende oder nach Cypern aufgebrochene Flotte nach Ägypten beorderten[31], schien
ihnen doch das Eingreifen in Ägypten nicht nur die Chance zu einer entscheidenden Schwächung der persischen Macht im Mittelmeer, sondern auch die erheblicher wirtschaftlicher Vorteile zu bieten[32]. Die athenische Flotte stieß 459 auf dem Nil bis Memphis vor, wo sie einen Sieg über die persische Flotte errang[33].
Zusammen mit den Truppen des Inaros gelang ihnen die Eroberung der Stadt bis auf die Zitadelle der Wei-
ßen Mauern, hinter denen sich die Perser und die nicht zu Inaros übergetretenen Ägypter verschanzten.[34]
Der mit der Führung des persischen Entsatzheeres beauftragte Feldherr und Satrap von Syrien Megabyzos
brach, nach Vorbereitungen für den Feldzug in Kilikien, über Syrien und Phönikien zum Nillande auf, während eine phönikische Flotte den Zug von der See her absicherte[35]. 456 gelang ihm sogleich ein entschei-

---

der, ebenso bei der Bewertung der Angaben in den Persiaka des Ktesias FGrHist Jac III C 688 F 14. Zur
Chronologie vgl. E. Meyer, IV,1[5], S. 552f. und W. Kolbe: Diodors Wert für die Geschichte der Pente-
kontaetie, Hermes 72, 1937, S. 241ff. und besonders S. 263ff., die im wesentlichen übereinstimmen und
denen sich wie Kienitz, S. 70 Anm. 1, auch diese Skizze anschließt. K.J. Beloch: Griechische Geschichte
II, 2[2], Berlin und Leipzig (Nachdruck 1931), S. 198ff. und S. 385f. setzt den Beginn des athenischen
Unternehmens in Ägypten 461, die Einschließung der Prosopitis Herbst 458 und die Katastrophe 456
an. Ihm folgt J. Barns: Cimon and the First Athenian Expedition to Cyprus, Historia 2, 1953/54, S.
163ff. – Zu der Schwierigkeit, die Chronologie der Jahre 462 bis 446 zufriedenstellend aufzuhellen,
vgl. auch F. Schachermeyr, Perikles, 1969, S. 240 Anm. 19.
[28] Vgl. Thuc. I, 104. – Zu Marea vgl. H. Kees, RE 28, 1930, Sp. 1676ff. – Zur Sache Kienitz, S. 69f. und
Helck, S. 261f.
[29] Zur Lage von Papremis und seiner vermutlichen Identität mit Letopolis im 2. unterägyptischen Gau am
Rande der libyschen Wüste vgl. H. Altenmüller, JEOL 18, 1964, S. 271ff.
[30] Hdt. III,12 und VII,7; vgl. auch Ktesias FGrHist Jac III C 688 F 14,36. Zu Ktesias vgl. F. Jacoby, RE
22, 1922, Sp. 2032ff. und besonders Sp. 2047, wo sein besonderer Quellenwert für die ersten acht Jahre
Artaxerxes II., sein relativer für die Zeit Artaxerxes I. und Dareios II. betont wird.
[31] Vgl. Diod.XI,71,4ff. Nach Diod.XI,74,3 hat Athen 200 Schiffe entsandt: vgl. auch Isoc. de pace, VIII,
86 und Aristodemos FGrHist Jac II A 104,11,3. Ktesias, Persiaka, FGrHist Jac III C 688 F 14,37 nennt
40 Schiffe. W. Wallace, Transact.Amer.Phil.Ass.67, 1936, S. 257 sucht beide Angaben mittels der Annahme aufeinander abzustimmen, daß die Athener hätten zunächst 200 Schiffe gesandt, sie aber nach dem Sieg
bei Memphis bis auf 40 zurückbeordert; vgl. auch Meyer, IV,1[5], S. 570 Anm. 1. Einleuchtender argu-
mentiert W. Peek, Klio 32, 1939, S. 301f., von den 200 Schiffen seien nur 40 nach Ägypten gegangen,
während die restlichen auf Cypern und gegen Phönikien operiert hätten, wozu die Thuc.I,110,4 erwähnten 50 Schiffe zur Ablösung in Ägypten stimmten. Dann macht aber Isoc.VIII,86 gewisse Schwierigkeiten. – Zu der Interpretation von Thuc.I,104,2 vgl. Barns, S. 171, der das ἔτυχον γὰρ ἐς Κύπρον στρατευό-
μενοι mit "on their way (or perhaps even 'about to go') to Cyprus" und das ἀπολιπόντες τὴν Κύπρον
mit "giving Cyprus a miss" übersetzt.
[32] Vgl. dazu H. Bengtson: Griechische Geschichte von den Anfängen bis in die römische Kaiserzeit, HAW
III,4, 1965[3], S. 203; Schachermeyr, S. 34f., aber auch Meyer, IV,1[5], S. 553. – Zur Verantwortung des
Perikles für die ägyptische Expedition vgl. Kolbe, S. 269 und V. Ehrenberg, Sophokles und Perikles, 1956,
S. 93 und S. 193, die sie bejahen, und Schachermeyr, S. 46, der sie verneint. Allgemein von der Verantwortung der Demokraten spricht Barns, S. 170.
[33] Vgl. Ktesias FGrHist Jac III C 688 F 14,36 (S. 465, Z. 17) und dazu Peek, S. 297ff., der das 1932 beim
Heraion von Samos gefundene Inschriftenfragment Inv.Nr. I,166 Z.2 auf ein Schiffsgefecht bei Memphis
bezieht. Zur Kritik an Diod.XI, 74,3 hat Peek, S. 297ff., das Nötige gesagt.
[34] Thuc.I,104,2; Diod.XI,75,4.
[35] Diod.XI,74,6-75,3 nennt neben Megabyzos Artabanos als Feldherrn und bemißt die aus cyprischen, kilikischen und phönikischen Schiffen bestehende Flotte auf 300 Schiffe. Athenische Störangriffe gegen
die Flottenzusammenziehung läßt der Catalogus sepulcralis Erechtheidis, G. Dittenberger: Sylloge In-
scriptionum Graecarum I, 1960[4], Nr. 43 für das Jahr 459/58 vermuten, wo neben Toten in Ägypten,
Halileis, Ägina und Megara auch solche in Cypern und Phönikien genannt werden. Vgl. dazu Barns, S.
166f.

dender Sieg über Inaros und seine Verbündeten sowie die Vertreibung der Griechen, die noch immer die Zitadelle von Memphis vergeblich belagerten, um sie schließlich auf der Nilinsel Prosopitis anderthalb Jahre lang einzuschließen[36]. Im Frühsommer 454 kapitulierten die Athener gegen freien Abzug[37]. Im Laufe dieses Feldzuges und bei dem Versuch, über die Kyreneika in die Heimat zurückzukehren, scheint der größte Teil des athenischen Expeditionskorps zugrunde gegangen zu sein[38]. Ein ahnungsloses Ablösungskommando der Athener wurde an der mendesischen Nilmündung zwischen dem persischen Landheer und der phönikischen Flotte aufgerieben[39]. Inaros selbst hatte sich auf Ehrenwort in Megabyzos' Hände gegeben, der ihn zum Großkönig brachte. Dort wurde er fünf Jahre später auf Betreiben der Königinmutter Amestris gekreuzigt[40]. Im Sommer 454 war Ägypten wieder fest in der Hand des Perserkönigs. Nur im Sumpfgebiet des westlichen Deltas hielt sich der Dynast Amyrtaios[41], der noch 450 von den Athenern, die unter Kimon auf Cypern gelandet waren, Flottenhilfe erbat und erhielt. Die nach Kimons Tod von Perikles verantwortete schrittweise Beilegung der Perserkriege führte zur Abberufung der vor Cypern und Ägypten operierenden athenischen Flotte und 449 zum Kalliasfrieden[42], offenbar aber nicht zum Ende der Selbständigkeit des nordwestlichen Deltagebietes[43], in dem die Perser schließlich die Söhne des Inaros und des Amyrtaios als Dynasten anerkannten[44].

Nach Ktesias hatte das Ganze noch ein innerpersisches Nachspiel, den Aufstand des Megabyzos in seiner syrischen Satrapie als Antwort auf die Verletzung seiner Ehre durch die Kreuzigung des Inaros. Mit Unterstützung seiner Söhne Zophyros und Artyphios schlug er erst das gegen ihn unter einem ägyptischen Feldherrn Usiris, dann das von dem Satrapen von Babylon Artaios angeführte persische Heer. Aber nach diesen Erfolgen sah er seine Ehre als wiederhergestellt an und unterwarf sich auf den Rat des Artaios unter Vermittlung der Königinmutter Amestris und ihres Eunuchen Artoxanes wieder dem Großkönig[45]. Es ist nicht ausgeschlossen, daß diese 449/8 einsetzende Revolte die Judäer zu einem (erneuten?) Versuch verleitete, die Mauern Jerusalems auszubessern, ein Vorhaben, das man aus E s r 4 , 7 - 2 3 – eine in dem verdächtigen Briefwechsel zwischen gewissen persischen Würdenträgern in Samaria und Artaxerxes I. erhaltene zutreffende geschichtliche Erinnerung unterstellt[46] – erschließen kann.

---

[36] Thuc.I,109,4; Diod.XI,77,2f. und Aristodemos FGrHist Jac II A 104,11,4. Zur Lage der Prosopitis vgl. H. Kees, RE 45, 1957, Sp. 867f.

[37] Diod. XI,77,4.

[38] Vgl. Thuc.I,110,1; Diod.XI,77,5; Aristodemos FGrHist Jac II A 104,114; Isoc. VIII,86.

[39] Thuc.I,110,4. – Die von Kittel, S. 487 und Galling, Syrien, S. 46, geäußerte Vermutung, die von König Eschmunazar von Sidon in seiner Inschrift Z. 18f. – vgl. H. Donner und W. Röllig: Kanaanäische und aramäische Inschriften I, 1966, Nr. 14 und II, S. 19ff. –, berichtete Verleihung von Dor und Jaffa durch den Großkönig sei eine Belohnung für den Beitrag der phönikischen Flotte an der Niederwerfung des ägyptischen Aufstandes, besitzt trotz der Unsicherheit der genauen Datierung der Inschrift große Wahrscheinlichkeit. Die Zuweisung von Dor an Sidon könnte mit der vorübergehenden Zugehörigkeit von Dor zum Attischen Seebund zusammenhängen, die durch die Athenische Tributliste A 1, Frag.1, B.D. Meritt, H.T. Wade-Gary und M.F. McGregor: The Athenian Tribut Lists I, Cambridge/Mass. 1939, S. 154, vgl. dazu S. 483 und III, Princeton 1950, S. 9ff., für das Jahr 454 bezeugt ist. Dor diente der athenischen Flotte als Basis auf ihrem Wege nach Ägypten und ging vermutlich erst 450 verloren. – Zum Besitzstand von Sidon und Tyrus vgl. auch G. Hölscher: Palästina in der persischen und hellenistischen Zeit. Eine historisch-geographische Untersuchung, Quellen und Forschungen zur alten Geschichte und Geographie 5, 1903, S. 14ff.

[40] Thuc.I,110,3; Ktesias, FGrHist Jac III C 688 F 14,39, vgl. auch Olmstead, S. 312.

[41] Thuc.I,110,2; Hdt.II,140;III,15.

[42] Hdt.VII,151; Diod.XII,3,1-4,5 und Plut.Kim.13,4-6; vgl. dazu Meyer,IV,1[5], S. 578ff.; Bengtson, S. 205f. und Schachermeyr, S. 52ff.

[43] Kienitz, S. 73.

[44] Hdt.III,15.

[45] Ktesias, FGrHist Jac III C 688 F. 14, 40-42.

[46] Zum Echtheitsproblem vgl. O. Kaiser; Einleitung in das Alte Testament, 1969, S. 144 und zur Sache J.

Die Instabilität der Perserherrschaft über Ägypten während des letzten Drittels der Regierung Dareios II. Ochus (423 bis 404) wird schlagartig durch die Nachrichten erhellt, die uns in den Papyri aus der jüdischen Militärkolonie in Elephantine[47] und in den Lederdokumenten aus dem Archiv eines der Beamten des persischen Satrapen in Ägypten 'Aršam[48] erhalten sind. Die CP 27,1f. erwähnte Rebellion ägyptischer Truppenkontingente in Elephantine könnte sich auf Unruhen beim Regierungsantritt Dareios II. beziehen[49], zumal sein Weg zur Macht von innerdynastischen Wirren begleitet war[50]. Aber da 'Aršam damals Dareios' Partei ergriffen hat[51], ist es fraglich, ob es damals überhaupt zu inneräyptischen Wirren gekommen ist. Die unmittelbare Gegenüberstellung der Loyalität der jüdischen Militärgemeinde während dieser Ereignisse mit den während der Abwesenheit des Satrapen im Sommer 410 erfolgten Übergriffen gegen die jüdische Kolonie, vgl. auch CP 30,4ff. und 31,3ff., läßt trotz der Lückenhaftigkeit des leider gerade an seinem für die Klärung dieser Frage entscheidenden Anfang abgebrochenen Textes eher vermuten, daß beide Ereignisse zeitlich nicht allzuweit voneinander abzusetzen sind[52]. Will man die DL 5,6;7,1 und 8,4 erwähnte, ebenfalls in Abwesenheit 'Aršams erfolgte ägyptische Revolte, die nach 7,4 auch Unterägypten einbezogen hatte, nicht mit der während der letzten zwei Jahre des Dareios einsetzenden Aufstandsbewegung des Amyrtaios identifizieren und entsprechend eine zweite längere Abwesenheit 'Aršams konstruieren, liegt es am nächsten, die verschiedenen in CP 27;30 und 31 sowie DL 5;7 und 8 erwähnten Ereignisse miteinander in Zusammenhang zu bringen. Mithin wäre auch der Übergriff des persischen Gouverneurs der ägyptischen Südprovinz, des fratarak WJDRNG[53], und seines in Syene als Militärkommandanten wirkenden Sohnes NPJN gegen die jüdische Militärkolonie in Elephantine als ein Mosaikstein in dem Bild der um 410 brüchig gewordenen Perserherrschaft über Ägypten anzusehen[54].

Wellhausen: Die Rückkehr der Juden aus dem babylonischen Exil, NGG phil.-hist. 1895, S. 169f. – Zu der Annahme, daß es vor der Entsendung Nehemias 444 bzw. 439, vgl. dazu Kaiser, S. 147, zu einer Zerstörung der Mauern und Verbrennung der Stadttore Jerusalems gekommen sein muß, die von den Ereignissen im Jahre 586 unabhängig sind, zwingt N e h 1 , 1 - 4 , was auch Meyer, Judentum, S. 56f.; derselbe, IV,1[5] , S. 193f. und Kittel, S. 612f., wenn auch kaum zutreffend mit Esra als Inaugurator des Mauerbaus, gesehen haben. Den Zusammenhang mit dem Aufstand des Megabyzos betonen weiter Bertholet, S. 48, vgl. S. 16; Rudolph, S. 46, vgl. S. 103; Rowley, S. 237f. und S. 242; Bright: A History of Israel, Philadelphia (o.J.), S. 361 und S. 364; U. Kellermann: Nehemia, Quellen, Überlieferung und Geschichte, BZAW 102, 1967, S. 193; F. Michaeli, CAT, 1967, S. 273 und Brockington, S. 77 und S. 127. Mit einer unlängst erfolgten Zerstörung rechnen, ohne den Aufstand des Megabyzos zu erwähnen, L.W. Batten, ICC, 1913 (1949), S. 43 und S. 185 und W.O.E. Oesterley: A History of Israel II, Oxford 1934 (1957), S. 119ff. Dagegen sprechen sich H. Guthe: Geschichte des Volkes Israel, 1904², S. 274 und, soweit ihre Meinung erkennbar wird, wohl auch M. Noth: Geschichte des Volkes Israels, 1956³, S. 290, und J.M. Myers, AB, Garden City/New York 1965, S. 95, aus. Doch betont Myers den inneren Zusammenhang der jüdischen Mission nach Susa mit den Ereignissen im Westen, zumal in Ägypten.
[47] Vgl. außer den von Krealing (oben Anm. 13) edierten die Aramaic Papyri of the Fifth Century B.C., ed. A. Cowley, Oxford 1923 (= Osnabrück 1967), als CP zitiert, und jetzt auch E. Bresciani und M. Kamil: Le lettere aramaiche di Hermopoli, Lincei. Mem.Scienze morali 1966, Ser. VIII, Vol. XII, S. 357ff.
[48] G.R. Driver: Aramaic Documents of the Fifth Century B.C., Oxford 1957, zitiert als DL.
[49] So Krealing, S. 103f.
[50] Vgl. Olmstead, S. 355f.
[51] Olmstead, ebenda.
[52] In diesem Zusammenhang verdient Beachtung, daß Thuc.VIII,35 von ägyptischen Lastschiffen weiß, die im Winter 412/11 offenbar mit Lieferungen für die athenische Flotte am Vorgebirge Triopion bei Knidos auftauchten, und daß Diod.XIII,46,6 für das Jahr 410 die Existenz eines ägyptischen Königs voraussetzt.
[53] Zum Problem des Namens vgl. H.H. Schaeder: Iranische Beiträge I, SGK 6,5, 1930, S. 259, der sich gegen die Gleichsetzung mit Vidarna/Hydarnes ausspricht.
[54] Vgl. Driver, S. 9; Cazelles, Syria 32, 1955, S. 75ff. und besonders S. 99; ferner E. Meyer: Der Papyrusfund von Elephantine, 1912³, S. 78 und von demselben: Ägyptische Dokumente aus der Perserzeit, SPAW 1915, S. 289 Anm. 1.

Dareios' II. im Frühjahr 404 erfolgter Tod gab das Signal für den dritten ägyptischen Aufstand, der von einem Amyrtaios getragen wurde, vermutlich einem Enkel des neben Inaros in Erscheinung getrenen gleichnamigen Dynasten[55]. Ausweislich von CP 35,1 hat er in seinem 5. Jahr auch Oberägypten in seine Hand bekommen, das im Vorjahr nach KP 12,1 noch im Besitz Artaxerxes II. Mnemon (404-359) gewesen war. Diese allmähliche Ausweitung und Konsolidierung seiner Macht ist offensichtlich eine Folge der inneren Lähmung des persischen Reiches während der ersten Regierungsjahre des neuen Großkönigs durch den Aufstand seines Bruders Kyros. Dessen Vorstoß über die syrische Pforte 401 veranlaßte den persischen Feldherrn und Satrapen von Syrien Abrokomas[56] mit seinem angeblich 300 000 Mann umfassenden, in Phönikien versammelten und vermutlich zum Angriff auf Ägypten bereit stehenden, Heer zum Großkönig abzuschwenken[57]. Wie selbstverständlich man nach der Schlacht bei Kunaxa in den Reihen der nun führerlos gewordenen Griechen mit einem persischen Angriff auf Amyrtaios rechnete, zeigen Xen.An.II,1,14 und 5,13. Sollte die Erwähnung eines ägyptischen Königs Psammetich bei Diodor für das Jahr 400 zutreffen[58], so wäre angesichts des Nebeneinanders zweier Pharaonen die Chance für eine Rückgewinnung der abtrünnigen Satrapie zu dieser Zeit in der Tat groß gewesen. Aber die Perser waren in den folgenden Jahren erst durch den Einfall der Spartaner in Kleinasien (400-395)[59], dann durch ihr Engagement im griechischen Mutterland hinreichend beschäftigt, in dem sie es mit ihrem Gold zu einer fast allgemeinen Erhebung gegen Sparta brachten, bis die Erfolge der Athener in der Ägäis sowie ihr Bündnis mit Euagoras von Salamis und Hakoris von Ägypten sie zum Frieden mit Sparta geneigt machten, dem dann das Diktat für die übrigen Griechen, der sogenannte Königsfriede des Antalkidas, folgte (386)[60]. Damit hatte Ägypten die nötige Atempause für seine innere Konsolidierung gefunden. Für sechzig Jahre sollte es der gefährlichste Gegner des persischen Reiches bleiben, bis Artaxerxes III. Ochus (358-338) im Winter 343/42 die Rückeroberung gelang und Ägypten seine Freiheit für mehr als zweitausend Jahre verlor. – Blicken wir zurück, so zeichnet sich bereits im 5. Jahrhundert das Neue in der Geschichte des Ostmittelmeerraumes ab, daß sie nicht mehr allein aus den traditionellen Spannungen zwischen Ägypten und der jeweiligen mesopotamischen Großmacht heraus zu verstehen ist, sondern nun auch in das Spannungsfeld zwischen dem Osten und dem Westen, zwischen Persern und Griechen, eintritt, eine Entwicklung, die im letzten Drittel des 4. Jahrhunderts mit der Errichtung des Alexanderreiches ihren Höhepunkt erreichte. Im Zerfall dieses Reiches bahnte sich dann der Prozeß an, der mit der Schlacht von Pydna 168 v.Chr. die Römer als neuen Faktor in der ägäischen und schließlich auch in der Welt des Ostmittelmeerraumes einziehen ließ[61].

---

[55] Kienitz, S. 76; Gardiner, S. 372 und Drioton und Vandier, S. 605.

[56] Zur Frage der Stellung des Abrokomas vgl. O. Leuze: Die Satrapieneinteilung in Syrien und im Zweistromlande von 520-320, SGK 11,4, 1935, S. 155ff.

[57] Xen.An.I,4,5. – Angesichts der Tatsache, daß Artaxerxes nach KP 12,1 noch als Souverän von Oberägypten anerkannt war, besitzt die Erwähnung ägyptischer Truppenkontingente im Heer des Tissaphernes bei Xen.An. I,8,9 und II,1,6 nichts Befremdliches.

[58] Diod.XIV,35,3-5. Vgl. dazu zustimmend Kienitz, S. 77, der auf einen, keinem König der 26. Dynastie zuschreibbaren Skarabäus des Neb-Ka-en-Re Psammetich (Sammlung Hilton-Price Nr. 365), vgl. S. 233, verweist. Die Möglichkeit, daß Amyrtaios selbst den Namen Psammetich trug und vielleicht auch der Absender der Anm. 52 erwähnten Getreidelieferung an Athen war, erwägen Drioton und Vandier, S. 606 Anm. 1. – Dagegen rechnet Gardiner, S. 372, wie etwa vor ihm E. Meyer, SPAW 1915, S. 289, damit, daß es sich um eine irrtümliche Namensangabe handelt. Angemessen läßt Helck, S. 263, die Frage offen.

[59] Vgl. dazu W. Judeich: Kleinasiatische Studien. Untersuchungen zur griechisch-persischen Geschichte des IV. Jahrhunderts v.Chr., 1892, S. 23ff.; E.Meyer: Geschichte des Altertums V[4], hg. H.E. Stier, 1958, S. 182ff. und Bengtson, Geschichte, S. 256f.

[60] Vgl. dazu Meyer, V[4], S. 263ff. und Bengtson, Geschichte, S. 257ff.

[61] Vgl. dazu E. Kornemann: Weltgeschichte des Mittelmeerraumes von Philipp II. von Makedonien bis Muhammed, hg. H. Bengtson, Beck'sche Sonderausgabe, 1967, S. 307 und S. 315.

Zwischen den Fronten

Palästina in den Auseinandersetzungen zwischen dem Perserreich
und Ägypten in der ersten Hälfte des 4. Jahrhunderts

Mit noch größerem Recht als von dem 5. kann man von dem 4. vorchristlichen
Jahrhundert als einem dunklen Zeitalter in der Geschichte Palästinas sprechen.
Lassen wir die in ihrer historischen Zuverlässigkeit wie in ihrer zeitlichen Einordnung gleichermaßen umstrittenen sogenannten Memoiren des Esra außer Betracht[1],
so stehen uns für die Rekonstruktion der äußeren Geschichte der Jerusalemer Gemeinde in der zweiten Hälfte des 5. Jahrhunderts wenigstens die Gedenkschrift Nehemias
und die im oberägyptischen Elephantine gefundenen Papyri als Primärquellen zur
Verfügung. Wie ungleich schlechter es mit der geschichtlichen Überlieferung für
das 4. Jahrhundert bestellt ist, läßt ein einziger Blick in die Antiquitates Judaicae des
Josephus erkennen, in denen die ganze ausgehende Epoche der Perserherrschaft
in einem einzigen Kapitel verhandelt wird[2]. Der Historiker ist mithin darauf angewiesen, die zerstreuten Nachrichten bei den verschiedensten antiken Autoren zu
sammeln, wenn er diese Lücke schließen will. Dabei darf er sich freilich nicht darauf
beschränken, nur die unmittelbar Palästina oder gar Judäa betreffenden Nachrichten
zu sammeln. Die Geschichte eines Landes, das seine politische Selbständigkeit verloren hat, ist ja nur im Zusammenhang mit der Geschichte der Großmächte begreif-
bar, die sein eigenes Schicksal bestimmen. Entsprechend ist der Historiker gehalten,
sein Augenmerk auf die großen politischen Bewegungen in der vorderasiatisch-
ägyptischen Welt zu richten, die seit dem 5. Jahrhundert nicht mehr allein durch den
traditionellen Gegensatz zwischen Ägypten und der Mesopotamien beherrschenden
Großmacht, sondern auch durch die spannungsvolle Beziehung beider Räume zu
der griechischen Staatenwelt bestimmt sind. Mit einer solchen Darstellung leistet
er dem Exegeten des corpus propheticum, der mit der Überlieferungsgeschichte
der Fremdvölkersprüche und der Entstehung und Ausformung der jüdischen
Eschatologie beschäftigt ist, den Dienst, ihn vor die Frage zu stellen, ob die hier
geschilderte, wechselvolle Geschichte der persisch-ägyptischen Beziehungen nicht
auch ihren Niederschlag in den Prophetenbüchern gefunden hat. Wenn innere
Zersetzung das Achämenidenreich schwächte, wenn Ägypten seine Selbständigkeit
über Jahrzehnte behauptete und nicht nur persische, sondern auch ägyptische Heere
und griechische Söldnerführer auf dem Boden Palästinas erschienen, sollte man
annehmen, daß dadurch nicht allein das klassische Thema auf Ägypten gesetzter
Hoffnungen neue Aktualität gewann, sondern ähnlich wie in den Tagen eines
Haggai und Sacharja weiter gespannte, auf die von Jahwe bewirkte entscheidende
Wende der Geschichte gerichtete Erwartungen um sich griffen.

Um die Auseinandersetzung zwischen Persern und Ägyptern in der ersten Hälfte
des 4. Jahrhunderts zu verstehen, ist es zunächst notwendig, weiter auszuholen und

die Geschichte der beiderseitigen Beziehungen im 5. Jahrhundert ins Auge zu fassen[3]. Wie wenig der Wille der Ägypter zur staatlichen Selbständigkeit durch die persische Eroberung unter Kambyses 525 v. Chr. gebrochen war, zeigt die Kette der ägyptischen Aufstände, welche das 5. Jahrhundert durchzieht und jedem der Perserkönige zu schaffen machte. So brach schon ein Jahr nach dem Tode Dareios I. eine erste, wohl wie die späteren von den Libyern im Westdeltagebiet ausgehende Revolte um sich, die Xerxes in seinem zweiten Jahr 484/83 niederwerfen konnte. Bereits bei diesem Aufstand zeichnete sich das Neue in der Geschichte des Ostmittelmeerraumes ab: ihre Beeinflussung durch die Auseinandersetzungen zwischen Griechen und Persern; denn man hat sicher mit Recht vermutet, daß diese Erhebung eine indirekte Folge der persischen Niederlage bei Marathon gewesen ist, die eben die ganze Aufmerksamkeit und Kraft des Achämenidenreiches auf die Vorbereitung des Vergeltungsschlages gegen Griechenland richtete. Die nach Xerxes' Ermordung im Sommer 465 einsetzenden inneren Auseinandersetzungen am persischen Hofe gaben dann das Signal für den Aufstand des Inaros. Wie sehr er Artaxerxes I. beschäftigten mußte, geht schon daraus hervor, daß ihn sein Feldherr und Satrap von Syrien Megabyzos vermutlich erst 454 unterdrücken konnte. Diesmal hatte Athen aktiv auf ägyptischer Seite eingegriffen, ja, es hatte noch nach der Gefangennahme des Inaros dem im Sumpfland des westlichen Delta residierenden Dynasten Amyrtaios seine Flottenhilfe gewährt, bis er sich zu dem im Kalliasfrieden des Jahres 449 besiegelten Disengagement im östlichen Mittelmeer entschloß. Die Instabilität der persischen Herrschaft über Ägypten unter Dareios II. (423-404) erhellen die zerstreuten Nachrichten, die uns von Unruhen und Aufstandsbewegungen in Ägypten um das Jahr 410 berichten, einer Zeit, in der wohl einer der Deltafürsten den Athenern in ihrem Kampf um die Vorherrschaft über das kleinasiatische Griechentum durch Sachlieferungen beisprang, Thuc. VIII, 35. Schließlich gab der Tod Dareios II. 404 das Zeichen zum Aufstand des Amyrtaios, wohl eines Enkels des gleichnamigen Zeitgenossen des Inaros. Ihm war schon deshalb Erfolg beschieden, weil Artaxerxes II. (404-359/58) erst mit der Niederwerfung der Erhebung seines Bruders Kyros, dann mit dem Einfall der Spartaner in Kleinasien und schließlich mit der Dämpfung des darob zu mächtig gewordenen Einflusses der Athener beschäftigt war, eine Epoche, die im sogenannten Königsfrieden des Antalkidas 386 ihr Ende fand.

Diese Zwischenzeit hatte freilich genügt, zu einer derartigen Konsolidierung der Verhältnisse in Ägypten zu führen, daß es 60 Jahre lang allen persischen Rückeroberungsversuchen zu trotzen vermochte. Dies ist um so erstaunlicher, als das Land innerlich zunächst keineswegs als stabilisiert gelten konnte. Nicht nur die Tatsache, daß der rasche Wechsel von der 28., allein durch Amyrtaios vertretenen Dynastie[4], über die 29. mit den drei Pharaonen Nepherites I., Hakoris und dem ephemären Nepherites II.[5] zur 30. Dynastie mit den Königen Nektanebis I., Tachos und Nektanebos II. und hier wiederum der Sturz Tachos' im außenpolitisch entscheidenden Moment die inneren Zwistigkeiten beleuchtet[6], sondern auch die andere, daß die Pharaonen in zunehmendem Maße auf griechische Söldner angewiesen waren, läßt den inneren Niedergang erkennen. An diesem Urteil ändert auch der Umstand nichts, daß gerade die Bauwerke der 30. Dynastie ein neues ägyptisches Selbstbewußtsein erkennen lassen, dem über das Ptolemäerreich und die Römer eine Nachwirkung jedenfalls auf dem Gebiet der Kunst und der Religion weit über die Grenzen des Nillandes beschieden war[7].

So war es nicht zuletzt die sich immer deutlicher abzeichnende innere Zersetzung des Perserreiches mit seinen auf ihren eigenen Vorteil bedachten Satrapen[8], seinen durch die unmittelbare Abhängigkeit vom Großkönig bei ihren militärischen Operationen gehemmten Feldherren[9] und seinen ebenfalls zahlreicher werdenden griechischen Söldnern und Söldnerführern[10], die Ägypten seine letzte politische Chance bot, ehe Alexander der Große nicht nur das Perserreich zertrümmerte, sondern auch Ägypten das Joch der Fremdherrschaft auferlegte, von dem es sich schließlich erst in unseren Tagen befreien konnte[11].

Lassen wir diese Epoche an uns vorüberziehen, so können wir schon in den ersten Jahrzehnten der ägyptischen Selbständigkeit eine wachsende außenpolitische Aktivität seiner Pharaonen beobachten: Daß Nepherites I., der wohl noch zu Lebzeiten des Amyrtaios die Macht an sich riß[12], seine Fühler nach Griechenland ausstreckte, wird dadurch belegt, daß er dem im Kampf gegen die kleinasiatischen Satrapen stehenden Sparta auf ein durch seinen König Agesilaos gemachtes Bündnisangebot hin 396 zwar keine Truppen, aber doch Getreide und Schiffsausrüstungen zur Verfügung stellte[13]. Die Spartaner mußten sich allerdings diesen Beitrag für ihren Kampf gegen die Perser selbst abholen, wobei sie auf der Rückfahrt beim Anlaufen von Rhodos dem in persischem Solde stehenden athenischen Admiral Konon in die Hände fielen[14]. Aus den nach dem Tode Nepherites I. 393 einsetzenden Thronwirren ging Hakoris als Sieger hervor[15]. Er ergriff die Gelegenheit, die sich in dem von Athen unterstützten Konflikt zwischen König Euagoras von Salamis[16] und Artaxerxes II. bot, um sowohl mit Euagoras wie mit Athen um 389 ein Bündnis zu schließen[17]. Offenbar war ihm genau wie dem Großkönig bewußt, daß ein freies Cypern das größte Hindernis für die Rückeroberung seines Landes durch die Perser darstellen mußte[18]. War ein erstes, noch im Herbst 390 von Athen unter der Führung des Philokrates nach Cypern entsandtes schwaches Flottenkontingent auch von dem Spartaner Teleutias abgefangen worden[19], so ließen sich ansonsten die Dinge für Cypern günstig an: Der karische Satrap Hekatomnos[20], den Artaxerxes unter dem Oberbefehl seines sardischen Kollegen Autophradates[21] mit dem Flottenkommando gegen Cypern beauftragt hatte[22], ging offenbar nur mit halbem Herzen an seine Aufgabe, so daß Euagoras fast die ganze Insel erobern konnte[23]. Später hat er den König von Salamis sogar insgeheim mit Gold unterstützt[24]. – Weiterhin leisteten ihm nicht nur die Ägypter unter Hakoris[25], sondern auch die Athener wirksame Hilfe, dessen nur mit einem Condottiere der Renaissance vergleichbarer Feldherr Chabrias im Frühjahr 387 mit Heer und Flotte in Cypern erschien[26]. Die andauernde

Rivalität zwischen Athenern und Spartanern und deren Paktieren mit den Persern
brachte die Wende: Der Königsfriede des Antalkidas nötigte Athen schon im folgenden Jahr zur Abberufung seiner in Cypern operierenden Streitkräfte, während
Chabrias auf eigene Verantwortung zu Hakoris nach Ägypten übersetzte, um sich
hier bei der Vorbereitung der Abwehr des nun zu erwartenden persischen Angriffes
wie schließlich bei diesem selbst nützlich zu machen[27]. Und in der Tat holte Artaxerxes nun zunächst zum Schlage gegen Ägypten aus: Unter der Führung der besten
ihm zur Verfügung stehenden Feldherren, eines Abrokomas[28], Tithraustes[29] und
Pharnabazos[30], brach 385 ein starkes persisches Heer nach Ägypten auf, das in den
drei Jahren des Krieges allerdings mehr Schläge einsteckte als austeilte[31]. Mit anderen
Worten: Der Feldzug der Jahre 385-383[32] gegen Ägypten war ein glatter Mißerfolg,
ja, er hatte Euagoras die Möglichkeit geboten, nicht nur Kilikien zum Abfall vom
Großkönig zu bewegen, Syrien zu beunruhigen und Phönikien zu plündern, sondern
auch Tyros zu erobern[33]. So sah sich Artaxerxes, wollte er nicht das ganze Ostmittel-
telmeer und damit die für seine Flotte unentbehrlichen phönikischen Städte verlieren,
genötigt, vor einem erneuten Angriff auf Ägypten zunächst Euagoras in die Knie
zu zwingen[34]. Daher sandte er seinen Schwager Orontes[35] als Befehlshaber des
Landheeres und Tiribazos[36] als Flottenkommandanten nach Cypern[37]. Trotz der
Unterstützung, die Ägypten dem Salamesier zunächst mittels der Lieferung von
Getreide, Geld und anderen Sachmitteln und schließlich nach ausdrücklicher Bitte
auch mit einer Flotte von 50 Schiffen leistete[38], vermochte sich Euagoras gegenüber
dem konzentrierten persischen Angriff nicht zu behaupten. Seine Flotte wurde 381
von dem Schwiegersohn des Tiribazos, dem persischen Admiral Glos, bei Kition
geschlagen, Salamis zu Wasser und zu Lande eingeschlossen[39]. Ein wagemutiger
Durchbruch Euagoras' nach Ägypten hatte nicht den erhofften Erfolg: Hakoris
entließ ihn mit einer unerwartet niedrigen Unterstützungssumme[40]. Der König
war Realpolitiker genug, um das Nutzlose eines weiteren Widerstandes einzusehen
und Verhandlungen mit den persischen Feldherren aufzunehmen, die nach mannigfachen Intrigen des Orontes und des Tiribazos beim Großkönig gegeneinander[41]
für Euagoras glimpflich mit der Beschränkung seiner Herrschaft auf Salamis und
seiner Unterwerfung endeten[42]. Gewiß hat die Tatsache, daß ein einziger Stadt-
könig dem Großkönig derart zu schaffen machen konnte, dem persischen Ansehen
geschadet[43]. Dennoch hatte Artaxerxes sein Ziel, Ägypten zu isolieren, erreicht.

In Ägypten hatten nach dem Tode Hakoris' 380 wiederum Thronwirren eingesetzt, in denen sich der Begründer der 30. Dynastie Nektanebis I. behauptete[44].
Es war abzusehen, daß er alsbald einen energischen persischen Angriff zu erwarten
hatte. Schon verlangte der mit der Führung des Feldzuges beauftragte Pharnabazos
380/79 in Athen energisch die Abberufung des Chabrias aus Ägypten. Und die
Athener kamen dieser Forderung nicht nur nach, sondern sandten auch den angefor-
derten Strategen Iphikrates als Befehlshaber für die griechischen, im persischen Dienst
stehenden Söldner[45]. Aber die Vorbereitungen des Pharnabazos zogen sich in Kilikien

über Jahre hin[46], bis sich das Heer endlich im Frühjahr 373 von dem Sammelplatz Akko aus unter Flottenschutz nach Ägypten in Marsch setzte[47]. Nektanebis hatte die ihm geschenkte Frist nicht ungenutzt verstreichen lassen: Die Nilmündungen waren verrammelt und durch Forts gedeckt, besonders der pelusische Nilarm zu Wasser und zu Lande in eine uneinnehmbare Festung verwandelt. So erkannten die Angreifer, daß hier keine Durchbruchsmöglichkeiten bestanden, und warfen sich mit einem Expeditionskorps an die mendeïsche Nilmündung, deren Aufbruch ihnen nach heftigen Gefechten gelang[48]. Hätte Pharnabazos den Athener Iphikrates gewähren lassen, der zu einem sofortigen Vorstoß auf das von Truppen entblößte Memphis riet, wäre der Erfolg sicher gewesen[49]. Aber Pharnabazos mißtraute dem Griechen ebenso wie er um seiner Stellung willen jegliches Risiko vermeiden mußte. So beschloß er, vor dem Eintreffen des Hauptheeres keinen weiteren Vorstoß zu unternehmen. Damit bot er Nektanebis die zweite, entscheidende Chance: Er konnte Memphis militärisch abdecken und gleichzeitig seine Kräfte auf die Eindringlinge an der mendesischen Nilmündung konzentrieren, die sich nur mühsam behaupten konnten. Da stieg der Nil[50] und übernahm seinerseits die Verteidigung des Landes. Wollten die Angreifer nicht versinken und ertrinken, blieb ihnen nur der sofortige Rückzug übrig[51]. Damit war auch der zweite Versuch Artaxerxes II., Ägypten für das Reich zurückzugewinnen, gescheitert.

An einen dritten Angriff auf Ägypten konnte der alternde König nicht mehr denken; denn in den verbleibenden Jahren beschäftigten ihn die Aufstände seiner eigenen Satrapen, so daß umgekehrt für Ägypten die Stunde gekommen schien, das alte syrisch-palästinische Vorfeld zurückzugewinnen. Der Verlauf des großen Satrapenaufstandes der 60er Jahre des 4. Jahrhunderts läßt sich angesichts der unzusammenhängenden Nachrichten bei den antiken Schriftstellern nur ungefähr rekonstruieren. Sieht man von dem ergebnislosen Aufstand des Admirals Glos im unmittelbaren Anschluß an den Feldzug gegen Euagoras ab, der mit der Demütigung seines Schwiegervaters durch den Großkönig zusammenhing[52], so mag man als das eigentliche Vorspiel die eigenmächtige Aufgabe des anstelle von Pharnabazos für die Führung des Oberbefehls über das in Akkos zum Angriff auf Ägypten zusammengezogene Perserheer bestimmten Datames ansehen, der von seiner kappadokischen Provinz aus eigene Politik zu machen begann, ohne jedoch zunächst offen mit dem Großkönig zu brechen[53]. 366 erhob sich Ariobarzanes im hellespontischen Phrygien[54] und gab damit alsbald den Satrapen Maussollos von Karien[55], Orontes, einst in Armenien, jetzt in Mysien[56] und schließlich auch Autophradates von Lydien[57] das Zeichen zum Aufstand, der in den folgenden Jahren auch auf Lykien, Pisidien, Pamphylien, Syrien und Phönikien, und hier vor allem auf Sidon, übergriff[58]. Damit schien für Ägypten die Stunde gekommen, seinerseits aus der Defensive in die Offensive überzugehen. Pharao Tachos war 362 zur Alleinherrschaft gekommen[59]. Eilig rüstete er zum Krieg, für den er nach Diodor eine 200 Kriegsschiffe umfassende Flotte, 10000 auserlesene griechische Söldner und 80000 ägyptische Infantristen bereitstellte. Weiter gewann er den greisen Spartanerkönig Agesilaos als Truppenführer und den uns bereits aus den Tagen des Hakoris und Nektanebis bekannten Athener Chabrias als Flottenkommandanten[60]. Aber während Chabrias die ganze Flotte unterstellt wurde, erhielt der Spartaner wider Erwarten nicht auch das Oberkommando über das gesamte Landheer, sondern wurde lediglich zum Führer der Söldner bestellt[61]. Vergeblich gab Agesilaos dem Pharao den Rat, selbst im Lande zu bleiben und die Führung des Feldzuges seinen Generalen anzuvertrauen[62]. Aber trotz der aus der Enttäuschung seiner Erwartungen erwachsenen Verstimmung blieb der Spartaner zunächst loyal und schiffte sich mit Tachos nach Phönikien ein[63].

Da revoltierte der in Ägypten zurückgelassene Statthalter und ließ seinen von Tachos bereits von Phönikien zur Eroberung von Syrien ausgesandten Sohn Nektanebos zum König ausrufen[64]. Während Chabrias bereit war, Tachos die Treue zu halten – erst nach dessen Flucht kehrte er nach Athen zurück[65] –, ließ sich Agesilaos von Sparta freie Hand geben und ging dann zu Nektanebos über[66]. Daraufhin gab Tachos seine Sache verloren und floh zu seinem Gegner, dem Großkönig[67]. Das ägyptische Erbübel innerer Zwistigkeiten ließ den letzten Versuch, Syrien und Palästina für das Pharaonenreich zurückzugewinnen[68], scheitern. Es machte auch sogleich dem neuen König Nektanebos II. zu schaffen, der sich seinerseits eines Widersachers aus Mendes zu erwehren hatte. Auch der Mendesier soll versucht haben, Agesilaos zu einem Frontenwechsel zu bewegen[69]. Doch diesmal scheute der Spartanerkönig das verräterische Spiel und verhalf vielmehr dem bereits in einer Stadt von den Truppen des Mendesiers eingeschlossenen König durch seinen klugen Rat zu einem erfolgreichen Ausfall und damit zum Siege[70]. Anschließend begab er sich mit reichem Lohn über die Kyrenaika auf die Heimreise nach Sparta, das er jedoch nicht mehr lebend erreichte[71].

Wie groß die Gefahr für den Großkönig tatsächlich gewesen ist, geht daraus hervor, daß wohl gleichzeitig mit dem im Frühjahr 360 erfolgten Einfall Tachos' in Phönikien Orontes mit einem Heer in Syrien bereit stand[72] und Datames gar über den Euphrat, wenn auch vergeblich, gegen Artaxerxes zu Felde zog[73]. Aber der Verrat des Orontes, der sich von seiner Unterwerfung den Aufstieg zum Satrapen von Sardes und Karanos versprochen zu haben scheint[74], brachte die Wende. Der mit beachtlichen Geldmitteln und 50 Kriegsschiffen, die Tachos den Aufständischen zugedacht hatte, aus Ägypten zurückkehrende Rheomitres wechselte bei seiner Ankunft im jonischen Leukae die Front[75]. Ariobarzanes wurde vom eigenen Sohn gefangen und an den Großkönig ausgeliefert, der ihn kreuzigen ließ[76]. Und auch Datames ereilte sein Geschick. Auf Befehl Artaxerxes' hat ihn Mithridates, der Sohn des Ariobarzanes, ermordet[77]. Da Maussollos und Autophradates im Besitz ihrer Satrapien blieben, müssen sie sich rechtzeitig genug dem Großkönig unterworfen haben.

Hatte die Regierung Artaxerxes II. die innere Schwäche des Reiches offenbart, so war doch die Gefahr bei seinem zwischen Ende November 359 und April 358 fallenden Tod[78] vom Perserreich abgewendet: Wie der Satrapenaufstand an dem Eigennutz der einzelnen Satrapen, der ihn ausgelöst hatte, auch gescheitert war[79], war Ägypten, wenn nicht zurückgewonnen, so doch dank seiner eigenen Zerrissenheit auch nicht nach Palästina für die Dauer vorgedrungen. Der letzte ägyptische Pharao Nektanebos II. wandte seine Energien nach innen und machte keinerlei Anstalten, die Eroberungspolitik seines Vorgängers fortzusetzen.

1 Vgl. dazu O. Kaiser, Einleitung in das Alte Testament, Gütersloh 1969, 144 ff.
2 Ant. Jud. XI, VII (297–303).
3 Vgl. zum Folgenden O. Kaiser, Der zerbrochene Rohrstab. Zum geschichtlichen Hintergrund der Überlieferung und Weiterbildung der prophetischen Ägyptensprüche im 5. Jahrhundert, in: Festschrift K. Elliger, Neukirchen 1971.
4 Vgl. dazu Manetho, FGrHist Jac III C 609, F 2–3c, 50 f.
5 Vgl. dazu ebenda, S. 52 f, und F. K. Kienitz, Die politische Geschichte Ägyptens vom 7. bis zum 4. Jahrhundert vor der Zeitwende, Berlin 1953, 170 und 178 ff.
6 Vgl. dazu Manetho, FGrHist Jac III C 609, F 2–3c, 52 f; Kienitz 173f und unten 202.
7 Vgl. dazu W. Schur, Zur Vorgeschichte des Ptolemäerreiches: Klio 20, 1926, 293 ff; W. Wolf, Die Kunst Ägyptens. Gestalt und Geschichte, Stuttgart 1957, 623 ff; ferner H. Brunner, Zum Verständnis der archaisierenden Tendenzen in der ägyptischen Spätzeit: Saeculum 21, 1970, 151 ff.
8 Vgl. dazu A. T. Olmstead, History of the Persian Empire, Chicago (1948) 1959, 411 ff und 420 ff, und zur Illustration Plut. Lys. 4 ff; Plut. Ages. 9 ff und Plut. Artox. 14 ff, wo die zusätzlichen Intrigen der Königinmutter Parysatis hinreichend deutlich werden. Zu ihrer Rolle während der Regierung Dareios II. vgl. J. von Prášek, Geschichte der Meder und Perser bis zur makedonischen Erhebung II. Die Blütezeit und der Verfall des Reiches der Achämeniden, HAG I, 5, 2, Gotha 1910, 173.
9 Vgl. dazu z. B. Diod. XV, 41, 2.
10 Vgl. dazu z. B. K. J. Beloch, Griechische Geschichte, III, 1, Berlin-Leipzig ²1922, 600; Xen. An. I, 1, 6. 9–11; 2, 1–4. 9; 4, 2–3; 7, 10; Diod. XV, 29, 3f; Isoc. IV (Paneg.), 135; Polyaen. Strateg. VII, 20; Diod. XV, 41, 1. 3; Nep. Iph. 2, 4; Diod. XV, 43, 2; XVI, 44, 1–4; 46, 4; 47, 4. 7f; 52, 1–7; ferner Arr. An. I, 12, 8–10; 14, 4; 15, 2; 17, 9; 18, 4; 19, 1. 6; 20, 3. 10; 23, 1; 25; 29, 5ff; II, 1, 1–4; 2, 1; 6, 3. 6; 7, 6; 8, 6; 10, 5f; III, 11, 7; 16, 2; 21, 4; 23, 8–9 und 24, 5.
11 Vgl. dazu Arr. An. III, 1, 1f; Diod. XVII, 49, 2–3; Ps.-Call. A' 1, 34, 2; Curt. IV, 7, 1–2, und dazu W. W. Tarn, Alexander the Great II, Cambridge (1948) 1950, 347; ferner W. Wilcken, Alexander der Große, Leipzig 1931, 103 ff, und zur Chronologie K. J. Beloch, Griechische Geschichte, III, 2, Berlin-Leipzig ²1923, 315.
12 Vgl. dazu Kienitz, S. 79, und The Brooklyn Aramaic Papyri. New Dokuments from the Jewish Colony at Elephantine ed. E. G. Kraeling, New Haven (1953) 1969, Nr. 13, 3 f.
13 Diod. XIV, 79, 4; vgl. dazu Kienitz, S. 79 f.
14 Diod. XIV, 79, 7. Zu Konon vgl. Swoboda, RE 22, 1922, Sp. 1319 ff, und G. Dobesch, KlP 3, 1969, Sp. 293 f.
15 Vgl. dazu Kienitz, S. 80 und S. 178 ff.
16 Zu Euagoras vgl. G. Hill, A History of Cyprus I, Cambridge 1949, 126 ff.
17 Ar. Plut. erwähnt 178 das Bündnis zwischen Athen und Ägypten. Da die Komödie Anfang 388 vollendet worden ist, liefert sie den terminus ad quem für den Abschluß des Paktes, der wohl auch für das von Diod. XV, 2, 3 und Theop. FGrHist Jac II B 115 F 103, 1 erwähnte

Bündnis zwischen Hakoris und Euagoras gilt, obwohl Diodor darüber erst unter dem Jahr
386/85 berichtet. Vgl. dazu E. Meyer, Geschichte des Altertums V⁴, hg. H. E. Stier, Stuttgart
(Darmstadt) 1958, 255 f und besonders 306 Anm. 1; Beloch, III, 1, 89 f und III, 2, S. 226 ff,
sowie Kienitz, S. 82 ff.

18 Vgl. Diod. XIV, 98, 3.

19 Xen. Hell. IV, 8. 24.

20 Zu Hekatomnos vgl. U. Kahrstedt, RE 14, 1912, Sp. 2787 ff, und H. Callies, KlP 2, 1967,
Sp. 983.

21 Zu Autophradates vgl. Stähelin, RES 3, 1918, Sp. 190.

22 Theop. FGrHist Jac II B 115 F 103, 4; Diod. XIV, 98, 3 f.

23 Diod. XV, 2. 3. Vgl. dazu auch Hill, S. 132.

24 Diod. XIV, 110, 5. Vgl. dazu auch Hill, S. 135.

25 Diod. XV, 2. 3.

26 Xen. Hell. V, 1, 10; Dem. XX (Lept.), 76; Nep. Chab. 2, 2. Zu Chabrias vgl. Kirchner,
RE 6, 1899, Sp. 2017 ff, und Fr. Kiechle, KlP 1, 1964, Sp. 1120.

27 Diod. XV, 29; vgl. Dem. XX (Lept.), 76. – Zum Königsfrieden des Antalkidas vgl. Meyer,
V⁴, S. 263 ff, und H. Bengtson, Griechische Geschichte von den Anfängen bis in die römische
Kaiserzeit, HAW III, 4, München ³1965, 257 ff.

28 Zu Abrokomas vgl. J. Duchesne-Guillemin, KlP 1, 1964, Sp. 19.

29 Zu Tithraustes vgl. Graf Stauffenberg, RE II, 12, 1937, Sp. 1522 f.

30 Zu Pharnabazos vgl. Th. Lenschau, RE 38, 1938, Sp. 1846 ff, sowie A. Erzen, Kilikien bis zum
Ende der Perserherrschaft, Diss. Leipzig 1940, 123.

31 Isoc. IV (Paneg.), 140.

32 Zur Chronologie vgl. Beloch, ²III, 2, S. 228 f.

33 Isoc. IX (Euag.), 62; IV (Paneg.), 161, u. Diod. XV, 2, 4, der freilich diese Ereignisse unter dem
Jahr 386 berichtet. – Zur Vorgeschichte vgl. auch Diod. XIV, 98, 1, zur Sache Hill, S. 136.

34 Vgl. dazu Meyer, V⁴, S. 306 ff; Erzen, S. 121 ff, und Kienitz, S. 85 ff.

35 Zu Orontes vgl. J. Miller, RE 35, 1939, Sp. 1164 ff.

36 Zu Tiribazos vgl. H. Schaefer, RE II, 12, 1937, Sp. 1431 ff.

37 Vgl. Diod. XV, 2, 1–2. Zum griechischen Anteil an Heer und Flotte vgl. Isoc. IV (Paneg.),
135. Auf Unzufriedenheit der Jonier in der persischen Flotte deutet Polyaen. Strateg. VII,
20, hin.

38 Diod. XV, 3, 3–4.

39 Diod. XV, 3, 4–4, 1. Zu Glos vgl. Swoboda, RE 13, 1910, Sp. 1431 f, und H. Volkmann,
KlP 2, 1967, Sp. 815 f.

40 Diod. XV, 4, 3–4; 8, 1.

41 Diod. XV, 8, 1–9, 2.

42 Diod. XV, 9, 1–2.

43 Vgl. das Echo in dem zwischen Juli und September 380 veröffentlichten Panegyrikos des
Isocrates, Isoc. IV (Paneg.), 141 und 160.

44 Vgl. dazu Kienitz, S. 88 f.

45 Diod. XV, 29. 3–4; Nep. Chab. 3, 1; Nep. Iph. 2, 4. – Daß Diodor die Abberufung des
Chabrias zu spät datiert, ergibt sich aus Xen. Hell. V. 4, 14, wonach Chabrias bereits 379/78
wieder in athenischen Diensten stand, vgl. auch Xen. Hell. V. 4, 61. – So schon W. Judeich,
Kleinasiatische Studien. Untersuchungen zur griechisch-persischen Geschichte des IV. Jahrhunderts v. Chr., Marburg 1892, 158.

46 Diod. XV, 41, 2. Vgl. dazu E. Babelon, Traité de monnaies grecques et romaines II, Paris
1910, Nr. 548 ff und Sp. 393 ff, ferner Erzen, S. 123, und Olmstead, S. 406 f, wo die dafür als
Beleg dienenden kilikischen Münzprägungen des Pharnabazos nachgewiesen werden.

47 Diod. XV, 14, 1–4. – Nach Nep. Dat. 3, 5; 4, 1 und 5, 1–6, vgl. auch Trog. Prol. 10, hätte Artaxerxes dem Pharnabazos auch Tithraustes und Datames als gleichberechtigte Feldherren an die Seite gestellt. Nach der Abberufung des Pharnabazos hätte dann der Oberbefehl zeitweilig ausschließlich in Datames' Hand gelegen, bis er sich noch von Akko aus Furcht vor einem Mißerfolg dem Auftrag durch die Flucht entzog, nachdem er das Kommando an Mandrokles von Magnesia übergeben hatte. Offenbar hat der Großkönig daraufhin den Oberbefehl wieder an Pharnabazos übertragen. Vgl. dazu Judeich, S. 162; von Prášek, S. 210 und Erzen, S. 123 f; ferner Beloch ²III, 2, S. 254 f, und Kienitz, S. 90 Anm. 2.

48 Diod. XV, 42. Zur Anlage von Festungen an den Nilmündungen durch Chabrias vgl. Strab. XVI, 760, und XVII, 803; dazu Judeich, S. 159, der mit Recht vermutet, daß die gesamten in diesem Krieg zum Tragen gekommenen Verteidigungsanlagen auf Chabrias Anweisung zurückgehen.

49 Plut. Artox. 24, 1.

50 Zum Einsetzen der Nilüberschwemmung im Deltagebiet vgl. H. Kees, Ancient Egypt, ed. T. G. H. James, London 1961, 54.

51 Diod. XV, 43; 44, 4. – Zur Flucht des Iphikrates auf dem Rückmarsch vgl. Diod. XV, 43, 5 f.

52 Diod. XV, 9, 3. 4 und 18, 1.

53 Ausgangspunkt für die Rekonstruktion des zeitlichen Ablaufes ist Trog. Prol. 10. Zum Gesamtverlauf des Satrapenaufstandes vgl. Judeich, S. 193 ff; von Prásek, S. 211; zur Chronogie Beloch², III, 2, S. 254 ff. – Zur Rolle des Datames vgl. Nep. Dat. 5, 6–8, 6.

54 Trog. Prol. 10; Dem. XV (de lib. Rhod.), 9 f; Nep. Dat. 8, 6; Nep. Tim. 1, 3; Xen. Cyr. VIII, 8, 4; Arist. Pol. V, 1312a; vgl. Diod. XV, 90, 3, und zu Einzelheiten Ch. L. Sherman, Diodor Vol. VII, LCL, S. 202 Anm. 1.

55 Diod. XV, 90, 3.

56 Trog. Prol. 10; Dem. XIV, 31; Diod. XV, 90, 3, und dazu Beloch², III, S. 2, 138 ff, aber auch Meyer, V.⁴, S. 473 Anm. 1.

57 Diod. XV, 90, 3.

58 Diod. XV, 90, 3. – Zur Rolle des Königs Straton des Philhellenen von Sidon vgl. Hieron. adv. Jovin I, 45; ferner Theop. FGrHist Jac II B 115 F 114, und Anaximen. FGrHist Jac II A 72 F 18, und dazu Babelon, Nr. 915 ff, Sp. 571 ff, und Hill, S. 145.

59 Vgl. dazu Kienitz, S. 95. – Zur Chronologie der folgenden Ereignisse vgl. Beloch², III, 2, S. 125, und Kienitz, S. 175 ff.

60 Xen. Ages. II, 28; Diod. XV, 92, 2–3; Plut. Ages. 36; Nep. Ages. 8, 2; Nep. Chab. 2, 3; Polyaen. Strateg. III, 11,5. – Zur Finanzberatung des Pharao durch Chabrias vgl. Arist. Oecon. II, 2, 25 und 37, und dazu W. Schur, Klio 20, 1926, 282 ff, und Olmstead, S. 418 f.

61 Xen. Ages. II, 30; Plut. Ages. 37, 1; Diod. XV, 92, 2 f.

62 Diod. XV, 92, 3. Vgl. dazu Schur, 287.

63 Plut. Ages. 37, 2.

64 Plut. Ages. 37, 3; Diod. 92, 3 f. – Zu den Anspielungen auf die Revolte in der Demotischen Chronik vgl. E. Meyer, SPAW, 1915, 295 f. – Zu den Hintergründen des Aufstandes in der Unzufriedenheit der Bevölkerung und der Priester mit der Steuerpolitik des Tachos vgl. Schur, S. 286 f, und É. Drioton und J. Vandier, L'Égypte, Les peuples de l'orient méditerranéen II, Paris ⁴1962, 610 f.

65 Dem. XXIII, 171. 176 und 178, zeigt, daß Chabrias 358 als Stratege der Athener auf der Chersones war. 356 fand er beim Angriff auf Chios den Tod, vgl. Diod. XVI, 7, 3 f; Nep. Chab. 4 und Dem. XX, 81. Zur Chronologie vgl. Beloch²², III, 2, S. 258 ff. Zur Interpretation der Entfernung des Namens des Chabrias aus der Strategenliste Dittenberger, Syllogê I³, Nr. 190, 23, vgl. Beloch², III, 1, S. 238, und Meyer, V.⁴, S. 265 f. und S. 469 f.

66 Xen. Ages. II, 31; Plut. Ages. 37, 3–6; anders Diod. XV, 93, 2–6, der jedoch angesichts der

ägyptischen Zeugnisse für die Regierungsdauer der Pharaonen Tachos und Nektanebos II.
und der Angaben des Manetho, vgl. Kienitz, S. 212 ff, keine Glaubwürdigkeit verdient.

67 Plut. Ages. 38, 1; Xen. Ages. II, 30; Diod. XV, 92, 5 f, und Ath. XIV, 616 d–e.

68 Zur Fortsetzung der klassischen Vorderasienpolitik der Pharaonen durch die Ptolemäer vgl.
M. Hengel, Judentum und Hellenismus: WUNT 10, Tübingen 1969, 9.

69 Plut. Ages. 38. – Drioton und Vandier, S. 611, vermuten, daß es sich um einen Nachkommen
der 29., aus Mendes stammenden Dynastie handelt.

70 Plut. Ages. 39; Polyaen. Strateg. II, 1, 22; vgl. Diod. XV, 93, 2–6, und dazu oben Anm. 66.

71 Xen. Ages. II, 31; Diod. XV, 93, 4; Plut. Ages. 40, und Nep. Ages. 8, 3.

72 Trog. Prol. 10. Vgl. zum Folgenden Beloch², III, 2, S. 256 f. – Judeich, S. 208, und Olmstead,
S. 415 f, rechnen damit, daß Orontes erst nach seinem Verrat an den Mitverschwörern das
Heer in Syrien gesammelt hat.

73 Polyaen. Strateg. VII, 21, 3; Diod. XV, 90, 3.

74 Diod. XV, 91, 1. Trog. Prol. 10.

75 Diod. XV, 92, 1; Xen. Cyrop. VIII, 8, 4.

76 Xen. Cyrop. VIII, 8, 4; Arist. Pol. V. 1312 a.

77 Diod. XV, 91, 2. 7; Nep. Dat. 10–11; Polyaen. Strateg. VII, 29, 1.

78 Vgl. dazu R. A. Parker und W. H. Dubberstein, Babylonian Chronology 626 B. C.–A. D. 75
(Brown University Studies 19) Providence-Rhode Island 1956, 19.

79 Vgl. dazu auch Meyer, V⁴, S. 473.

Korrekturen zu den wiederabgedruckten Aufsätzen

S. 12, 11. Zeile von unten: lies „ideologischen".
S. 44, Anm. 10, letzte Zeile: lies „LØGSTRUP".
S. 47, Motto 2. Zeile: lies „gleich weit".
S. 53, 22. Zeile von oben: lies „rhetorische".
S. 54, 26. Zeile von oben: lies „behaupteten".
S. 58, 4. Zeile von oben: lies „Beweisen".
S. 109, 10. Zeile von oben: lies „EERDMANS".
S. 116, Anm. 50: lies „Gen 24".
S. 125, 10. Zeile von oben: lies „Hes 18".
S. 127, 1. Zeile von oben: lies „Sigmund".
S. 128, 6. Zeile von oben: lies „Quellenwert".
S. 128, 21. Zeile von oben: lies „anzutasten".
S. 129, Anm. 6, 1. Zeile: lies „Israelitische und".
S. 130, 5. Zeile von oben: lies „rechtfertigt".
S. 145, 7. Zeile von oben: lies „überlieferungsgeschichtlich".
S. 153, 2. Zeile von oben: lies „Ahas".
S. 155, 9. Zeile von oben: lies „Dietrich".
S. 155, Anm. 43, 3. Zeile der Fußnote von unten: lies „Seasonal".
S. 156, Anm. 47, 3. Zeile: lies „Literarkritik".
S. 157, Anm. 54, 4. Zeile: lies „Broshi".
S. 157, Anm. 54, 5. Zeile: lies „IEJ".
S. 161, Anm. 65a, 9. Zeile der Fußnote von unten: lies „Eichrodt".
S. 178, 23. Zeile von oben: lies „aus seiner Hand".
S. 178, Anm. 29: lies „Jes 37, 9b.10–21....".
S. 182, Anm. 12, 2. Zeile: lies „Dareios".

Bibliographie Otto Kaiser

Abkürzungen nach S. Schwertner, TRE, 1976

I. Buchveröffentlichungen

1. Die mythische Bedeutung des Meeres in Ägypten, Ugarit und Israel, BZAW 78, 1959, 161 S.
1a. 2., überarbeitete und um einen Nachtrag vermehrte Auflage, Berlin 1962, VIII + 196 S.
2. Der Königliche Knecht. Eine traditionsgeschichtlich-exegetische Studie über die Ebed-Jahwe-Lieder bei Deuterojesaja, FRLANT 70, Göttingen 1959, 146 S.
2a. 2., unveränderte, um einen Literaturnachtrag vermehrte Auflage, Göttingen 1962, 148 S.
3. Der Prophet Jesaja. Kapitel 1–12, ATD 17, Göttingen 1960, XV + 126 S.
3a. 2., verbesserte Auflage, Göttingen 1963, XVI + 136 S.
3b. 3., unveränderte Auflage, Göttingen 1970.
3c. 4., unveränderte Auflage, Göttingen 1978.
4. Einleitung in das Alte Testament, Gütersloh 1969, 340 S.
4a. 2., verbesserte Auflage, Gütersloh 1970, 348 S.
4b. Einleitung in das Alte Testament, Berlin 1973 (= 4a), 348 S.
4c. 3., bedeutend vermehrte und verbesserte Auflage, Gütersloh 1975, 401 S.
4d. 4., erweiterte Auflage, Gütersloh 1978, 404 S.
4e. Einleitung in das Alte Testament, 2. Auflage, Berlin 1982 (= 4d), 404 S.
4f. 5., grundlegend neubearbeitete Auflage, Gütersloh 1984, 455 S.
5. Der Prophet Jesaja. Kapitel 13–39, ATD 18, Göttingen 1973, XI + 327 S.
5a. 2., durchgesehene Auflage, Göttingen 1976, XI + 327 S.
5b. 2., durchgesehene Auflage, Berlin/DDR 1979, XI + 327 S.
5c. 3., durchgesehene Auflage, Göttingen 1983, XI + 327 S.
6. Tod und Leben (gemeinsam mit E. Lohse), Kohlhammer Taschenbücher. Biblische Konfrontationen 1001, Stuttgart 1977 (S. 7–80).
7. Das Buch des Propheten Jesaja. Kapitel 1–12, ATD 17, Göttingen 1981, 5., völlig neubearbeitete Auflage, 257 S.
8. Klagelieder, ATD 16,2, Göttingen 1981, S. 291–386.

Ia. Veröffentlichungen in Übersetzungen

1. Isaiah. Chapters 1–12. A Commentary. Transl. by R. A. Wilson, OTL, London 1972, XX + 170 S.
1a. Dasselbe, Philadelphia 1972.

202 *Bibliographie*

1b. Dasselbe, Third impression, London 1979.
1c. Japanische Übersetzung, transl. by K. Namiki, Tokyo 1978, 319 S.
2. Isaiah. Chapters 13–39. A Commentary. Transl. by R. A. Wilson, OTL, London 1974, XIX + 412 S.
2a. Dasselbe, OTL, Philadelphia 1974, XIX + 412 S.
2b. Dasselbe, OTL, 2. Auflage, London 1980.
2c. Japanische Übersetzung, transl. by K. Namiki, Tokyo 1979, 720 S.
3. Introduction to the Old Testament. Transl. by J. Sturdy, Oxford 1973, 420 S.
4. Death and Life. Transl. by J. E. Steely, Biblical Encounters Series, Nashville 1981, S. 11–91.
4a. Japanische Übersetzung, transl. by K. Ohata, Tokyo 1980, S. 11–132.
5. Isaiah. Chapters 1–12. A Commentary. Second edition, completly rewritten. Transl. by J. Bowden, OTL, London 1983, 272 S.
5a. Dasselbe, OTL, Philadelphia 1983, 272 S.
6. Old Testament Exegesis. Transl. by E. V. N. Goethius, in: Exegetical Methods, New York 1967, S. 9–34 (mehrere Nachdrucke).

II. Beiträge in Zeitschriften, Festschriften und Sammelwerken

*1. Traditionsgeschichtliche Untersuchung von Genesis 15, ZAW 70, 1958, S. 107–126.
2. Das Orakel als Mittel der Rechtsfindung im Alten Ägypten, ZRGG 10, 1958, S. 193–208.
3. Die Begründung der Sittlichkeit im Buche Jesus Sirach, ZThK 55, 1958, S. 51–63.
4. Kameradschaft, Freundschaft, Bruderschaft, ZEE 3, 1959, S. 25–37.
*5. Stammesgeschichtliche Hintergründe der Josephsgeschichte. Erwägungen zur Vor- und Frühgeschichte Israels, VT 10, 1960, S. 1–15.
6. Erwägungen zu Psalm 101, ZAW 74, 1962, S. 195–205.
7. Die alttestamentliche Exegese, in: Einführung in die exegetischen Methoden. Unter Mitarbeit von Professor Otto Kaiser, Professor Werner Georg Kümmel und Gottfried Adam herausgegeben in Verbindung mit dem Verband Deutscher Studentenschaften (Fachverband Evangelische Theologie), München 1963, S. 9–36.
7a. 2., durchgesehene Auflage, München 1964, S. 9–36.
7b. 3., durchgesehene Auflage, München 1966, S. 9–36.
7c. 4., durchgesehene Auflage, München 1969, S. 9–36.
8. Wort des Propheten und Wort Gottes, in: Tradition und Situation. Studien zur alttestamentlichen Prophetie. Festschrift A. Weiser, Göttingen 1963, S. 75–92.
9. Israel und Ägypten. Die politischen und kulturellen Beziehungen zwischen dem Volk der Bibel und dem Land der Pharaonen, Zeitschrift des Museums Hildesheim NF 14, 1963, S. 1–24.
10. Krieg und Frieden in der Sicht des Alten Testaments, in: Anstöße. Berichte aus der Arbeit der Ev. Akademie Hofgeismar 1964, S. 155–164.

* 11. Transzendenz und Immanenz als Aufgabe des sich verstehenden Glaubens, in: Zeit und Geschichte. Festschrift R. Bultmann, Tübingen 1964, S. 329–338.

12. Dike und Sedaqa. Zur Frage nach der sittlichen Weltordnung. Ein theologisches Präludium, NZSTh 7, 1965, S. 251–273.

13. Zur Lage evangelischer Theologie und Kirche, NZSTh 9, 1967, S. 1–7.

* 14. Eichhorn und Kant. Ein Beitrag zur Geschichte der Hermeneutik, in: Das ferne und nahe Wort. Festschrift L. Rost, BZAW 105, Berlin 1967, S. 114–123.

15. Kants Anweisung zur Auslegung der Bibel. Ein Beitrag zur Geschichte der Hermeneutik, in: Glaube, Geist, Geschichte. Festschrift E. Benz, Leiden 1967, S. 75–90.

* 15a. Dasselbe, NZSTh 11, 1969, S. 126–138.

16. Die Verkündigung des Propheten Jesaja im Jahre 701. I. Von der Menschen Vertrauen und Gottes Hilfe. Eine Studie über II Reg 18, 17 ff. par Jes 36, 1 ff. 1. Das literar- und textkritische Problem, ZAW 81, 1969, S. 304–316.

17. Gerechtigkeit und Heil bei den israelitischen Propheten und griechischen Denkern des 8.–6. Jahrhunderts, NZSTh 11, 1969, S. 312–328.

18. Zum Formular der in Ugarit gefundenen Briefe, ZDPV 86, 1970, S. 10–23.

19. Alttestamentlicher Schöpfungsglaube, in: V. Benninghoff: Die Schöpfung, Kassel 1970, S. 5–10.

20. Christlich – islamische Begegnungen. Ein Versuch in Rückblick und Ausblick, in: Die Karawane 12, 1971, S. 38–48.

* 21. Von der Gegenwartsbedeutung des Alten Testaments, in: Der Gott, der mitgeht. Alttestamentliche Predigten. Hg. von A. H. J. Gunneweg, O. Kaiser, C. H. Ratschow und E. Würthwein, Gütersloh 1972, S. 9–34.

* 22. Der geknickte Rohrstab. Zum geschichtlichen Hintergrund der Überlieferung und Weiterbildung der prophetischen Ägyptensprüche im 5. Jahrhundert, in: Wort und Geschichte. Festschrift K. Elliger, AOAT 18, Neukirchen 1972, S. 99–106.

* 23. Zwischen den Fronten. Palästina in den Auseinandersetzungen zwischen dem Perserreich und Ägypten in der ersten Hälfte des 4. Jahrhunderts, in: Wort, Lied und Gottesspruch II. Festschrift J. Ziegler, Würzburg 1972, S. 197–206.

24. Der Mensch unter dem Schicksal, NZSTh 14, 1972, S. 1–28.

25. Altes Testament. Vorexilische Literatur, in: Theologie und Religionswissenschaft, hg. von U. Mann, Darmstadt 1973, S. 241–268.

26. Leid und Gott. Ein Beitrag zur Theologie des Buches Hiob, in: Sichtbare Kirche. Festschrift H. Laag, Gütersloh 1973, S. 13–21.

27. Wirklichkeit, Möglichkeit und Vorurteil. Ein Beitrag zum Verständnis des Buches Jona, EvTh 33, 1973, S. 91–103.

28. Von den Grenzen des Menschen, in: Die Karawane 14, 1973, 3/4, S. 41–54.

* 29. Geschichtliche Erfahrung und eschatologische Erwartung. Ein Beitrag zur Geschichte der alttestamentlichen Eschatologie im Jesajabuch, NZSTh 15, 1973, S. 272–285.

29a. Dasselbe, in: Eschatologie im Alten Testament, hg. von H. D. Preuß, WdF CDLXXX, Darmstadt 1978, S. 444–461.

30. Die alttestamentliche Wissenschaft, in: Wissenschaftliche Theologie im Überblick hg. von W. Lohff und F. Hahn, Kl. Vandenhoeck – Reihe 1402, Göttingen 1974, S. 13–19.

31. Die alttestamentliche Exegese, in: G. Adam, O. Kaiser, W. G. Kümmel: Einführung in die exegetischen Methoden, studium theologie 1, München und Mainz 1975, 5. neubearbeitete Auflage in Neuausstattung (Beitrag Kaiser völlig neubearbeitet), S. 9–60.

31a. 6., durchgesehene Auflage, München und Mainz 1979, S. 9–60.

*32. Gedanken zur Bewältigung der gegenwärtigen Krise, in: Traditio – Krisis – Renovatio aus theologischer Sicht. Festschrift W. Zeller, Marburg 1976, S. 471–478.

33. Das Geheimnis von Eleusis, in: Die Karawane 17, 1976, 4, S. 43–55.

*34. Den Erstgeborenen deiner Söhne sollst du mir geben. Erwägungen zum Kinderopfer im Alten Testament, in: Denkender Glaube. Festschrift C. H. Ratschow, Berlin und New York 1976, S. 24–48.

35. Der soziale Auftrag der Kirche im Spiegel seiner biblischen Begründung, NZSTh 18, 1976, S. 295–306.

36. Die Sinnkrise bei Kohelet, in: Rechtfertigung, Realismus, Universalismus in biblischer Sicht. Festschrift A. Köberle, Darmstadt 1978, S. 3–21.

37. Salammbo, Moloch und das Tophet, in: Die Karawane 19, 1978, 1/2, S. 3–24 + 130–133.

38. Vom dunklen Grund der Freiheit, NZSTh 20, 1978, S. 163–174.

39. Der Tod des Sokrates, in: Die Karawane 20, 1979, 1, S. 35–43 + 115–117.

40. Von Geschichte und Geist der Ostkirche, in: Die Karawane 20, 1979, 1, S. 73–88 + 117–118.

*41. Johann Salomo Semler als Bahnbrecher der modernen Bibelwissenschaft, in: Textgemäß. Festschrift E. Würthwein, Göttingen 1979, S. 59–74.

42. Lysis oder von der Freundschaft, ZRGG 1980, S. 193–218.

43. Warum der Mensch heute einen Freund braucht, in: Radius Almanach 19, 1980/81, Stuttgart 1980, S. 27–36.

44. Amor fati und Amor Dei, NZSTh 23, 1981, S. 57–73.

45. Palmyrenische Träume, in: Die Karawane 22, 1981, 1, S. 57–76 + 92–93.

46. Judentum und Hellenismus, VF 27, 1982, S. 68–88.

47. Gottesgewißheit und Weltbewußtsein in der frühhellenistisch-jüdischen Weisheit, in: Glaube und Toleranz, hg. von T. Rendtorff, Gütersloh 1982, S. 76–88.

48. Punische Dokumente, in: Dokumente zum Rechts- und Wirtschaftsleben, Texte aus der Umwelt des Alten Testaments, Bd. I, Lfg. 3, Gütersloh 1983, S. 264–267.

III. Artikel in Lexika

1. LThK, 2. Auflage, Freiburg i. Br. 1957–1967:

1. Baudissin, Band II, Sp. 54.
2. Bentzen, Band II, Sp. 209.
3. Bickel, G., Band II, Sp. 453.
4. Dalman, Band III, Sp. 127.
5. Delitzsch, Fr. J., Band III, Sp. 210f.
6. Delitzsch, Friedrich, Band III, Sp. 211.
7. Eichhorn, J. G., Band III, Sp. 723.
8. Ewald, H. G. A., Band III, Sp. 1262f.
9. Gesenius, Band IV, Sp. 814f.
10. Hengstenberg, Band V, Sp. 230f.
11. Isaak Levita, Band V, Sp. 775.
12. Kautzsch, Band VI, Sp. 100.
13. Kittel, R., Band VI, Sp. 310f.
14. Littmann, Band VI, Sp. 1084.
15. Masora, Band VII, Sp. 152–154.
16. Olshausen, Band VII, Sp. 1153.
17. Procksch, Band VII, Sp. 782.
18. Schaddaj, Band IX, Sp. 358.
19. Socin, Band IX, Sp. 843.
20. Staerk, Band IX, Sp. 1021.
21. Steuernagel, Band IX, Sp. 1067.

2. RGG, 3. Auflage, Tübingen 1957–1962:

1. Jesajabuch. 2. Jes 40–55, Band III, Sp. 606–609.
2. Jesajabuch. 3. Jes 56–66, Band III, Sp. 609–611.

3. CBL, 5. Auflage, Stuttgart 1959–1961 (vgl. 2. Auflage, 1967)

1. Anthropomorphismus, Sp. 60f. (60f.).
2. Beschneidung, Sp. 163f. (163f.).
3. Blutrache, Sp. 165. (168f.).
4. Erstgeburt, Sp. 282f. (282f.).
5. Feind, Sp. 310 (318).
6. Feuer, Sp. 318f. (326f.).
7. Joel, Sp. 649f. (664f.).
8. Jona, Sp. 663f. (679f.).
9. Micha, Sp. 882f. (902f.).
10. Nahum, Nahumbuch, Sp. 927f. (948f.).
11. Obadja, Sp. 949 (969f.).
12. Tanz, Sp. 1288 (1313).

4. BHH, Göttingen 1962–1966:

1. Ahia, Band I, Sp. 50f.
2. Amoz, Band I, Sp. 87.
3. Enneateuch, Band I, Sp. 413.
4. Jesaja, Band II, Sp. 850f.
5. Jesajabuch, Band II, Sp. 851–857.
6. Oktateuch, Band II, Sp. 1336.
7. Pathros, Band III, Sp. 1400.
8. Raubebald, Band III, Sp. 1554.
9. Remalja, Band III, Sp. 1589.
10. Rest, Band III, Sp. 1592f.
11. Riechfläschchen, Band III, Sp. 1601.
12. Sear Jasub, Band III, Sp. 1752.
13. Sebna, Band III, Sp. 1752.
14. Syene, Band III, Sp. 1896.
15. Tetrateuch, Band III, Sp. 1957.
16. Weg am Meer, Band III, Sp. 2147.
17. Wunderbar, Band III, Sp. 2191.

5. ThWAT, Stuttgart 1970ff.:

1. *haeraeb*, Band III, Sp. 164–176.
2. *harab*, Band III, Sp. 160–164.

IV. Würdigungen

1. Professor Weiser 65 Jahre, Tübinger Chronik. Schwäbisches Tagblatt, 18. 11. 1958.
2. Ehrendoktor für Ägyptologen (S. Morenz), Tübinger Chronik. Schwäbisches Tagblatt, 11. 11. 1959.
3. Welchen Sinn hat es von Gott zu reden? Um die zeitgemäße Verkündigung des Evangeliums. R. Bultmann zum 80. Geburtstag, Oberhessische Presse, 20. 8. 1964, S. 10.
4. Dem Alten Testament verbunden. Professor D. Artur Weiser wurde 75 Jahre alt, Tübinger Chronik. Schwäbisches Tagblatt, 19. 11. 1968.
5. Carl Heinz Ratschow. Zum 60. Geburtstag, Frankfurter Allgemeine Zeitung, 22. 7. 1971, S. 2.
6. Johannes Klein gestorben, Frankfurter Allgemeine Zeitung, 23. 11. 1973, S. 28.
7. Ein großer Lehrer der Kirche. Zum Tode Rudolf Bultmanns, Deutsches Allgemeines Sonntagsblatt, 8. 8. 1976, S. 9.
8. Rudolf Bultmann gestorben, Marburger Universitätszeitung Nr. 66, 21. 10. 1976, S. 6.
9. Menschsein in Gott aufgehoben. Theologischer Ehrendoktor wird an den Philosophen Hans Jonas verliehen, Oberhessische Presse, 15. 11. 1976, S. 4.

10. Ein markanter Theologe. Ehrendoktor für den Religionsphilosophen Løgstrup, Oberhessische Presse, 29. 6. 1977, S. 8.
11. Ein selbständig urteilender Gelehrter. Ernst Würthwein, ein bedeutender Alttestamentler der Philippina, emeritiert, Oberhessische Presse, 5. 10. 1977, S. 8.
11a. Lebhafter Zuspruch bis zur letzten Vorlesung, Marburger Universitätszeitung Nr. 82, 20. 10. 1977, S. 7.
12. Artur Weiser gestorben. Alttestamentliche Forschung, Frankfurter Allgemeine Zeitung, 21. 8. 1978, S. 17.
13. Ernst Würthwein 70. Ein Leben für das Alte Testament, Frankfurter Allgemeine Zeitung, 20. 9. 1979, S. 25.
14. Ernst Würthwein 70 Jahre alt. Marburger Universitätszeitung Nr. 109, 18. 10. 1979, S. 5.
14a. Ernst Würthwein, Oberhessische Presse, 22. 9. 1979, S. 3.
15. Carl Heinz Ratschow 70. Das Ernstnehmen Gottes, Frankfurter Allgemeine Zeitung, 22. 7. 1981, S. 19.

V. Meditationen, Predigten und Ansprachen (in Auswahl)

1. Psalm 119,45, in: Der Herr unser Herrscher. Eine Deutung der Jahreslosung und der Monatssprüche für das Jahr 1966, Stuttgart 1965, S. 65–72.
2. Dem Volk, das im Finstern wandelt, scheint ein großes Licht (Jes 9,1–6), in: Der Gott, der mitgeht. Alttestamentliche Predigten. Hg. von A. H. J. Gunneweg, O. Kaiser, C. H. Ratschow, E. Würthwein, Gütersloh 1972, S. 58–64.
3. Wer glaubt, flieht nicht (Jes 28,14–22), in: Der Gott, der mitgeht (= Nr. 2), S. 65–73.
4. Die Gelassenheit des Glaubens (Prediger 7,15–18.20–22), in: Der Gott, der mitgeht (= Nr. 2), S. 74–81.
5. Die Befreiung zur Gemeinschaft der Sünder (Esra 9,1–10,4), in: Der Gott, der mitgeht (= Nr. 2), S. 82–87.
6. Ansprache über Psalm 37,18. Trauerfeier für Elisabeth Blochmann am 2. Februar 1972, Privatdruck.
7. Assoziationen zu Joh 3,1–8 (9–15), in: Assoziationen. Gedanken zu biblischen Texten, hg. v. W. Jens, Band 1, Stuttgart 1978, S. 121–123.
8. Assoziationen zu Luk 16,19–31, in: Assoziationen (= Nr. 7), S. 124–126.
9. Assoziationen zu 1 Kor 15,12–20, in: Assoziationen (= Nr. 7), Band 2, Stuttgart 1979, S. 97–98.
10. Assoziationen zu 1 Petr 1,3–9, in: Assoziationen (= Nr. 7), S. 101–102.
11. Assoziationen zu Pred 3,1–14, in: Assoziationen (= Nr. 7), Band 3, Stuttgart 1980, S. 209–212.
12. Assoziationen zu Luk 13,22–27, in: Assoziationen (= Nr. 7), Band 5, Stuttgart 1982, S. 197–200.
13. Assoziationen zu 2. Sam 12,1–10.13–15a, in: Assoziationen (= Nr. 7), Band 6, Stuttgart 1983, S. 179.

VI. Verschiedenes

1. O. Kaiser und H. E. Tödt, Zum Stand der Reform des Studiums der Evangelischen Theologie, in: Kirche in der Zeit 22/9, 1967, S. 403–407.
1a. Dasselbe, in: Lutherische Monatshefte 6/9, 1967, S. 451–455.
1b. Dasselbe (auszugsweiser Abdruck), in: Reform der theologischen Ausbildung. Untersuchungen, Berichte, Empfehlungen. Hg. von H.-E. Hess und H. E. Tödt, Band I, Stuttgart 1967, S. 14–28.
2. Zum Studium der Evangelischen Theologie, in: Aspekte 2, 1969, S. 19–21.
3. Vorwort zu J. H. Negenman, Großer Bildatlas zur Bibel, Gütersloh 1969, S. 5.
4. Kamerad – Freund – Bruder (Mitarbeit), in: Evangelischer Erwachsenenkatechismus. Hg. von W. Jentsch u. a., Gütersloh 1975, S. 645–650.

VII. Besprechungen

1. Selbstanzeige zu: Die mythische Bedeutung des Meeres in Ägypten, Ugarit und Israel (vgl. oben Nr. I, 1.), ThLZ 82, 1957, Sp. 156–158.
2. H.-J. Kraus, Psalmen, BK XV, Lfg. 1–6, ThLZ 84, 1959, Sp. 512–515.
3. N. K. Gottwald, A Light to the Nations. An Introduction to the Old Testament, ThZ 15, 1959, S. 452–453.
4. R. Martin – Achard, Israël et les nations, ThLZ 85, 1960, Sp. 38–39.
5. B. S. Childs, Myth and Reality in the Old Testament, ThLZ 87, 1962, Sp. 111–113.
6. H.-J. Kraus, BK XV, 1 + 2, ThLZ 87, 1962, Sp. 416–421.
7. W. Beyerlin, Herkunft und Geschichte der ältesten Sinaitraditionen, ThLZ 88, 1963, Sp. 342–345.
8. Ohne Titel in „Auslegung des Alten Testamentes – zwei neue Reihen: I. Kommentar" (zum Wiedererscheinen des KAT und zu W. Rudolph, Das Buch Ruth. Das Hohe Lied. Die Klagelieder, KAT XVII, 1–3), DtPfrBl 63, 1963, S. 33–34.
9. N. W. Porteous, Das Danielbuch, ATD 23, DtPfrBl 63, 1963, S. 319.
10. H. D. Bracker, Das Gesetz Israels verglichen mit den altorientalischen Gesetzen der Babylonier, der Hethiter und der Assyrer, DtPfrBl 63, 1963, S. 343.
11. M. Noth, Die Welt des Alten Testaments (4. Auflage), DtPfrBl 63, 1963, S. 343.
12. B. Gemser, Sprüche Salomos, HAT I,16, DtPfrBl 63, 1963, S. 416.
13. O. Eißfeldt, Kleine Schriften II, DtPfrBl 63, 1963, S. 467 f.
14. G. v. Gynz-Rekowski, Symbole des Weiblichen in Gottesbild und Kult des Alten Testaments, DrPfrBl 63, 1963, S. 468.
15. S. Plath, Furcht Gottes, AzTh II, 2, DtPfrBl 63, 1963, S. 618.
16. H. Lamparter, Das Buch der Sehnsucht, BAT 16/2, DtPfrBl 63, 1963, S. 618.
17. Calwer Predigthilfen Bd. 2, hg. von C. Estermann, DtPfrBl 64, 1964, S. 101.
18. J. Begrich, Studien zu Deuterojesaja, ThB 20, DtPfrBl 64, 1964, S. 101.

19. H. W. Wolff, Dodekapropheton, Joel, BK XIV, 5, DtPfrBl 64, 1964, S. 101.
20. W. Zimmerli, Das Gesetz und die Propheten, DtPfrBl 64, 1964, S. 156 f.
21. M. A. Beek, Auf den Wegen und Spuren des Alten Testaments, DrPfrBl 64, 1964, S. 214.
22. G. Fohrer, Das Buch Hiob, KAT XVI, DtPfrBl 64, 1964, S. 271.
23. W. H. Schmidt, Königtum Gottes in Ugarit und Israel, BZAW 80, ThLZ 89, 1964, Sp. 351–352.
24. J. Hempel, Geschichten und Geschichte im Alten Testament bis zur persischen Zeit, DtPfrBl 64, 1964, S. 392.
25. H. Bardtke, Luther und das Buch Esther, DrPfrBl 64, 1964, S. 552.
26. G. W. Anderson, A Critical Introduction to the Old Testament, ThLZ 89, 1964, Sp. 592 f.
27. G. Sauer, Die Sprüche Agurs, BWANT, DtPfrBl 65, 1965, S. 53.
28. O. Plöger, Das Buch Daniel, KAT XVIII, DtPfrBl 65, 1965, S. 521 f.
29. R. Knierim, Die Hauptbegriffe für Sünde im Alten Testament, DtPfrBl 66, 1966, S. 111 f.
30. O. Eißfeldt, Kleine Schriften III, DtPfrBl 66, 1966, S. 203.
31. G. Gerleman, Studien zu Esther, BSt 48, DtPfrBl 66, 1966, S. 203.
32. Biblischer Kommentar–Altes Testament: W. Zimmerli, XIII/2. Lfg.; G. Gerlemann, XVIII, 3. Lfg. und H. Wildberger, X, 1. Lfg., DtPfrBl 66, 1966, S. 599.
33. F. Mildenberger, Gottes Tat im Wort, DtPfrBl 67, 1967, S. 225 f.
34. Theologiestudium. Entwurf einer Reform. W. Herrmann und G. Lautner, ThLZ 92, 1967, Sp. 21–25.
35. A. Resch, Der Traum im Heilsplan Gottes. Deutung und Bedeutung des Traums im Alten Testament, ThLZ 92, 1967, Sp. 658–660.
36. N. Lohfink, Das Hauptgebot. Eine Untersuchung literarischer Einleitungsfragen zu Dtn 5–11, AnBib 20, ThLZ 92, 1967, Sp. 751–754.
37. L. Wächter, Der Tod im Alten Testament, AzTH II,8, ThLZ 93, 1968, Sp. 655 f.
38. G. Fohrer, Studien zur alttestamentlichen Prophetie, BZAW 99, ThLZ 93, 1968, Sp. 734–736.
39. S. Herrmann, Die prophetischen Heilserwartungen im Alten Testament, BWANT 5. F., ThLZ 94, 1969, Sp. 332–336.
40. G. Fohrer, Studien zur alttestamentlichen Theologie und Geschichte, BZAW 115, ThLZ 95, 1970, Sp. 414–417.
41. U. Bianchi, Problemi di storia delle religioni, OLZ 66, 1971, Sp. 471–474.
42. Th. H. Gaster, Myth, Legends, and Custom in the Old Testament, ThLZ 97, 1972, Sp. 743–745.
43. W. Helck, Betrachtungen zur Großen Göttin und den mit ihr verbundenen Gottheiten, ThLZ 98, 1973, Sp. 663–668.
44. H.-J. Kraus, Psalmen, BK XV, 1/2, 4. Auflage, 1972, ThLZ 98, 1973, Sp. 900.
45. H. Lloyd-Jones, The Justice of Zeus, Sather Classical Lectures 14, OLZ 69, 1974, Sp. 12–15.
46. Th. C. Vriezen und A. S. v.d. Woude, De Literatur van Oud-Israel, ThLZ 99, 1974, Sp. 820 f.

47. J. C. de Moor, The Seasonal Pattern in the Ugaritic Myth of Baʿlu, AOAT 16, ThLZ 100, 1975, Sp. 254–258.
48. I. Grumach, Untersuchungen zur Lebenslehre des Amenope, MÄS 23, ThLZ 100, 1975, Sp. 252–254.
49. G. Fohrer, Geschichte der israelitischen Religion, OLZ 70, 1975, Sp. 40–43.
50. P.-E. Bonnard, Le second Isaïe, son disciple et leurs éditeurs. Isaïe 40–66, EtB, ThLZ 101, 1976, Sp. 20–22.
51. J. A. Soggin, Introduzione all' Antico Testamento, BCR 14, ZDPV 93, 1977, S. 309 f.
52. A. Schoors, I am God Your Saviour, VT.S 24, ThLZ 104, 1979, Sp. 648–650.
53. F. P. Bargebuhr, Salomo Ibn Gabirol. Ostwestliches Dichtertum, veröffentlicht als: Zum Gedenken an Frederik P. Bargebuhr, ZRGG 31, 1979, S. 205–207.
54. C. Houtman, De Hemel in het Oude Testament, OLZ 74, 1979, Sp. 542–544.
55. J. Sturdy, Numbers, CBC, ThLZ 105, 1980, Sp. 419–420.
56. Encounter with the Text. Form and History in the Hebrew Bible, ed. M. J. Buss, Semeia Supplements, ThLZ 105, 1980, Sp. 738–739.
57. C. Houtman, Inleiding in de Pentateuch, ThLZ 107, 1982, Sp. 419–421.
58. A. G. Auld, Joshua, Moses and the Land, ThLZ 107, 1982, Sp. 262–264.
59. A. A. Macintosh, Isaiah XXI. A palimpsest, VT 32, 1982, S. 363–367.
60. R. K. Harrison, Introduction to the Old Testament, ThLZ 108, 1983, Sp. 109–111.
61. J. H. Hayes, An Introduction to Old Testament Study, ThLZ 108, 1983, Sp. 21 f.
62. B. Margalith, A Matter of „Life" and „Death". A Study of the Baal-Mot Epic (CTA 4–5–6), OLZ 79, 1984, Sp. 42–45.
63. R. P. Merendino, Der Erste und der Letzte. Eine Untersuchung von Jes 40–48, ThLZ 109, 1984, Sp. 431 f.

VIII. Zahlreiche Kurzrezensionen für die ZAW
(seit ZAW 94, 1982)
und über 800 Kurzanzeigen in der IZBG
(seit IZBG VII, 1960/61)

IX. Herausgeberschaften

1. Tradition und Situation. Studien zur alttestamentlichen Prophetie. Festschrift A. Weiser zum 70. Geburtstag am 18. 11. 1962 dargebracht von Kollegen, Freunden und Schülern. Hg. von E. Würthwein und O. Kaiser, Göttingen 1963, 156 S.
2. Jahrbuch 1964. Marburger Universitätsbund. Band 3. Im Auftrag des Mar-

burger Universitätsbundes hg. von Prof. Dr. Otto Kaiser und Dr. Ingeborg
Schnack, Marburg 1964, 117 S.

3. Jahrbuch 1965. Marburger Universitätsbund. Band 4, (wie Nr. 2), Marburg 1965, 149 S.

4. Karl Elliger, Kleine Schriften zum Alten Testament. Zu seinem 65. Geburtstag am 7. März 1966, hg. von Hartmut Gese und Otto Kaiser, ThB 32,
München 1966, 275 S.

5. Denkender Glaube. Festschrift Carl Heinz Ratschow zur Vollendung seines
65. Lebensjahres am 22. Juli 1976 gewidmet von Kollegen, Schülern und
Freunden. Hg. von Otto Kaiser, Berlin und New York 1976, 363 S.

6. Textgemäß. Aufsätze und Beiträge zur Hermeneutik des Alten Testaments.
Festschrift für Ernst Würthwein zum 70. Geburtstag hg. von A. H. J.
Gunneweg und Otto Kaiser, Göttingen 1979, 208 S.

7. Jüdische Schriften aus hellenistisch-römischer Zeit, hg. von W. G. Kümmel
in Zusammenarbeit mit Christian Habicht, Otto Kaiser, Otto Plöger und
Josef Schreiner, Gütersloh 1972 ff.

8. Theologische Wissenschaft. Sammelwerk für Studium und Beruf, hg. von C.
Andresen, W. Jetter, W. Joest, O. Kaiser und E. Lohse, Stuttgart u. a.
1972 ff.

9. Kommentar zum Alten Testament, hg. von W. Rudolph, K. Elliger, F. Hesse
und O. Kaiser (seit 1971), Gütersloh.

10. Das Alte Testament Deutsch, hg. von O. Kaiser und L. Perlitt, Göttingen
1978 ff.

11. Internationale Zeitschriftenschau für Bibelwissenschaft und Grenzgebiete.
In Verbindung mit den Universitätsprofessoren P. I. Bratsiotis, O. Kaiser,
A. Vögtle. Hg. von F. Stier (ab Bd. XXV, 1978/79). – Dasselbe. In Verbin-
dung mit P. I. Bratsiotis, O. Kaiser und A. Vögtle hg. von B. Lang (ab
Bd. XXVI, 1979/80).

12. Texte aus der Umwelt des Alten Testaments. In Gemeinschaft mit R.
Borger, W. C. Delsman, M. Dietrich, U. Kaplony-Heckel, H. M. Kümmel,
O. Loretz, W. W. Müller und W. H. Ph. Römer hg. von O. Kaiser, Gütersloh
1982 ff.

13. Zeitschrift für die alttestamentliche Wissenschaft, Berlin und New York. In
Verbindung mit H.-C. Schmitt und G. Wanke hg. von O. Kaiser (ab Bd. 94,
1982).

X. Universitätsinterne Veröffentlichungen

1. Grammatische Erläuterungen und Übungen zur Einführung in das Aramäische, Marburg 1982, 84 S.

Bibelstellenregister

Das Alte Testament Deutsch (ATD)
Herausgegeben von Otto Kaiser und Lothar Perlitt

Vandenhoeck & Ruprecht · Göttingen und Zürich